à Rothéneuf (à 6 KM de St-Malo)
Rochers sculptés p: 179

Bretagne

La Bretagne sur mesure

La Bretagne à la carte

La Bretagne de proche en proche

Bretagne nord

La Bretagne sur mesure

Un week-end 5

Une semaine 9

Dix jours 12

Deux semaines 14

Un grand week-end à Belle-Île

Ce court séjour promet d'être inoubliable tant l'île mérite que l'on s'y arrête plus d'une journée, avec ses maisons aux façades et aux volets peints de couleurs vives, et sa végétation méditerranéenne – mimosas, palmiers, figuiers. Le bateau vous laissera dans la « capitale », Le Palais, mais nous vous conseillons de pousser jusqu'au petit port de Sauzon (p. 266-267). Si vous choisissez l'hôtel, réservez une chambre au Phare, qui domine la jetée. On peut difficilement imaginer cadre plus romantique et pittoresque à la fois. Si possible, arrivez le vendredi soir pour profiter à plein des deux journées que vous consacrerez à la visite de l'île. Pour découvrir au mieux ce petit paradis où alternent plages de sable blanc et côtes sauvages battues par les flots, le vélo est idéal. Mais les adeptes de la marche y trouveront aussi leur compte. Sur la face ouest, tournée vers le large, la falaise de l'Apothicairerie et les aiguilles de Port-Coton, assaillies par les vagues, sont particulièrement impressionnantes. Après le Grand Phare et l'anse de Goulphar, magnifique petit port naturel, continuez vers Grand-Village : la côte au-delà fourmille de petites plages cachées, et donc pas trop envahies. À l'autre extrémité, la fraîcheur du village de Locmaria est particulièrement bienvenue après quelques coups de pédales, tandis que la plage des Grands-Sables, un peu plus loin, vient à point pour la détente. Hélas, le temps d'acheter quelques souvenirs au Palais et, déjà, le bateau du retour vous attend…

Un grand week-end dans la presqu'île de Rhuys

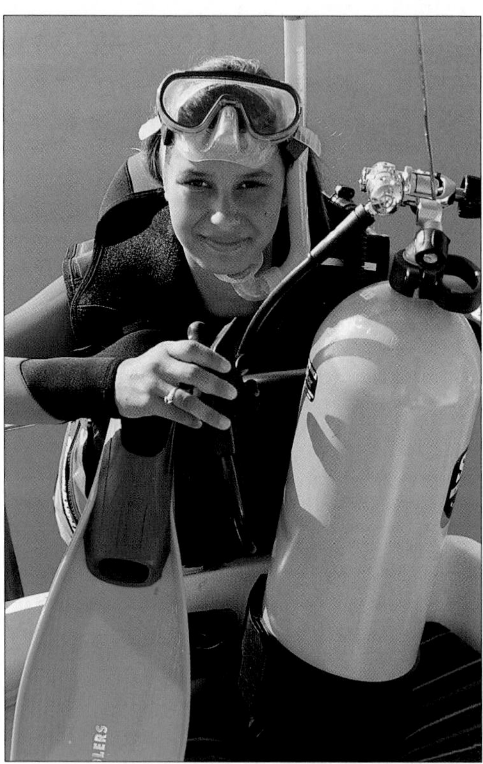

La presqu'île de Rhuys vaut surtout pour la beauté de ses paysages contrastés, balayés par le vent, l'étendue de ses plages, ses sentiers de randonnées et quelques curieux édifices (p. 262 et 263). Ici ou là se dressent d'anciens moulins à marée reconvertis en résidence secondaire, mais aussi la splendide forteresse de Suscinio, résidence favorite des ducs de Bretagne, ou encore le château de Kerlévenan dont l'architecture italienne surprendra le visiteur. Les balades sur les falaises de Saint-Gildas-de-Rhuys sont pleines de charme, tandis que, côté golfe, les anciens marais salants forment une contrée envahie par les pêcheurs à pied les jours de grande marée (p. 40 et 41). C'est aussi un important secteur ostréicole où l'on pourra gober des huîtres toutes fraîches et même visiter quelques parcs grâce à l'association L'Ostréane notamment (p. 263). Mais le grand plaisir de cette presqu'île reste sans doute les kilomètres de plages, à Beg Lan, Landrézac ou Penvins, qui bordent sa façade atlantique et offrent d'innombrables activités, de la simple baignade à la plongée sous-marine en passant par la planche et le char à voile. À la fin de la presqu'île, la pointe du Grand Mont et Port-Navalo marquent la limite entre l'océan Atlantique et le golfe du Morbihan et offrent un panorama des plus grandioses sur la baie de Quiberon et les îles d'Houat, d'Hoëdic et parfois de Belle-Île. Vous pourrez découvrir, à quelques kilomètres, deux tumulus parmi les plus beaux conservés : Tumiac et Petit Mont.

Un week-end de Guérande à La Baule

Ce week-end vous fera remonter le temps, de Guérande (p. 284 et 285), place forte des ducs de Bretagne au Moyen Âge, à La Baule (p. 286 et 287), station balnéaire créée à la fin du siècle dernier, qui attire aujourd'hui les foules estivales. Capitale du sel, la petite ville de Guérande, protégée par 11 tours rondes, est parfaitement conservée. Flânez entre les salines qui l'entourent à pied, à vélo ou en voiture, ou partez à la découverte du métier de paludier, remis à l'honneur au milieu des années 1970 (visites thématiques organisées, p. 285). Ceux qui voudront goûter l'« or blanc » le trouveront en vente sur le bord des petites routes ou sur les meilleures tables de la région (p. 89). Le *nec plus ultra* est la fleur de sel, fins cristaux ramassés à la surface de l'eau. Plus à l'intérieur des terres, le parc naturel de Brière, immense marécage peuplé d'oiseaux migrateurs, de loutres et de ragondins, se visite en chaland, barques à fond plat que l'on manœuvre à la perche (p. 289). Perdez-vous dans les roselières et laissez-vous pénétrer par l'atmosphère de ce monde insolite où s'étendent de curieux petits villages aux maisons coiffées de toits de chaume. Ne manquez pas Kerhinet et ses artisans (p. 289), et le clocher de Saint-Lyphard. Le lendemain, changement d'atmosphère : l'incontournable ensemble balnéaire que forment les grandes plages du Pouliguen, de La Baule et de Pornichet vous attend (p. 287). Galop revigorant le matin dans les vagues ou farniente au soleil, à vous de voir. S'il vous reste un peu de temps, allez jeter un coup d'œil sur les entrailles de *L'Espadon*, l'ancien sous-marin nucléaire basé à Saint-Nazaire (p. 290).

Un week-end à Nantes

Laissez-vous tenter par un week-end dans la capitale historique des ducs de Bretagne, au confluent de la Loire, de l'Erdre et de la Sèvre, à une cinquantaine de kilomètres de l'océan Atlantique. Une promenade dans la vieille ville (p. 296) vous permettra de découvrir son riche passé historique et artistique, en flânant dans les rues des quartiers médiévaux (Change et Juiverie). Quant aux multiples musées, ils ne laissent que l'embarras du choix (p. 297 et 298). Le musée des Beaux-Arts, créé après la Révolution, offre un panorama complet de l'évolution de la peinture. Plus pittoresque, le musée Jules-Verne et le Planétarium devraient suffire à vous propulser dans les étoiles à moins que vous ne préfériez faire du lèche-vitrine dans le somptueux passage Pommeraye. Appareils photo très recommandés. Après une journée en ville, allez déguster du muscadet sur lie en dérivant au fil des vignobles et des propriétés de Vallet ou de la Haie-Fouassière, côtoyer les fantômes des riches armateurs à l'ombre des luxueuses demeures nantaises de l'île Feydeau, ou encore vous promener en canoë sur le canal de la Martinière, non loin de la Loire. Autre solution : consacrez une journée à remonter l'estuaire du grand fleuve jusqu'à la station balnéaire de Saint-Brévin, idéale pour se reposer de la ville, ou à une balade en bateau sur l'Erdre aux rives jalonnées de nombreux châteaux et manoirs. Quant à la visite des vignobles, elle vous permettra de pousser jusqu'à Clisson (p. 300), pour découvrir cette étonnante cité à l'architecture italienne. Quelques spécialités gastronomiques agrémenteront ce week-end : brochet au beurre blanc, alose de la Loire farcie à l'oseille, canard au muscadet suivis de pâtisseries ou de confiseries locales, comme le gâteau nantais au rhum, la fouace ou les rigolettes nantaises (délicieux bonbons fourrés de pâte de fruits).

Une semaine dans
le golfe du Morbihan

Ouvrez grand les yeux : avec son enchevêtrement de bras de mer enlaçant des îles et des îlots aussi nombreux que les jours de l'année, ses herbiers, ses vasières, ses marais, ses anciennes salines, le golfe du Morbihan déploie peut-être les plus beaux paysages de Bretagne. Vannes, capitale du département (p. 258 à 261), est un agréable lieu de séjour à partir duquel il est facile de rayonner. La *Mor bihan*, « petite mer », protégée des vents dominants, est le paradis de la voile. Plusieurs solutions s'offrent à vous : louez un petit bateau à moteur et visitez ce lieu magique à votre rythme. Mais attention aux courants qui peuvent être violents ! Peut-être préférerez-vous alors vous laisser guider et glisser à travers le dédale d'îlots à bord d'un sinagot, bateau traditionnel aux voiles carrées rouge brique, ou faire une sortie en voilier avec un skipper. Ou composez-vous un itinéraire à la carte grâce aux multiples vedettes qui font régulièrement la navette d'une île à l'autre (p. 256). Une visite à l'île aux Moines, la plus grande du golfe, s'impose. Son opulence saute aux yeux. L'île d'Arz présente un visage plus austère, mais tout aussi attachant. Un sentier côtier permet d'en faire le tour : panoramas sur le golfe et paysages contrastés – anses, plages, prairies plongeant dans la mer – sont au rendez-vous. Pour une autre journée de visite sur les îles, Gavrinis et son impressionnant cairn vous permettront de remonter au temps de la première présence humaine dans le golfe. Lieu privilégié, celui-ci attire toutes sortes d'animaux : les sèches y prospèrent, tout comme de nombreuses espèces d'oiseaux. Vous pourrez les observer le mieux au sud-est de Vannes, dans les marais de Séné qui abritent une réserve d'importance internationale (visites commentées organisées, p. 257). S'il vous reste un peu de temps, prenez de la hauteur : le golfe s'admire aussi du ciel.

Une semaine de Redon à Josselin en pénichette

Ah ! voir l'île aux Pies (p. 277) au lever du soleil avec la brume nappant le canal, spectacle magique auquel vous aurez droit sur ce trajet, parmi d'autres tout aussi splendides. Mais ne brûlons pas les étapes. Avant votre départ, il faut tout d'abord profiter du charme de la vieille ville de Redon (p. 278 et 279). Allez ensuite vous initier à l'histoire du canal en visitant le musée de la Batellerie. Le pays de Redon est aussi connu pour ses marais en étoile autour de la cité abbatiale et possède des sites d'escalade parmi les plus importants de l'Ouest. Faites une halte à la hauteur de Saint-Vincent-sur-Oust pour aller vous promener dans les marais de Glénac à moins que vous ne préfériez vous arrêter à Saint-Martin-sur-Oust pour vous dégourdir les jambes : empruntez le chemin des mariniers, l'un des multiples circuits aménagés entre marais et coteaux. Près de l'île aux Pies, une escapade sur l'Aff peut également vous conduire jusqu'au village de La Gacilly (p. 279) aux jolies maisons fleuries. De retour sur le canal, bordé d'une nature généreuse, vous découvrirez peu à peu la Bretagne des châteaux et des petites cités de caractère. À commencer par Malestroit, la « Perle de l'Oust » (p. 272). C'est ensuite le bourg du Roc-Saint-André que l'on aperçoit, dressé sur son fier escarpement rocheux. Enfin, vous jetterez les amarres juste sous les tours de la forteresse de Josselin (p. 270), avant d'aller déguster dans l'une de ses crêperies une galette de blé noir garnie de charcuterie, délicieuse spécialité locale. Prenez le temps de vous promener dans cette ville millénaire : vous tomberez sous le charme de ses ruelles étroites où se rencontrent maisons des XVe, XVIe et XVIIe siècles, chapelles et vestiges de prieurés.

Une semaine dans la presqu'île de Quiberon

Ce pays mérite que l'on prenne son temps (p. 246 et 247). D'ailleurs, tout y invite : les plages, la douceur du climat, les nombreuses terrasses en plein air. Ce n'est pas pour cela qu'il faut négliger les principaux centres d'intérêt de la région. Les alignements de Carnac (p. 248 et 249), mais aussi les sites mégalithiques de Locmariaquer (p. 250 et 251) vous fascineront par les énigmes qu'ils suggèrent. Outre son centre de thalassothérapie, Quiberon est une station balnéaire à la fois sauvage et familiale, appréciée des amateurs de loisirs nautiques. Avis aux sportifs en tout genre ! La plage de Penthièvre offre un des plus beaux spots de planche à voile de Bretagne pour les fun-boarders et à marée basse, une étendue de sable idéale pour la pratique du char à voile. Au sud de Portivy, agréable petit port, commence la Côte sauvage, exposée à tous les vents et aux assauts de la mer. Le chemin de randonnée qui la longe emprunte les hauteurs des falaises sculptées dans le roc, grands édifices naturels au nom prédestiné : Trou du Souffleur, Arche de Port-Blanc. Quand la météo est propice, les vagues sont idéales pour les surfeurs expérimentés et n'ont rien à envier à celles d'Hawaii. Attention aux courants pour les débutants ! À l'extrémité de la presqu'île, sur la pointe du Conguel, allez jeter un coup d'œil sur les anciens fours à goémons, étonnants témoignages des pratiques traditionnelles du pays. En remontant vers le nord, vous tomberez sur Saint-Pierre-Quiberon, où réside l'École nationale de voile ; belle vue sur la baie de Quiberon. De là, pendant les grandes marées basses, on peut regagner à pied la côte de Carnac, distante de 3 km. À l'ouest, en passant par la baie de Plouharnel, vers les dunes d'Erdeven, très prisées des naturistes, il est possible de rejoindre la rivière d'Étel. Peut-être aurez-vous le loisir d'y venir le jour de la fête du thon, généralement en août.

Dix jours à Perros-Guirec et sur la Côte de granit rose

Il s'agit ici d'un séjour fait de grandes balades qui séduira les amateurs de randonnées faciles et les amoureux de la nature. Mais les adeptes des plaisirs de la mer (voile ou surf) ne seront pas en reste pour autant. Rien ne vaut la marche pour découvrir les multiples aspects du littoral ! Perros-Guirec (p. 144 et 145) marque le début de la Côte de granit rose qui déploie sur 10 kilomètres une incroyable variété de paysages rocheux. La plage de Trestraou relie par le chemin des douaniers Perros-Guirec à Ploumanac'h, célèbre pour ses amoncellements de roches granitiques. Continuez ce chemin de grande randonnée qui longe la côte pour flâner et admirer cet époustouflant spectacle géologique, résultat de millions d'années d'érosion. Le chaos de blocs de granit de Squewel offre une vision magnifique à ne pas manquer. Une sortie en kayak de mer dans la baie entre Trégastel et Ploumanac'h, accompagnée d'un moniteur, vous permettra d'apprécier d'une manière différente les beautés du paysage (p. 147). Profitez

d'une excursion à la réserve naturelle des Sept-Îles, dont seule l'Île aux Moines est accessible, ou à l'île-Grande (p. 144 et 145) : de la station ornithologique, il est possible d'apercevoir macareux, fous de Bassan, guillemots et petits pingouins. Spectacle unique garanti. Possibilité de faire le tour de l'île à pied. Les nombreuses plages de Trégastel, Pleumeur-Bodou ou Trébeurden seront une détente indispensable après plusieurs heures de marches ! À Pleumeur-Bodou, ne ratez pas l'imposant menhir de Saint-Uzec ou le musée des Télécommunications qui retrace 150 ans d'histoire des télécommunications internationales, des origines à la conquête de l'espace.

Dix jours au cap Sizun et aux environs

Comment rêver séjour plus revigorant ! Dans cette région du bout du monde, où se mêlent le ciel, la mer et la pierre, les centres d'intérêt sont légion. Les amoureux de nature sauvage trouveront avec la réserve naturelle du cap une approche unique du milieu et des oiseaux sur des sites grandioses. Des excursions maritimes sont possibles pour aller observer les centaines d'espèces qui peuplent les falaises impressionnantes de la « fin des terres ». L'exploration de la mythique pointe du Raz complétera parfaitement cette visite (p. 212 et 213). Avec un peu de chance, vous assisterez au ballet des petits ligneurs multicolores qui dansent entre les récifs pour capturer le bar.
Nature sauvage toujours, la baie d'Audierne (p. 216 et 217) et ses étendues immenses de sable fin caressées par les rouleaux.
Amoureux des sports toniques, descendez au sud jusqu'à la pointe de la Torche (p. 217). Ceux qui le souhaitent pourront s'initier au surf sous l'égide de la Fédération française de surf, qui organise aussi des stages. Côté plage, peut-être vous laisserez-vous tenter par le char à voile ou le speedsail ? Tout au long de cette côte à explorer, entre pays bigouden et cap Sizun, se nichent d'adorables petits ports.
À l'est du cap, le patrimoine maritime est à l'honneur avec le spectaculaire port de Douarnenez (p. 215).

Certains préféreront aller à la rencontre de la vie quotidienne des pêcheurs. Alors, la visite d'une criée s'impose. N'oubliez pas votre réveil ! Le village médiéval de Locronan (p. 218 et 219), avec ses nombreuses boutiques d'artisans, est une autre étape incontournable. Tout comme une escapade sur l'île de Sein (p. 210 et 211), dont le charme hors norme se grave à jamais dans la mémoire.

Page de gauche (de haut en bas) : la côte de Trégastel ; une rue de l'île aux Moines ; la plage de Trébeurden.

Deux semaines dans la Cité corsaire et aux environs

Saint-Malo (*photo ci-dessus*), la Cité corsaire au patrimoine historique d'une grande richesse, sera un point de départ parfait. Outre la vieille ville à l'abri des remparts, la grande plage du Sillon comme le port de plaisance des Bas-Sablons constituent quelques-unes des promenades les plus agréables (p. 178 et 180). De là, en composant de petits circuits variés, vous pourrez partir à la découverte de la région : pays malouin, Côte d'Émeraude, croisières en bateau vers les îles ou location de vedette pour naviguer sur le canal d'Ille-et-Rance. Les amateurs de technologie de pointe visiteront l'usine marémotrice sur l'estuaire de la Rance (p. 171).
L'arrière-pays malouin offre de charmantes possibilités d'excursions à la rencontre en particulier des malouinières, petits manoirs typiques élevés entre le XVIIe et le XVIIIe siècle par de riches négociants et armateurs. Depuis Saint-Malo, vous pourrez aussi choisir d'embarquer pour Guernesey, Jersey ou Serq. À l'ouest, Dinard, station balnéaire au charme très britannique, vous ouvre ses portes pour pratiquer une grande variété de sports nautiques (p. 176 et 177).

À l'est, c'est Cancale (*photo ci-dessous*), où l'huître est reine (p. 192 et 193). Entre les deux, la Côte d'Émeraude déroule sa succession de plages et de falaises.
En chemin, le cap Fréhel surplombant les flots de 72 m avec l'impressionnant fort La Latte, tourné vers le large, sera une étape inoubliable. De nombreuses randonnées sont organisées autour de la faune et de la flore locales (p. 173). Vers l'intérieur des terres, sur la Rance que l'on peut descendre en bateau, le pays de Dinan (*photo du haut*) mérite un détour (p. 182 et 183).
Cette cité féodale au charme indiscutable, patrie de Du Guesclin, reste l'une des plus belles villes de Bretagne par sa richesse architecturale.

Deux semaines au Pays des légendes

Brocéliande, Pontivy, vallée du Blavet

Partez explorer la Bretagne intérieure : votre première étape sera la célèbre forêt de Paimpont, la mystérieuse Brocéliande. De nombreuses allées et des sentiers pédestres la sillonnent. Partez à la recherche de la fontaine de Barenton ou au Val sans Retour, à la poursuite de la fée Viviane et de l'enchanteur Merlin. Quelques précieuses clés pour mieux appréhender la région se trouvent au château de Comper, qui abrite

le Centre de l'imaginaire arthurien (p. 275). Le bourg de Tréhorenteuc et son office de tourisme, qui organise des visites guidées, sont aussi des rendez-vous indispensables pour bien profiter du séjour. Non loin de l'abbaye et de l'étang de Paimpont, après un tour de pédalo, les amateurs de curiosités pourront jeter un œil sur l'étrange diable de la chaire

de l'église de Campénéac. Quittez la forêt par Ploërmel, qui mérite une halte (p. 272 et 273), et continuez jusqu'à Josselin (p. 268 et 269) : vous pourrez y louer un bateau et rejoindre Pontivy et la vallée du Blavet par le canal de Nantes à Brest. La rivière, tantôt torrent étroit, tantôt étendue d'eau calme, traverse de superbes paysages accessibles par un chemin de randonnée. Pour parcourir la vallée, des moyens de locomotions plus que variés vous sont proposés : cheval, calèche, vélo, canoë, U.L.M. L'endroit est aussi idéal pour les amateurs de pêche à la ligne, le Blavet étant très poissonneux. En s'éloignant légèrement du cours d'eau, les amoureux de calme et de solitude trouveront à Pont-en-Guern un site épargné par la vie moderne et doté d'une auberge qui propose des bungalows dans un parc avec piscine et jeux pour enfants. De quoi passer 2 ou 3 jours au cœur d'un des derniers vestiges du bocage breton. On s'autorisera ensuite un petit détour par Baud (p. 242 et 243) et la forêt de Camors pour faire le plein de verdure.

La Bretagne à la carte

Hauts lieux de la voile

Où faire escale en Bretagne ? Où voir des voiliers, véritables coursiers des mers, rivaliser de vitesse ? Où embarquer plus tranquillement pour un petit tour au large ? Où se trouvent les Stations Voile ? Réponses.

● *Villes bénéficiant du label Stations Voile*

① *Brest*

Port de plaisance du Moulin-Blanc (1 325 places).
p. 122.

② *Perros-Guirec*

Port de plaisance (600 places sur ponton). Étape du Tour de France à la voile. Régates.
p. 144.

③ *Saint-Quay*

Nouveau port de plaisance (1 000 places). Sorties en mer entre Saint-Quay et Binic, ou dans l'estuaire du Trieux.
p. 159.

④ *Pléneuf-Val-André*

Port de Dahouët (313 places).
p. 167.

⑤ *Saint-Cast-le-Guildo*

Fête de la mer de Saint-Jacut.
p. 175.

⑥ *Saint-Malo*

Port de plaisance des Bas-Sablons (1 200 places). Croisières à bord du *Renard*, réplique du bateau de *Surcouf*.
p. 180.

⑦ *Morgat*

Initiation au catamaran et à la planche à voile.
p. 205.

⑧ *Douarnenez*

Port de plaisance de Tréboul. Port-musée (bateaux traditionnels).
p. 214 et 215.

⑨ *Bénodet*

Port de plaisance de Sainte-Marine. Location de copies de gabares pour remonter l'Odet.
p. 226 et 227.

⑩ *Fouesnant*

Ports de plaisance de Port-la-Forêt (700 places) et de La Forêt-Fouesnant.
p. 231.

⑪ *Pont-Aven*

Port de plaisance.
p. 233.

⑫ *Lorient*

Sports nautiques à Larmor-Plage et Port-Louis.
p. 236 et 237.

⑬ *Île de Groix*

Port de plaisance de Port-Tudy.
p. 238.

⑭ *Quiberon*

Port de plaisance de Port-Haliguen (900 places). Régates en été. École nationale de voile de Saint-Pierre-Quiberon.
p. 247.

⑮ *La Trinité-sur-Mer*

Port de plaisance (1 000 places), régates, courses.
p. 249.

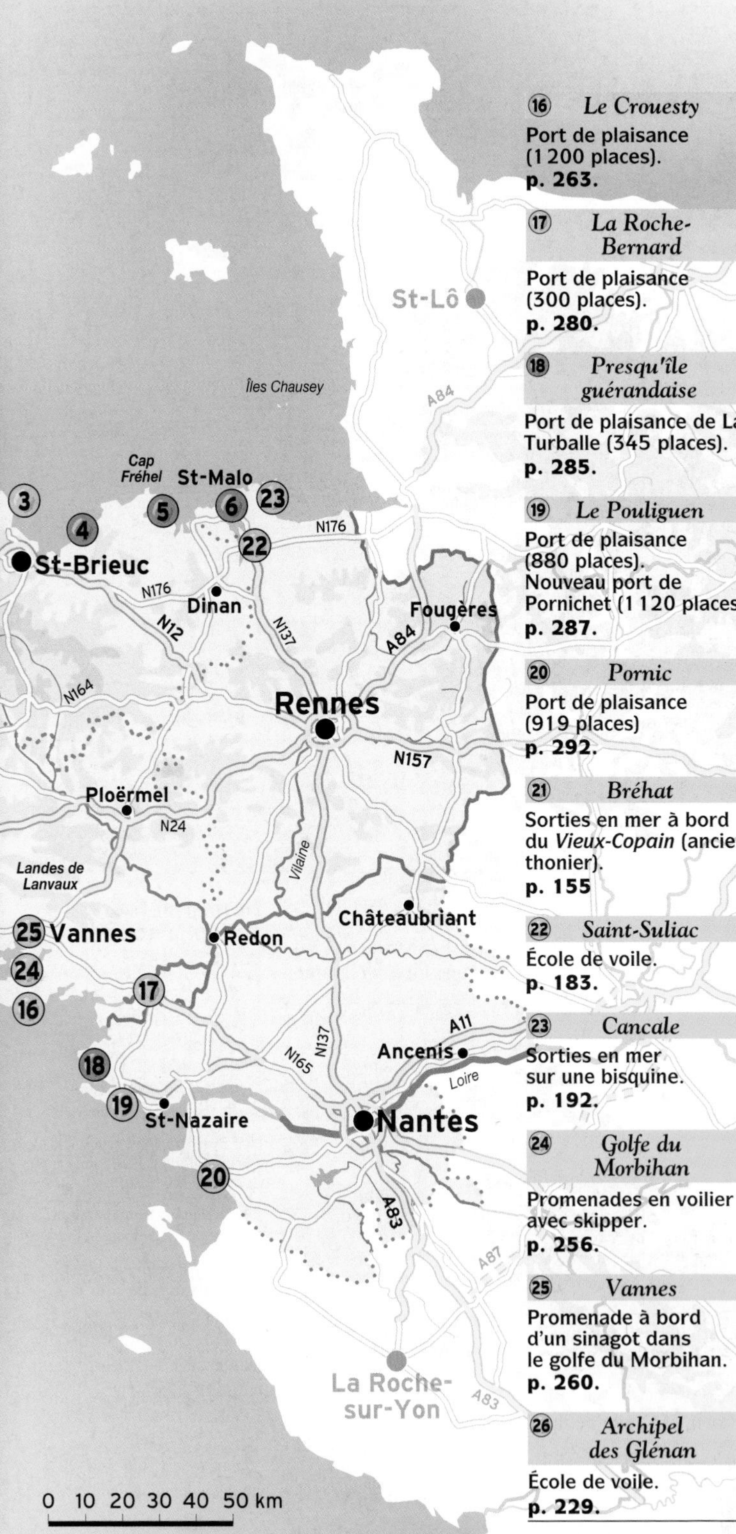

⑯ *Le Crouesty*

Port de plaisance (1 200 places).
p. 263.

⑰ *La Roche-Bernard*

Port de plaisance (300 places).
p. 280.

⑱ *Presqu'île guérandaise*

Port de plaisance de La Turballe (345 places).
p. 285.

⑲ *Le Pouliguen*

Port de plaisance (880 places). Nouveau port de Pornichet (1 120 places).
p. 287.

⑳ *Pornic*

Port de plaisance (919 places)
p. 292.

㉑ *Bréhat*

Sorties en mer à bord du *Vieux-Copain* (ancien thonier).
p. 155

㉒ *Saint-Suliac*

École de voile.
p. 183.

㉓ *Cancale*

Sorties en mer sur une bisquine.
p. 192.

㉔ *Golfe du Morbihan*

Promenades en voilier avec skipper.
p. 256.

㉕ *Vannes*

Promenade à bord d'un sinagot dans le golfe du Morbihan.
p. 260.

㉖ *Archipel des Glénan*

École de voile.
p. 229.

Toutes voiles dehors

C'est un endroit de rêve, isolé au large de l'estuaire de l'Odet. Avec leurs eaux bleues transparentes et leurs plages de sable blanc nacré, les îles de Glénan sont le rendez-vous de toutes les passions liées à la mer. Bien plus qu'un simple centre d'apprentissage de la voile, l'École des Glénans, fondée en 1947 par Philippe Vianney, est un foyer de culture maritime. Bien davantage qu'une référence, c'est un mythe.

Les quelque 10 000 stagiaires qui la fréquentent chaque année franchissent les portes d'un temple : celui où règnent ensemble Éole et Neptune. En un demi-siècle, l'école a popularisé le *Vaurien*, la *Caravelle*, le *Corsaire* et le *Mousquetaire* qui sont aujourd'hui des bateaux de légende.

Pourquoi les Bretons sont les plus forts...

De Marc et Yves Pajot, les Baulois, champions olympiques en 1972 en dériveur, à Anne et Maud Herbert, championnes du monde de planche à voile, la Bretagne ne cesse de fournir des champions, aussi bien en régate qu'en course au large. La tradition régionale et le nombre incroyable de clubs nautiques répartis sur tout le littoral expliquent partiellement ces succès. Mais la cause première de cette suprématie réside dans l'extraordinaire diversité des conditions de navigation et des conditions météo rencontrées ici : du vent, du courant, des marées fortes et

des cailloux partout ! Nul autre endroit ne réunit, en force et en nombre, des bases techniques d'apprentissage aussi complètes. « Si tu sais naviguer en Bretagne, tu sais naviguer partout », dit l'adage. Il est bien fondé.

Cinquante ans plus tard

Aujourd'hui, l'école a essaimé en Corse, sur la Côte d'Azur et même à Baltimore, en Irlande. Le succès ne se dément pas. Chaque année, un millier de bénévoles diplômés encadrent les apprentis « voileux » en quête d'absolu. Les Glénans disposent d'environ 1 000 places sur près de 200 bateaux de croisière et 1 000 autres sur 300 dériveurs, planches à voile et croiseurs côtiers. Le *Cours de navigation des Glénans* est un ouvrage de référence qui s'est vendu à 700 000 exemplaires. Il existe aujourd'hui sur CD-Rom. C'est la bible de tous les navigateurs, débutants ou confirmés. Il est indispensable de réserver pour faire un stage (Centre nautique des Glénans, pl. Philippe-Vianney, 29900 Concarneau, ☎ 02 98 97 14 84).

La Station Voile

De nombreuses communes de Bretagne possèdent le titre de Station Voile (Saint-Malo, Brest, Concarneau, Lorient...). C'est une garantie de compétence de l'encadrement et de bon suivi des stagiaires. Cela signifie également que vous pouvez y pratiquer la voile tout au long de l'année. Dans chaque ville, cette appellation regroupe bien sûr plusieurs centres nautiques dont vous vous

procurerez la liste auprès des offices de tourisme. Celle des Stations Voile figure dans ce guide p. 18 et 19.

Pour les débutants et pour les autres

La mode du « 420 », dériveur facile à manier, assez marin mais stable, dynamique mais sans nervosité, touche à sa fin. Bien sûr, les clubs en possèdent encore et vous pourrez peut-être obtenir un rabais si vous demandez à naviguer dessus. Mais le renouveau des écoles est passé par le petit catamaran de sport. Pratique, maniable, nerveux, il répond à toutes les sollicitations de barre. Très résistant, il peut encaisser quelques erreurs de débutant. Sa surface de voile peut varier, mais il ne vous fera pas décoller à la plus petite brise. C'est un très bon compromis qui permet une approche intéressante de la voile. Des catamarans plus rapides, plus toilés, mais aussi beaucoup plus difficiles à manœuvrer sont également disponibles dans tous les clubs, pour les initiés : le grand frisson !

La course au large

La Bretagne est au cœur de la course au large, qu'elle soit lieu de départ, d'arrivée, ou étape sur le parcours. Cinq grandes courses se détachent : le Spi *Ouest-France*, la plus importante des courses françaises, qui part de La Trinité-sur-Mer, L'Obélix Trophy à Bénodet, le Grand Prix du Crouesty, Le Tour du monde en 80 jours, ou trophée Jules-Verne, avec départ de Brest (pour Olivier de Kersauson, départ possible également des côtes anglaises) et, enfin, la fameuse Route du rhum. Tous les quatre ans, elle relie Saint-Malo à Pointe-à-Pitre. Le meilleur endroit pour assister au départ des monstres (le dernier a eu lieu en 1998) est le cap Fréhel. Mais attention à la foule. Deux autres courses doivent être citées : le Tour de France à la voile, en juillet, qui fait régulièrement étape dans les ports bretons ; la Solitaire du *Figaro*, course de monocoques ultrarapides, qui passe souvent par la Bretagne. Un spectacle magique !

La course et les corsaires

La course n'est pas la piraterie, même si ses pratiques s'en inspirent. Au XVIIe s., les règles sont posées : pour armer à la course, il faut une « commission en guerre », une lettre du roi autorisant son titulaire à « courir sus » aux bateaux ennemis. La course représente la continuation du commerce en temps de guerre. Les corsaires n'avaient pas pour objectif de combattre l'ennemi, mais de faire du butin. Cette guerre économique enrichissait la France et affaiblissait l'ennemi.

Corsaire l'Intrépide, *prenant à l'abordage le brick* Maria-Stevens *(1803)*

Le mythe malouin

Saint-Malo fut la plus grande cité corsaire des XVIe et XVIIe s. Mais la ville n'a pas bâti sa fortune sur la course. Ses corsaires ont écumé les océans, pillant l'Anglais, rançonnant le Hollandais, dévalisant l'Espagnol, mais les butins accumulés – et pour partie encaissés par le roi de France – ne sont rien en regard des richesses que la ville tira de la pêche à la morue sur les bancs de Terre-Neuve, et surtout du commerce interlope qui vit les Malouins doubler le cap Horn pour aller fournir en objets de première nécessité les colons installés au Pérou. Un seau de fer ne vaut rien mais il vaut son contenu d'or quand on n'en a pas. Au XVIe s., les Espagnols payèrent en or. Les îles Malouines (aujourd'hui les Falklands, dans l'Atlantique Sud) rappellent par leur nom ce commerce au long cours d'origine bretonne.

Le bastion de Hollande et la cathédrale Saint-Vincent à Saint-Malo

Duguay-Trouin, le plus grand

Volontaire à 16 ans, capitaine corsaire à 18. Il voulait la gloire et la richesse. Il fut comblé au-delà de toute

espérance. Dès l'âge de 20 ans, son nom inspire la terreur aux oreilles des Anglais. Son plus bel exploit, d'une audace inouïe, se situe en 1711. À la tête d'une escadre d'une quinzaine de navires, il attaque et soumet Rio de Janeiro, repaire des Anglais et des Hollandais. Il détruit les navires ennemis, s'empare des richesses et rançonne la ville. C'est le plus fort butin jamais ramené par un corsaire. Nul n'égala jamais l'insolence de l'affront fait aux deux plus belles marines de commerce d'alors. Ce coup de force fut un coup de génie.

L'indispensable armateur

Le corsaire et son navire dépendent d'un homme : l'armateur. Celui-ci est la pièce maîtresse du dispositif de course. Il finance l'armement du bateau et prend en charge le ravitaillement de l'équipage. En quelque sorte, c'est avec son argent que le corsaire navigue. C'est un pari risqué. Si le corsaire est pris, si le bateau sombre, l'argent investi l'a été en pure perte. Mais si le corsaire prend Rio ou le *Kent*, le rapport est de l'ordre du centuple. René Duguay-Trouin n'aurait jamais réussi ses exploits sans son frère Luc, qui armait ses bateaux. À Saint-Malo, les deux armateurs Nicolas Magon et Danycan de l'Épine devinrent si riches qu'ils renflouèrent, « sur requête pressante » des banquiers du roi, une grosse partie des caisses du royaume.

Robert Surcouf à bord du Hasard, *dessin d'A. Paris*

Louis Garneray, peintre corsaire

Personnage à part dans le monde de la course. Furieux batailleur, embarqué sur un corsaire à 14 ans, il maniait aussi bien l'épée que le pinceau et la plume. Compagnon de Surcouf dans l'océan Indien, il fut fait prisonnier par les Anglais. Garneray passa alors huit ans sur les fameux « pontons » de Portsmouth, des geôles horribles, bagnes flottants, dont bien peu de corsaires revenaient. Garneray survécut et raconta son odyssée dans *Voyages, aventures et combats* et surtout dans *Mes Pontons*. Peintre de talent, on lui doit plusieurs vues de ports et de tempêtes, dont certaines sont exposées au musée de Saint-Malo, et surtout, la fameuse *Prise du Kent par la Confiance*, au musée de La Rochelle.

La prise du *Kent* par Surcouf

Embarqué comme mousse sur un corsaire à 13 ans, il poursuit son apprentissage de la mer

Robert Surcouf sur le pont de la Confiance, dessin d'A. Paris

comme volontaire dans la marine de guerre et devient négrier un court moment avant de prendre le commandement du corsaire *l'Émilie*, dans l'océan Indien. Son courage, ses coups de main contre le commerce anglais, ses victoires lui valent d'être surnommé l'Ogre du Bengale. 1800 est peut-être la date de son plus grand exploit : avec la *Confiance*, petit brick à bord duquel il écume les mers de Madagascar aux Indes, il s'attaque au *Kent*, un superbe navire anglais de 40 canons, jaugeant 1 200 tonneaux. Par une succession de manœuvres rapides, il met l'Anglais dans l'impossibilité d'utiliser son artillerie. L'abordage est alors un combat sanglant dont le Malouin sort vainqueur.

À 35 ans, Robert Surcouf revient prendre sa retraite à Saint-Malo. Il est immensément riche. Devenu un des plus prospères armateurs de France, il se consacre au commerce maritime, et… aux plaisirs de la vie.

Statue de R. Surcouf (1773-1827) sur les remparts de Saint-Malo

LE PARTAGE DU GÂTEAU

Une fois le butin amassé, le partage avait ses règles. C'est d'abord le roi qui se servait, prélevant taxes et pourcentages – en général 10 %. Puis l'armateur prenait son dû : les deux tiers. Restait alors un tiers dont le capitaine prenait 12 parts, le second 10, le lieutenant 8, le premier-maître, parfois un second lieutenant, 6, le second-maître, l'enseigne, le chirurgien et l'écrivain du bord 4, les maîtres canons, capitaines d'armes et maîtres charpentiers 3, le second canon, l'armurier 2 et les volontaires 1 ou 2 parts. Le reste était réparti, du mousse au matelot et au soldat, et variait de 0,25 à 1 part.

Divers corsaires français de la Manche (1834)

Vacances sportives

Avis aux sportifs ! Voici une sélection des meilleurs endroits où pratiquer sports nautiques, équitation, escalade, sports aériens, etc.
Pour la voile et la planche à voile, se reporter aux Stations Voile sur la carte p. 18-19.

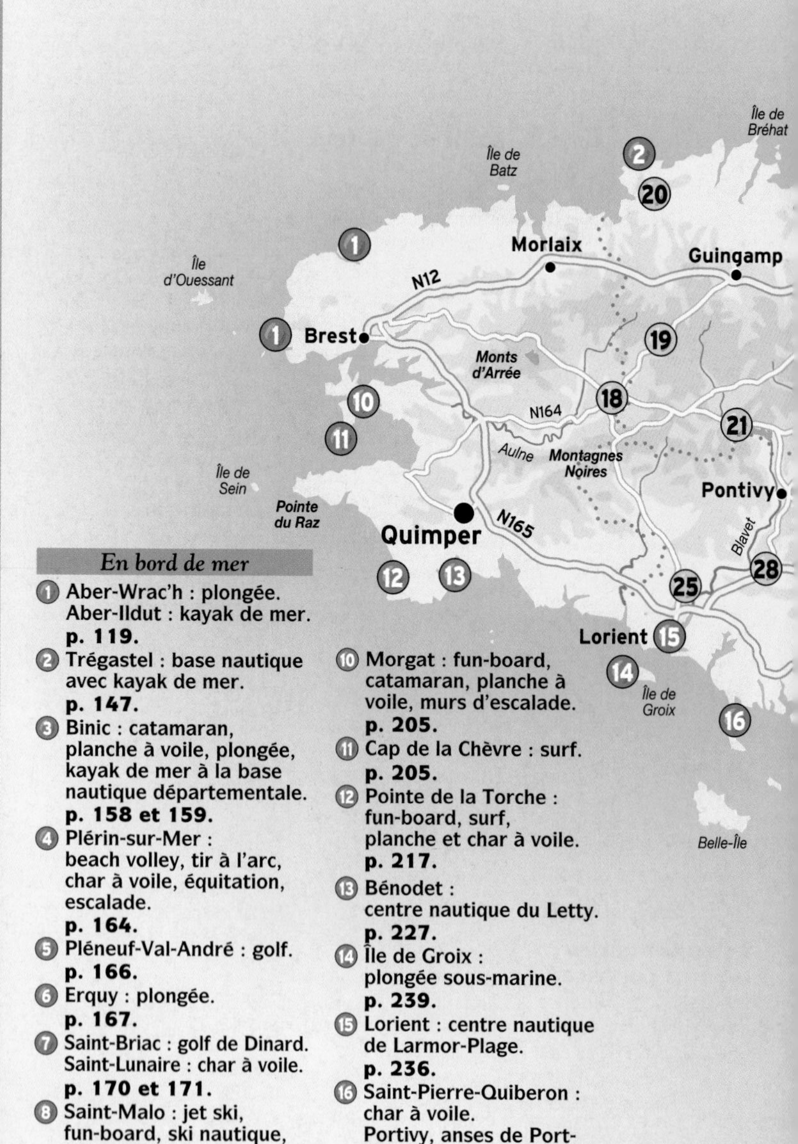

En bord de mer

1. Aber-Wrac'h : plongée. Aber-Ildut : kayak de mer. **p. 119.**
2. Trégastel : base nautique avec kayak de mer. **p. 147.**
3. Binic : catamaran, planche à voile, plongée, kayak de mer à la base nautique départementale. **p. 158 et 159.**
4. Plérin-sur-Mer : beach volley, tir à l'arc, char à voile, équitation, escalade. **p. 164.**
5. Pléneuf-Val-André : golf. **p. 166.**
6. Erquy : plongée. **p. 167.**
7. Saint-Briac : golf de Dinard. Saint-Lunaire : char à voile. **p. 170 et 171.**
8. Saint-Malo : jet ski, fun-board, ski nautique, kayak de mer, dériveur, char à voile. **p. 180.**
9. Cherrueix : char à voile. **p. 190.**
10. Morgat : fun-board, catamaran, planche à voile, murs d'escalade. **p. 205.**
11. Cap de la Chèvre : surf. **p. 205.**
12. Pointe de la Torche : fun-board, surf, planche et char à voile. **p. 217.**
13. Bénodet : centre nautique du Letty. **p. 227.**
14. Île de Groix : plongée sous-marine. **p. 239.**
15. Lorient : centre nautique de Larmor-Plage. **p. 236.**
16. Saint-Pierre-Quiberon : char à voile. Portivy, anses de Port-Maria et Port-Blanc : surf. **p. 247.**
17. Saint-Brévin : planche et char à voile, catamaran. **p. 293.**

St-Lô
Îles Chausey
A84
Cap Fréhel
St-Malo
3 4 5 6 7 8 9
24 N176
St-Brieuc
23 Dinan
22
N12
N137
Fougères
A84
N164
Rennes
N157
N24
Ploërmel
26
29
Landes de Lanvaux
27
Vilaine
Châteaubriant
Vannes
Redon
Golfe du Morbihan
A11
N137
Ancenis
Loire
St-Nazaire
N165
17
Nantes
30
31
A83
La Roche-sur-Yon
0 10 20 30 40 50 km

Dans les terres

- (18) Carhaix-Plouguer : club de canoë-kayak, raft. **p. 138.**
- (19) Callac : pédalo et baignade dans la Verte Vallée, Critérium cycliste international. **p. 141.**
- (20) Lannion : canoë, kayak, raft au stade d'eau vive. **p. 148.**
- (21) Guerlédan : dériveur, pédalo, aviron, ski nautique, kayak. **p. 160.**
- (22) Plœuc-sur-Lié : club de parapente Avel-Dro. **p. 163.**
- (23) Jugon-les-Lacs : baignade, dériveur, pédalo… **p. 169.**
- (24) Dol-de-Bretagne : escalade. **p. 194.**
- (25) Hennebont : canoë-kayak et aviron. **p. 241.**
- (26) Ploërmel : loisirs nautiques avec canoë-kayak, planche à voile, ski nautique. **p. 273.**
- (27) Rochefort-en-Terre : île aux Pies, escalade, canoë-kayak, VTT. **p. 277.**
- (28) Baud : club nautique Ével-Blavet, canoë-kayak. **p. 243.**
- (29) La Gacilly : canoë-kayak sur l'Aff. **p. 279.**
- (30) Lac de Grand-Lieu et pays de Retz : ULM et canoë sur les rivières du Tenu et de l'Acheneau. **p. 295.**
- (31) Clisson : canoë-kayak. **p. 301.**

Toutes les adresses du sport

Les sports sont loin de se cantonner aux seules activités nautiques dans cette région où l'eau est omniprésente. Si planche, surf, plongée sous-marine, char à voile, mais aussi canoë-kayak se pratiquent en Bretagne à tous les niveaux, la région se prête également merveilleusement bien à la randonnée, à l'équitation ou encore au cyclotourisme.

Voile, planche à voile

Pour en faire en toute sécurité, choisissez les stations-voile (p. 18 et 19), mais sachez que toutes les écoles de voile bretonnes ont le label « école française de voile », garantie d'un enseignement de qualité.

Ligue de Bretagne de voile
1, rue Kerbriant, B.P. 39, 29281 Brest Cedex.
☎ 02 98 02 49 67.

Nautisme en Finistère
11, rue Théodore-Le-Hars, B.P. 1334, 29103 Quimper Cedex.
☎ 02 98 76 21 31.
Informations sur toutes les activités nautiques en Finistère.

Surf

Cette discipline assez technique se pratique dans le cadre des clubs et écoles de surf qui proposent de nombreuses formules pour tout connaître des *buttom turn*, *roller* ou *snap back*.

Ligue de Bretagne de surf Croas an Dour, 29120 Plomeur.
☎ 02 98 58 70 69.

Comité départemental de surf (Côtes d'Armor)
22, rue de Nazareth, 22100 Saint-Agathon.
☎ 02 96 44 95 23.

Plongée sous-marine

Au programme des différents clubs : baptêmes, explorations à la carte, visites d'épaves ou encore stages photo.

Comité interrégional Bretagne-Pays-de-Loire de PSM
39, rue de la Villeneuve, 56100 Lorient.
☎ 02 97 37 51 51.

Comité départemental des activités subaquatiques (Côtes d'Armor)
B.P. 13, 22560 Trébeurden.
☎ 02 96 23 56 89.

Comité départemental d'études et de sports sous-marins (Ille-et-Vilaine)
24, rue C. Carré, 35000 Rennes.
☎ 02 99 32 18 11.

Comité départemental de plongée sous-marine (Morbihan)
24, rue du Lavoir, 56890 Saint-Avé.
☎ 02 97 60 77 33.

Char à voile

Est-ce un hasard si Tadeg Normand, champion du monde de char à voile, réside en Bretagne ? Adeptes de la vitesse, du sable et du vent, vous trouverez la réponse auprès d'un des 17 clubs labellisés bretons.

Ligue de Bretagne de char à voile
12, rue Frédéric-Mistral, 35200 Rennes.
☎ 02 99 50 94 28.
(Mêmes coordonnées pour le comité départemental de char à voile d'Ille-et-Vilaine.)

Comité départemental de char à voile (Côtes d'Armor)

Centre nautique municipal, Saint-Efflam, 22310 Plestin-les-Grèves.
☎ 02 96 35 62 25.

Canoë-kayak

En mer comme en rivière. Quelques heures d'initiation et le monde aquatique est à vous.

Ligue de Bretagne de Canoë-kayak
14, rue Blavet, 56650 Lochrist.
☎ 02 97 36 09 05.

Comité départemental de Canoë-kayak (Côtes d'Armor)
6, rue du 6-Août, 22120 Plémet.
☎ 02 96 25 77 02.

Comité départemental de Canoë-kayak (Ille-et-Vilaine)
Maison départementale des sports, 13B, avenue de Cucillé, 35065 Rennes Cedex.
☎ 02 99 54 67 52.

Comité départemental de Canoë-kayak (Morbihan) 8, rue du Glévin, 56150 Baud.
☎ 02 97 51 02 70.

Randonnée pédestre

Le long du sentier des douaniers, dans la lande, la forêt : pour une grande promenade en Bretagne.

Comité de Bretagne de randonnée pédestre
11, rue de la Coudraie – Brelivenez, 22300 Lannion.
☎ 02 96 48 94 71.

France randonnée
9, rue des Portes Mordelaises, 35000 Rennes.
☎ 02 99 67 42 21.

Cyclotourisme et VTT

Plusieurs circuits sont proposés. Les offices de tourisme tiennent souvent à votre disposition les différents itinéraires (adresses données dans « la Bretagne de proche en proche », p. 110 à 307).

Fédération française de cyclotourisme
Ligue de Bretagne, La Bouderie, 35440 Dingé.
☎ 02 99 45 00 86.

Équitation

Galops sur les plages, balades en forêt ou dans la lande, randonnées de plusieurs jours : la Bretagne, c'est l'équitation sous toutes ses formes.

Association régionale du tourisme équestre en Bretagne – ARTEB
38, rue Laënnec, 29710 Ploneïs.
☎ 02 98 91 02 02.

Ligue équestre de Bretagne
17, rue du 62e-RI,
56100 Lorient.
☎ 02 97 84 44 00.

Parachutisme

Plusieurs clubs vous proposent de partir la tête dans les nuages. Regardez la région d'un autre œil !

Ligue de Bretagne de parachutisme
Aérodrome de Vannes,
56250 Moterblanc.
☎ 02 97 60 78 69.

ULM

(p. 295)

Deltaplane

(p. 163)

Escalade

Bien que ne culminant qu'à 384 mètres au Tuchen Gador, la Bretagne réserve quelques rochers pas si faciles d'accès. À découvrir…

Club alpin français
13, rue de Lorraine,
35000 Rennes.
☎ 02 99 59 28 76.

Comité de Bretagne de montagne et escalade
32, rue de la Marbaudais,
35700 Rennes.
☎ 02 99 36 46 85.

Golf

Si l'un des plaisirs qu'offre un parcours de golf est de s'harmoniser au mieux avec la nature, vous serez servis en Bretagne, où certains greens longent avec bonheur le bord de mer.

Formule golf
36-38, rue de la Princesse,
78430 Louveciennes.
☎ 01 30 78 47 75 et
☎ 08 00 26 07 91
(n° vert).

Dinard Golf
Boulevard de la Houle,
35800 Saint-Briac-sur-Mer.
☎ 02 99 88 32 07.

Plages et îles

Pour repérer les plus belles plages ou les plus pittoresques, et savoir d'où partir vers les îles.

① *Le Conquet*

Plages du Trez-Hir et des Blancs-Sablons.
p. 116 et 117.

② *Saint-Pol-de-Léon*

Plages de Sainte-Anne, de Kersaliou et de Pempoull.
p. 131.

③ *Locquirec*

Dix plages de sable fin.
p. 133.

④ *Perros-Guirec*

Plages de Trestraou et de Trestrignel.
p. 144.

⑤ *Côte de granit rose*

Plages de Ploumanac'h et de Trégastel.
p. 147.

⑥ *Entre Saint-Quay et Binic*

Plages du Casino, du Châtelet, de la Grève-Noire, de la Comtesse, du Port.
p. 158.

⑦ *Saint-Jacut*

11 plages autour de la presqu'île.
p. 175.

⑧ *Dinard*

Plages de l'Écluse, du Prieuré, de Saint-Énogat.
p. 176 et 177.

⑨ *Côte d'Émeraude*

Saint-Lunaire : plages de la Fosse-aux-Vaults, de Longchamps, de Grand-Plage, de Port-Blanc. Saint-Briac : plages de la Salinette, de Port-Hue.
p. 170.

⑩ *Cancale*

Plages de Port-Mer, de Port-Pican, de Port-Briac, du Verger, de la Touesse et de l'anse Du-Guesclin.
p. 192.

⑪ *Presqu'île de Crozon*

Plages de Morgat et de Lanvéoc.
p. 204 et 205.

Liaisons pour les îles.

Pour rejoindre :
Bréhat : voir p. 156-157 *(Paimpol)*.
L'île de Sein : voir p. 216-217 *(Audierne)*.
Ouessant : voir p. 120-123 *(Brest)*.
L'île de Batz : voir p. 128-129 *(Roscoff)*.
Les îles Anglo-Normandes : voir p. 178-181 *(Saint-Malo)*.
Les îles de Glénan : voir p. 228-229 *(Concarneau)*.
L'île de Groix : voir p. 236-237 *(Lorient)*.
Belle-Île : voir p. 264-267 *(Quiberon, Vannes, Port-Navalo, Le Croisic)*.
Houat et Hoëdic : voir p. 268-269 *(Quiberon, Vannes, Port-Navalo, La Turballe, Le Croisic)*.

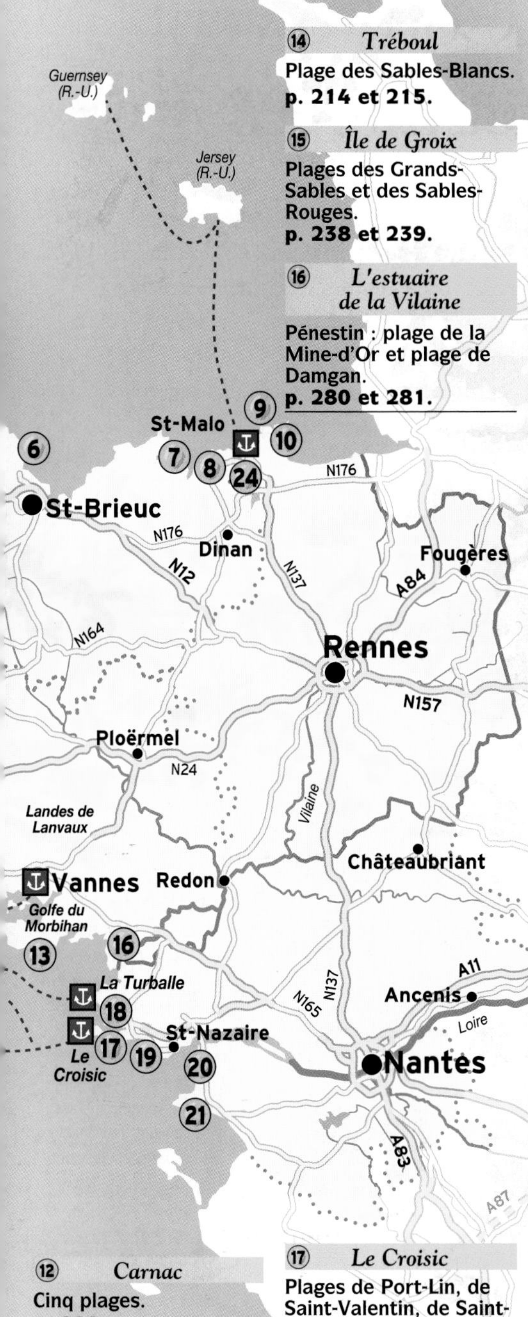

⑭ *Tréboul*

Plage des Sables-Blancs.
p. 214 et 215.

⑮ *Île de Groix*

Plages des Grands-Sables et des Sables-Rouges.
p. 238 et 239.

⑯ *L'estuaire de la Vilaine*

Pénestin : plage de la Mine-d'Or et plage de Damgan.
p. 280 et 281.

⑲ *La Baule, Pornichet, Le Pouliguen*

15 km de plages.
p. 287.

⑳ *Près de Saint-Nazaire*

Plages de Sainte-Marguerite et de Saint-Marc-sur-Mer.
p. 291.

㉑ *La Côte de Jade*

Saint-Brévin, Saint-Michel-Chef-Chef, Préfailles : 7 km de plage.
p. 292 et 293.

㉒ *Brest*

Plage du Moulin-Blanc.
p. 122.

㉓ *Roscoff*

Plages de Traou-Erch, de Saint-Luc, anse de Perharidy.
p. 129.

㉔ *Saint-Malo*

Plages de Bon-Secours, de l'Éventail, du Môle, du Sillon.
p. 180.

㉕ *Concarneau*

Plages de Cornouaille et des Sables-Blancs.
p. 229.

㉖ *Lorient*

Larmor-Plage.
p. 236.

㉗ *Belle-Île*

Plages de Port-Donnant, d'Herlin, de Port-Maria, des Grands-Sables.
p. 266 et 267.

㉘ *Houat*

Plages de Treac'h-Er-Goured, de Treac'h-Salus, de Treac'h-Er-Venigued.
p. 268.

⑫ *Carnac*

Cinq plages.
p. 249.

⑬ *Presqu'île de Rhuys*

Plages de Kervert et de Fogeo.
p. 263.

⑰ *Le Croisic*

Plages de Port-Lin, de Saint-Valentin, de Saint-Michel.
p. 282.

⑱ *Guérande*

Plage de la Grande-Falaise.
p. 285.

㉙ *Quiberon*

Grande Plage, plage de Saint-Pierre-Quiberon.
p. 246.

Contre vents et marées

La Bretagne connaît un marnage important, c'est-à-dire une grande différence du niveau de la mer entre les marées hautes et basses. À marée basse, par exemple, la mer se retire très loin. La partie ainsi découverte se nomme l'«estran». C'est le domaine des pêcheurs à pied ou des amateurs de char à voile, de speedsail, de cerf-volant…

Pourquoi les marées ?

Ce mouvement oscillatoire du niveau de la mer résulte de l'attraction de la Lune et du Soleil sur les particules liquides. Le phénomène est une conséquence de la gravitation universelle.

De l'eau, morte ou vive !

À la nouvelle Lune et à la pleine Lune (syzygies), la position du Soleil, sur la même ligne que la Lune et la Terre, provoque un supplément d'attraction. Les marées, alors dites « de vive-eau », sont donc plus fortes. Aux quadratures, c'est-à-dire quand la Lune est proche de ses quartiers, le Soleil forme un triangle rectangle avec la Terre et la Lune. L'attraction est réduite et les marées sont moins fortes : on parle de marées de morte-eau…

En période de vive-eau, la mer se retire un peu plus loin chaque jour – et monte un peu plus haut – jusqu'à ce que la tendance s'inverse. Cela signifie que l'on passe en période de morte-eau. Pendant cette quinzaine, la mer se retirera un peu moins loin chaque jour et montera un peu moins haut. Ce cycle est immuable et concerne toutes les côtes du monde.

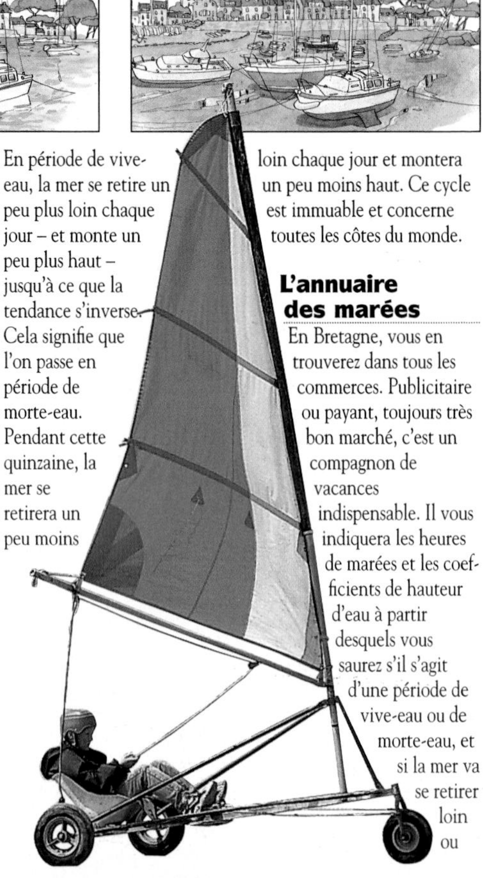

L'annuaire des marées

En Bretagne, vous en trouverez dans tous les commerces. Publicitaire ou payant, toujours très bon marché, c'est un compagnon de vacances indispensable. Il vous indiquera les heures de marées et les coefficients de hauteur d'eau à partir desquels vous saurez s'il s'agit d'une période de vive-eau ou de morte-eau, et si la mer va se retirer loin ou

non. Les coefficients de marées sont répertoriés de 0 à 120. 120 correspond à la « marée du siècle », 0 est symbolique. Pour l'atteindre, il faudrait que la mer ne monte ni ne descende jamais, comme en Méditerranée. Plus le coefficient que vous lisez est proche de 120, plus la mer va se retirer loin. Plus il est proche de 40 ou 50, moins l'amplitude de la marée sera importante.

Les grandes marées

Il y en a plusieurs dans l'année. Les « meilleures », pour employer un langage de pêcheur, se situent au moment de l'équinoxe, quand le temps de jour est égal au temps de nuit. Il y a deux équinoxes par an : le 21 mars et le 23 septembre. Les marées liées au solstice (le moment où le Soleil forme le plus grand angle avec la Terre) sont également très fortes et souvent l'occasion de belles tempêtes. Le solstice d'hiver a lieu le 21 décembre, celui d'été le 21 juin. Durant ces périodes, l'estran devient immense, découvrant des fonds qui ne voient que rarement le soleil. Sur tout le littoral breton se déclenche alors une gigantesque traque à l'ormeau (p. 40 et 41).

Les courants marins

Ils sont forts en Bretagne, particulièrement au moment des grandes marées, mais parfaitement connus. Renseignez-vous auprès de chaque office de tourisme. Les plus dangereux sont ceux de la baie du Mont-Saint-Michel, du cap Fréhel, de la zone qui va du Conquet à l'île de Sein et enfin ceux du golfe du Morbihan. Sur le littoral ouest, autour de Brest, certaines plages sont interdites à la baignade, notamment en raison des baïnes, ces courants violents qui poussent vers le large. Les plages où la mer offre de splendides rouleaux peuvent également être dangereuses. À marée descendante, soyez prudents : les rouleaux ne vous ramèneront pas au bord, et l'aspiration est puissante.

LE LIVRE DE VOS VACANCES

Chaque année paraît, à l'attention des plaisanciers, un livre de bord où les marins notent chaque mouvement du bateau, chaque point et chaque escale. On y trouve également une foule de renseignements concernant tous les problèmes liés à la marée, aux courants, aux différents ports. C'est un bel objet où vous pourrez vous-même consigner, jour après jour et, pourquoi pas, marée après marée, vos notes personnelles, souvenirs de vacances, impressions ou récits de croisières. Vous en trouverez dans toutes les boutiques marines, sur les ports, mais vous pouvez aussi le commander (92 F + 30 F de port) avant de partir (Interval Éditions, 3, rue Fortia, 13001 Marseille). N'oubliez pas de préciser la région dans laquelle vous vous rendez.

La Bretagne d'île en île

de belles plages de sable fin, alors que les faces septentrionales se transforment souvent en chaos rocheux. Cette règle, plus aléatoire au sud, se vérifie néanmoins dans l'alternance de criques et de falaises qui offrent des paysages très divers et souvent très particuliers comme les aiguilles schisteuses de Belle-Île, sculptées par l'océan.

La pointe des Poulains à Belle-Île

Elles font rêver, bénéficient d'un grand ensoleillement et s'enjolivent de fleurs rares. Elles sont fragiles aussi, sujettes aux variations de la météo comme à une fréquentation jouant au Yo-Yo selon les saisons. Les îles bretonnes, exposées aux courants violents, aux tempêtes et souvent à de rudes conditions de vie, ressemblent à des ailleurs parfois inaccessibles. Mais elles sont toujours empreintes des marques d'une longue histoire et d'un esprit de solidarité et d'hospitalité inégalable.

Les récifs de Bréhat

Îles aux mille visages

Jetées tout autour d'un même massif, les îles de la Manche et de l'Atlantique se distinguent davantage par leurs différences que par leurs ressemblances. Au nord de la Bretagne, plus on est proche du continent, plus les reliefs sont doux, avec

Histoire d'eau...

L'eau douce a toujours été un problème majeur pour les îles qui ne disposent pas de sources naturelles. Le seul approvisionnement possible reste alors la canalisation sous-marine pour les îles les plus proches du continent, les unités de dessalement d'eau de mer ou encore les citernes récupérant l'eau de pluie.
À Molène, par exemple, des systèmes très élaborés ont été mis en place, chaque gouttière alimentant les réserves. Trois forages permettent aujourd'hui de faire face aux périodes de sécheresse en captant l'eau souterraine. Pour pallier les pénuries, certaines îles n'ont toutefois d'autre solution que de faire appel aux bateaux-citernes de la marine nationale !

Seuls sur une île

Tout en ayant de bons côtés, le manque de loisirs et un espace confiné ayant contribué à développer une vie sportive et associative très dynamique, l'isolement vécu sur les îles a quelques inconvénients. Les produits de consommation les plus courants, provenant du continent, affichent des prix généralement majorés de 10, voire 20 ou 30 %. Les liaisons maritimes, tourisme oblige, favorisent également le sens continent-île, obligeant les Îliens à dormir parfois à terre avant de regagner leur foyer. L'absence des hommes, partis en mer, crée pour les Îliennes des conditions de vie très rudes et un surcroît de travail, avec la contrepartie d'une autonomie inconnue ailleurs.

La plage de Treach-er-Goured, sur l'île d'Houat

Victimes du dépeuplement

Avec le déclin de la pêche et de l'agriculture, la plupart des îles se sont tournées vers le tourisme pour subsister. Elles n'en ont pas moins subi une émigration massive vers le continent. Ouessant, Molène et Sein ont perdu plus de la moitié de leur population en moins de 20 ans. Ce phénomène s'est aussi accentué avec la prolifération de résidences secondaires qui ont fait flamber les prix de l'immobilier. À Bréhat, le prix du mètre carré est équivalent à celui du XVIe arrondissement, le plus cher de Paris. Résultat : les populations vieillissent et ne se renouvellent pas.

L'invasion touristique

250 habitants à Bréhat en hiver, 6 000 visiteurs par jour en saison, 10 000 par jour à Belle-Île et 50 000 dans l'année pour l'île de Sein et ses 140 habitants, ces quelques exemples montrent à quel point le succès des îles ressemble à une invasion. Si leurs capacités d'accueil ont considérablement évolué au cours des dernières années, elles n'en demeurent pourtant pas moins limitées. D'autant qu'elles ont fait le pari, réussi, de préserver leur environnement. Il est donc fortement recommandé, sinon obligatoire, de laisser son auto sur le continent avant d'embarquer. On lui préférera de bonnes chaussures, la plupart des îles ayant parfaitement développé leurs circuits de randonnée.

L'Île de Batz

L'Île de Batz

La pêche sous toutes ses formes

La Bretagne est bien sûr réputée pour la pêche en mer. Mais on peut également pratiquer la pêche dans un grand nombre de cours d'eau, patrimoine mis en valeur dans les maisons de la pêche et autres maisons de l'eau.

Pêche en mer

1. **Le Conquet : port de pêche. p. 116.**
2. **Lanildut : port de pêche et premier port goémonier d'Europe. p. 119.**
3. **Roscoff : visite de la criée. p. 128.**
4. **Erquy : port de pêche (coquilles Saint-Jacques). Dahouët : port de pêche. p. 167.**
5. **Baie de la Fresnaye et Saint-Jacut : pêche à pied. p. 175.**
6. **Dinard : pêche en mer sportive. p. 176.**
7. **Saint-Malo : pêche à pied. p. 180.**
8. **Baie du Mont-Saint-Michel : pêche à pied. p. 190.**
9. **Douarnenez : port de pêche et visite de la criée. p. 214.**
10. **Pont-l'Abbé : pêche à pied. Le Guilvinec : port de pêche (langoustes et langoustines). Loctudy : port de pêche (langoustines). Saint-Guénolé : visite de la criée. p. 224 et 225.**
11. **Fouesnant : ports de pêche de Cap-Coz, Beg-Meil, Mousterlin. p. 231.**
12. **Concarneau : port de pêche, visite de la criée, musée de la Pêche. p. 228.**
13. **Île de Groix : ports de pêche à Locmaria et Port-Tudy. p. 238.**
14. **Lorient : port de pêche. p. 236.**
15. **Quiberon (Portivy) : port de pêche. p. 247.**
16. **Belle-Île : port de pêche à Sauzon, et pêche au pouce-pied. p. 265 et 266.**

⑰ La Turballe :
port de pêche (premier port pour la sardine et l'anchois), visite de la criée.
Piriac-sur-Mer :
port de pêche.
p. 285.

⑱ Pornic et la côte de Jade : pêcheries.
p. 293.

⑲ Tréguier : pêche traditionnelle à bord de la Marie-Georgette.
p. 152 et 153.

Pêche en rivière

⑳ Landerneau : pêche au saumon dans l'Élorn.
p. 124.

㉑ Sizun : maison de l'Eau, de la Rivière et de la Pêche, stages d'initiation à la pêche à la mouche.
p. 135.

㉒ Pêche dans le Trieux (saumons et truites).
p. 151.

㉓ Châteaulin : pêche dans l'Aulne (saumons).
p. 209.

㉔ Quimperlé : pêche dans l'Ellé et la Laïta (saumons et truites).
p. 235.

㉕ Pontivy : pêche dans le Blavet et le canal de Nantes à Brest, maison de la Pêche.
p. 245.

㉖ Ploërmel : pêche dans l'étang au Duc (perches, carpes, brochets).
p. 273.

㉗ Pays de Retz et lac de Grand-Lieu, Passay : observatoire et maison du pêcheur.
p. 294 et 295.

㉘ Ancenis : pêche dans la Loire (brochets, sandres, anguilles).
p. 306.

㉙ Baud : pêche dans l'Ével (brochets, perches, saumons, truites).
p. 242.

Pêche de mer, pêche d'eau douce

La diversité de la faune marine et la bonne santé des cours d'eau assurent à la pêche bretonne un éventail de produits très variés. La pêche en mer, activité nourricière traditionnelle avec l'agriculture, occupe environ 10 000 hommes, soit plus de la moitié des marins français. Quant à la pêche en eau douce, elle réserve d'excellentes surprises aux amateurs qui auront peut-être la chance d'attraper le mythique saumon, de retour dans les rivières bretonnes.

Techniques de pêche en mer

Selon leur spécialité, les marins-pêcheurs utilisent différents types de filets. Le chalut est une sorte de grosse poche que le bateau traîne dans son sillage. On distingue les chaluts pélagiques (en surface) et les chaluts de fond (les plus destructeurs). Les fileyeurs sont des bateaux qui vont poser des filets d'une centaine de mètres le soir pour les relever le lendemain matin. Les filets maillants, dont les mailles font précisément l'objet d'âpres tractations à Bruxelles, peuvent être posés pour plusieurs jours. Enfin, les palangriers disposent d'une sorte de long fil armé d'une série d'hameçons.

De haut en bas : maquereaux, saumon et turbot
Ci-contre : le déchargement de la marée de Saint-Guénolé

Poissons de mer

La sardine et, dans une moindre mesure, le maquereau ont longtemps été l'une des principales ressources des côtes sud de la Bretagne. Cette pêche, au filet (la bolinche) ou à la ligne, se perpétue dans les ports d'Audierne, de Douarnenez et de La Turballe. Autre produit emblématique, le thon est de nos jours traqué par les navires industriels de Concarneau ou de Lorient au large des Açores ou de l'Irlande, et dans les mers chaudes pour le thon tropical. Quelques navires artisanaux maintiennent toutefois la tradition, capturant le poisson au large durant la période estivale. Son débarquement sur les quais de Groix ou d'Étel, de juillet à septembre, est toujours un événement auquel se joignent touristes et autochtones.

Le lieu jaune

Le thon

La roussette

La lotte

Caseyeurs et crustacés

Comme son nom l'indique, le caseyeur pêche à l'aide de casiers qui sont posés sur les fonds marins pour piéger les principaux crustacés. Cette pêche, essentiellement côtière, est pratiquée par de petits bateaux (8 à 12 m), repérables à leurs bouées colorées, qui peuvent embarquer plusieurs dizaines de casiers. Principales proies : le homard, qui se fait rare, le tourteau, ou dormeur, et l'araignée. En revanche, la langoustine, première au hit-parade de la pêche en Cornouaille, est exclusivement attrapée au chalut.

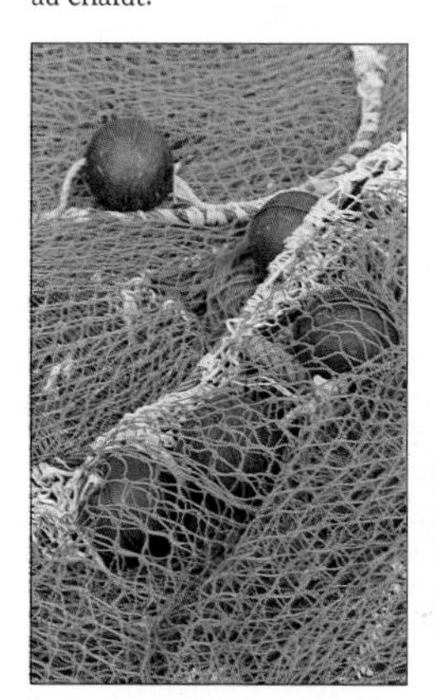

La pêche en rivière

Avec 20 000 km de cours d'eau, la Bretagne n'est pas seulement le pays des marins mais aussi celui des pêcheurs à la ligne. La carte de pêche « vacances » autorise la pêche pendant 15 jours consécutifs, entre le 1er juin et le 30 septembre. Les tarifs varient selon les départements et le type de pêche souhaité. Le plus simple est de s'adresser aux détaillants d'articles de pêche ou aux relais se prévalant du label « Saint-Pierre », qui répertorie les meilleurs lieux de villégiature pour les pêcheurs. Il en existe une quinzaine en Bretagne dont la liste est disponible auprès du **Comité de tourisme régional**, 1-3, rue Raoul-Ponchon, Rennes, ☎ 02 99 28 44 30.

Truites et saumons

Après une période de vaches maigres, si l'on ose dire, et alors que la truite n'avait jamais quitté les rivières bretonnes, le saumon est de retour ! D'année en année, il a reconquis son domaine aquatique qui va de l'Aulne au Blavet, dans le Morbihan, en passant par l'Élorn, l'Éllé, le Ster, l'Odet, et la rivière du Trieux dans les Côtes d'Armor. C'est en mars que l'on pêche les plus gros spécimens et en juin les petits saumons d'un an de mer. C'est dans le cours inférieur de l'Aulne que la ressource est la plus abondante. La truite, quant à elle, mord de mars à mi-septembre.

La pêche à pied
« au bas de l'eau »

« Aller au bas de l'eau » est l'expression bretonne qui désigne la pratique de la pêche à pied, l'une des distractions favorites de la région. Le littoral regorge de coquillages, crustacés, petits poissons, qui sont autant de savoureux cadeaux de la mer. Mais tout cela est réglementé. On ne pêche pas la coque au râteau. On ne ramasse pas les coquillages trop petits. On ne traque pas l'ormeau en été. On ne fouille pas n'importe quelle plage… Avant de vous lancer à l'assaut d'une grève ou d'un caillou, prenez toutes les garanties nécessaires (les textes sont disponibles dans tous les offices de tourisme). Les côtes sont surveillées et les amendes très lourdes.

À la pêche aux coques

Voilà une pêche aussi facile qu'agréable ! La coque se trouve presque à fleur de sable, à marée descendante. Si elle est enfouie un peu plus profondément dans la grève, vous la reconnaîtrez au petit trou qu'elle perce et à la tache grise qui marque son emplacement. Les grands bancs de sable sont l'habitat de prédilection des coques : la baie du Mont-Saint-Michel dans le nord, les bancs d'Étel dans le sud. Le matériel est tout simple : un seau, deux yeux, deux doigts.

Crabes et homards

Le homard est un prince des failles bretonnes. Les chalutiers en ramènent encore de lourds casiers mais vous aurez bien de la chance d'en débusquer un entre deux rochers, tant il se fait rare sur l'estran rocheux. Sachez pourtant qu'il se cache de préférence dans les failles dont le fond est sablonneux. Il s'y étendra pour opérer sa mue. Beaucoup plus nombreux sont étrilles et tourteaux. L'étrille est un petit crabe vif qu'on trouve sous les cailloux. Il pince mais ne serre pas. En revanche, le tourteau, ou poincleau, serre dur. S'il vous prend par le doigt alors que vous le traquez, brisez la pince sans hésitation. Un poincleau, comme un homard, vous emporterait le doigt.

Le lançon, petit poisson vif-argent

C'est la plus drôle de toutes les pêches littorales accessibles à la famille. Le lançon est un feu follet, une étoile filante. Il saute, se cabre, virevolte et, finalement, s'enfonce dans le sable mouillé au nez et à la barbe du pêcheur éberlué. On le cherche avec une cobêche,

grand manche terminé par une sorte de binette. Dès qu'il saute, aplatissez-le sur le sable. Légèrement assommé, il sera plus facile à saisir. La région de Saint-Malo, les grèves de Saint-Brieuc, le Finistère Sud et le golfe du Morbihan sont les meilleurs lieux de pêche. Cuisinez-le en friture ou en beignet, c'est délicieux.

Quelques précautions

Contentez-vous des crustacés et des coquillages bien vivants. S'il y a le moindre doute quant à la salubrité de l'endroit (estuaire de la Rance, par exemple), ne vous risquez pas à la pêche. Si l'eau est polluée au niveau 1, le coquillage le sera au niveau 20 car il concentre les éléments toxiques. Ne ramassez pas les crabes dont la carapace est ramollie. Vos coquillages récoltés, il est indispensable de les débarrasser de leur sable. Lavez-les soigneusement puis laissez-les reposer dans une eau salée et vinaigrée. Ils vont rejeter leur sable.

Sa majesté l'ormeau

Sa pêche est interdite en été. Sa taille minimale de récolte est de 8 cm. En aucun cas, vous ne pourrez en ramener plus de 20 par pêcheur. Les lois sur l'ormeau sont strictes. Les côtes bretonnes ont souffert de son absence pendant plus de 20 ans. Ce n'est qu'au début des années 1990 qu'on en a vu revenir quelques colonies. On le trouve lors des grandes marées, dans des failles profondes. Sa couleur se confond avec le rocher et vous serez bienheureux d'en ramener une vingtaine. Mangez-les frits dans l'huile, l'ail et le persil après les avoir battus. L'ormeau possède un goût à la fois fin et puissant. Sa chair est ferme mais douce. On le reconnaît souvent comme le meilleur des fruits de mer.

Balades et randonnées

Outre le fameux GR 34 qui longe une bonne partie du littoral, la Bretagne fourmille de sentiers. Les voies d'eau sont un autre moyen pour parcourir la région. Quant à ceux qui ont soif d'originalité, ils choisiront la roulotte ou l'âne de bât.

Sur l'eau

1. **Brest : balades dans la rade avec les vedettes armoricaines.**
   p. 121.
2. **Paimpol : minicroisières dans l'estuaire du Trieux.**
   p. 157.
3. **Dinard : balades en vedette sur la Rance.**
   p. 176.
4. **Dinan : balades en bateau sur le canal d'Ille-et-Rance, la Rance ou le canal de Nantes à Brest.**
   p. 183.
5. **Châteaulin : croisière sur l'Aulne à bord d'une ancienne gabare-sablière, le *Notre-Dame-Rumengol*.**
   p. 208.
6. **Bénodet : croisières en vedette ou en gabare sur l'Odet.**
   p. 226.
7. **Auray : minicroisières en vedettes pour découvrir l'estuaire du Loch, la rivière d'Etel ou le golfe du Morbihan.**
   p. 252 et 253.
8. **Golfe du Morbihan : balades dans le golfe en vedette ou en bateau à moteur.**
   p. 256.
9. **Josselin : croisières sur le canal de Nantes à Brest.**
   p. 270.
10. **Redon : croisières sur la Vilaine, l'Oust et l'Aff.**
    p. 278 et 279.
11. **Parc de Brière : promenade sur les canaux en barque.**
    p. 289.
12. **Nantes : balades en bateau sur l'Erdre.**
    p. 299.

Sur la terre ferme

13 Côte des Abers : circuits de randonnée.
p. 118.

14 Morlaix : randonnée pédestre balisée autour de la baie (GR 34).
p. 132.

15 Monts d'Arrée : randonnées avec âne de bât et sentiers pédestres.
p. 134.

16 Huelgoat : randonnées équestres et pédestres. Locmaria-Berrien : location de roulottes.
p. 137.

17 Carhaix-Plouguer : circuits de randonnées.
p. 138.

18 Callac : VTT dans la Verte Vallée et sentier balisé rejoignant les gorges du Corong.
p. 140 et 141.

19 Montagnes Noires : sentiers et chemins creux balisés.
p. 142.

20 Forêt de Plédran : sentiers fléchés de randonnée équestre, pédestre et de VTT.
p. 165.

21 Lamballe : club hippique, randonnées à cheval et à vélo, circuits de randonnées pédestres.
p. 168.

22 Baie du Mont-Saint-Michel : promenades à cheval dans la baie, ou à pied en suivant le cours du Couesnon.
p. 190.

23 Rennes : sentiers de randonnées balisés.
p. 199.

24 Fougères : randonnées pédestres, équestres, et VTT dans la forêt.
p. 201.

25 Landévennec : randonnées au Ménez-Hom.
p. 207.

26 Quimperlé : balades sur les bords de l'Ellé.
p. 235.

27 Presqu'île de Rhuys : 80 km de sentiers balisés.
p. 262.

28 Forêt de Paimpont : sentiers balisés au départ de Tréhorenteuc.
p. 275.

29 Lac de Grand-Lieu et pays de Retz : sentiers pédestres et de grande randonnée.
p. 294 et 295.

30 Blain : forêt du Gâvre, randonnées pédestres, équestres ou à vélo.
p. 303.

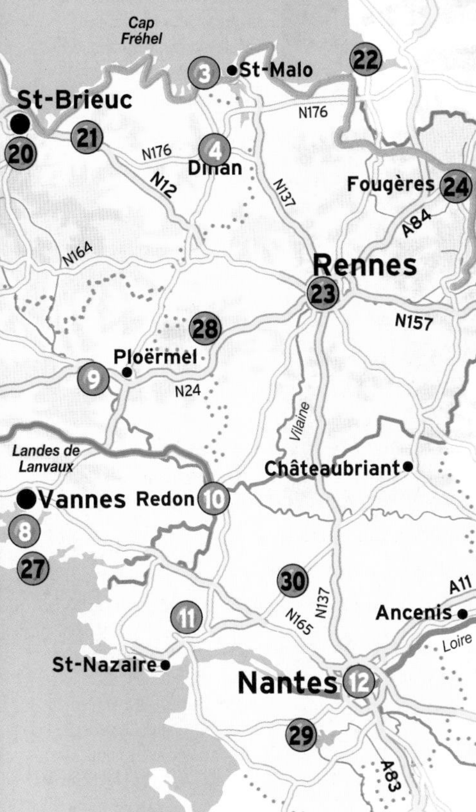

Au fil de l'eau, au fil des canaux

Avec 600 kilomètres de canaux et de rivières navigables, la Bretagne dispose d'un réseau fluvial exceptionnel. D'est en ouest et du nord au sud, on découvre au fil de l'eau une nature sauvage et des paysages rares où alternent les pics de granit ou de schiste rouge avec les forêts profondes et les vallons. Au détour d'un rideau de peupliers apparaît un château inattendu, un alignement de mystérieux mégalithes. Tout ça loin du tumulte des villes et à une allure tranquille ponctuée par les haltes dans de belles écluses fleuries.

De la Manche à l'océan Atlantique

De Saint-Malo à La Roche-Bernard, en passant par Dinan et Redon, principal carrefour des voies navigables et haut lieu de la batellerie, les croisières qui empruntent successivement le canal d'Ille-et-Rance puis le cours de la Vilaine offrent des spectacles grandioses. De Rennes à Redon, la Vilaine est en effet jalonnée de fermes à pans de bois, de moulins, de châteaux et de manoirs perdus le long d'une vallée encaissée aux magnifiques crêtes boisées et parfois très abruptes. Près du port de Guipry-Messac, le site de la Corbinière est considéré comme l'un des plus beaux de la Bretagne intérieure.

La flotte

On trouve en location une grande diversité de bateaux. Tous sont faciles à piloter et ils ne nécessitent aucun permis. La capacité des vedettes fluviales et des pénichettes varie de 4 à 12 personnes. Les pénichettes, disposant d'un pont extérieur assez large, se prêtent peut-être davantage au farniente que les vedettes, qui sont plutôt des caravanes flottantes. On peut facilement accoster au gré de ses envies, le temps d'une escapade dans un village ou un site sauvage. Les tarifs, pour un week-end, une mini semaine ou une semaine, sont très variables selon le type de bateau souhaité et la période choisie mais ils se situent dans une fourchette allant de 2 000 F à 19 000 F.

En allant de Nantes à Brest

Si le canal de Nantes à Brest n'est pas navigable dans sa totalité, interrompu notamment par le barrage de Guerlédan, il offre lui aussi de superbes possibilités de croisière. Au départ de Nantes on découvre d'abord la belle vallée de l'Erdre, avant de traverser la forêt du Gâvre et des marais où évolue une faune très riche. Au-delà de Redon, la vallée de l'Oust est marquée par le cadre enchanteur de l'île aux Pies (p. 277, Rochefort-en-Terre). Le canal permet ensuite, via Malestroit et Josselin, de rejoindre les décors naturels tout aussi verdoyants de la vallée du Blavet. Entre la rade de Brest et Carhaix, l'Aulne, rivière réputée pour ses poissons, est elle aussi navigable.

Le passage des écluses

C'est un moment tout à fait particulier. Si l'on remonte le cours du fleuve, les portes de l'écluse sont généralement ouvertes pour permettre à l'embarcation de pénétrer dans un sas où l'éclusier, après avoir refermé la porte à l'aide d'une manivelle, laisse pénétrer l'eau pour élever le bateau au niveau du cours d'eau en amont. L'opération dure en général une vingtaine de minutes. Lorsque l'eau atteint le niveau requis dans le sas, les portes amont s'ouvrent à leur tour et l'on peut poursuivre sa route.

Où et comment embarquer ?

Plusieurs circuits sont proposés par les compagnies de tourisme fluvial au départ de Sucé-sur-Erdre, près de Nantes, de Redon et de Messac, en Ille-et-Vilaine, de Josselin et Rohan, dans le Morbihan, et de Dinan. Il est également possible de louer une vraie péniche, le *Neptune*, pilotée par son marinier au départ de la Chapelle-aux-Filtzméens, en Ille-et-Vilaine. Les voies navigables sont généralement fermées à la navigation du 15 octobre au 15 mars. Rens. complets à l'office de tourisme, (place de la République, 35600 Redon, ☎ 02 99 71 06 04).

Chemins et routes de Bretagne

Avec près de 5 000 kilomètres de chemins et sentiers, la Bretagne est un paradis pour le randonneur ou le simple promeneur. Si le célèbre Sentier des douaniers réserve une vue imprenable sur la mer, de nombreux itinéraires mènent aussi à l'intérieur des terres, comme dans les mystérieux monts d'Arrée où des rideaux de brume viennent s'enrouler autour des rochers fantasmagoriques qui jalonnent la lande. Chemins du littoral, voies de halage, chemins de traverses : autant de sentiers à parcourir à son rythme.

Phare (ci-dessus) et plage (en haut) de Belle-Île

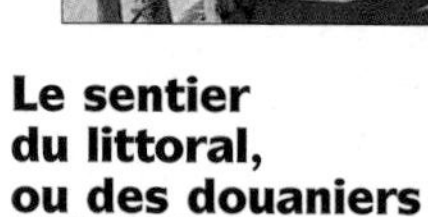

Le sentier du littoral, ou des douaniers

Créé en 1791 pour lutter contre la contrebande, le Sentier des douaniers a peu à peu été laissé à l'abandon. Depuis une vingtaine d'années, il a été remis en état. Il est désormais possible de suivre le littoral breton depuis Cancale au nord, jusqu'à la Brière au sud. En effet, le rivage dépendant du domaine public maritime, les riverains des bords de mer sont obligés de laisser un passage de 3 m entre la limite de leur terrain et celle des plus hautes eaux : bonne nouvelle pour les marcheurs ! Par ailleurs, le sentier du littoral est soumis à une protection particulière de la part du Conservatoire du littoral lors de la traversée de certaines zones (réserve ornithologique du cap Sizun, par exemple). Certaines portions sont mémorables : entre le fort La Latte et le cap Fréhel, le sentier domine la mer de plus de 50 m.

Les sentiers de grande randonnée

Ils sont balisés en blanc et rouge. Parmi les plus importants, le GR 34 se confond souvent avec le sentier du littoral, mais s'en éloigne à l'occasion. Il réserve alors quelques échappées vers les grands espaces encore intacts de la Bretagne, entre bocage et lande. Le GR 380 part du parc régional d'Armorique, dans le Finistère, pour aller se perdre dans les monts d'Arrée : voyage au pays des rêves garanti. Le GR 37, enfin, suit le canal de Nantes à Brest. Si ces itinéraires complets nécessitent plusieurs jours de marche, il est très facile de les fractionner. Dans tous les cas, les possibilités d'hébergement ne manquent pas tout au long des différents chemins (pour

tout renseignement, contacter l'ABRI-Maison de la randonnée, 9, rue des Portes Mordelaises, 35000 Rennes, ☎ 02 99 67 42 20).

Sentiers de promenade

Balisés en jaune, les sentiers de promenade vont du circuit de 1 ou 2 h à la balade d'une journée. Les itinéraires proposés ont souvent pour point de départ un lieu touristique ou un gîte d'étape. Sans difficultés majeures, ils conviennent parfaitement aux petits marcheurs ou aux promenades en famille. Les îles, où la circulation est souvent limitée, voire interdite, sont aussi pour la plupart des lieux enchanteurs à découvrir à pied.

Routes à thème, sentiers de pays

La plus fameuse des routes est sans doute le Tro-Breiz, ce pèlerinage que tout Breton voulant gagner le paradis se devait d'effectuer. Il consistait à se rendre sur les tombes des 7 saints fondateurs des évêchés de Bretagne. Remis au goût du jour en 1994, il est, au mois de mai, l'occasion d'un beau tour de Bretagne par étapes (Quimper, Saint-Pol-de-Léon, Tréguier, Saint-Brieuc, Saint-Malo, Dol-de-Bretagne, Rennes). De la même façon, plusieurs circuits à thème relient divers éléments du patrimoine architectural (Route des phares et balises autour de Brest, p. 69), gastronomique (Route du cidre en Cornouaille, rens. auprès de l'office de tourisme de Quimper, ☎ 02 98 53 04 05) ou culturel (Route des peintres, rens. auprès du Groupement touristique de Cornouaille, 145, avenue de Kéradennec, BP 410, 29330 Quimper Cedex, ☎ 02 98 90 75 05), afin de mieux faire partager au promeneur les richesses de l'Armorique. Quant aux sentiers de pays, balisés en jaune et rouge, ils prévoient des trajets d'une semaine environ destinés à acquérir une connaissance plus culturelle du pays. On peut ainsi effectuer le tour de la forêt de Brocéliande, ou des montagnes Noires autour de Gourin.

Sites mégalithiques

La Bretagne est particulièrement riche en monuments mégalithiques. Suivez la carte et vous saurez reconnaître menhirs, alignements, allées couvertes, dolmens, cromlechs ou cairns.

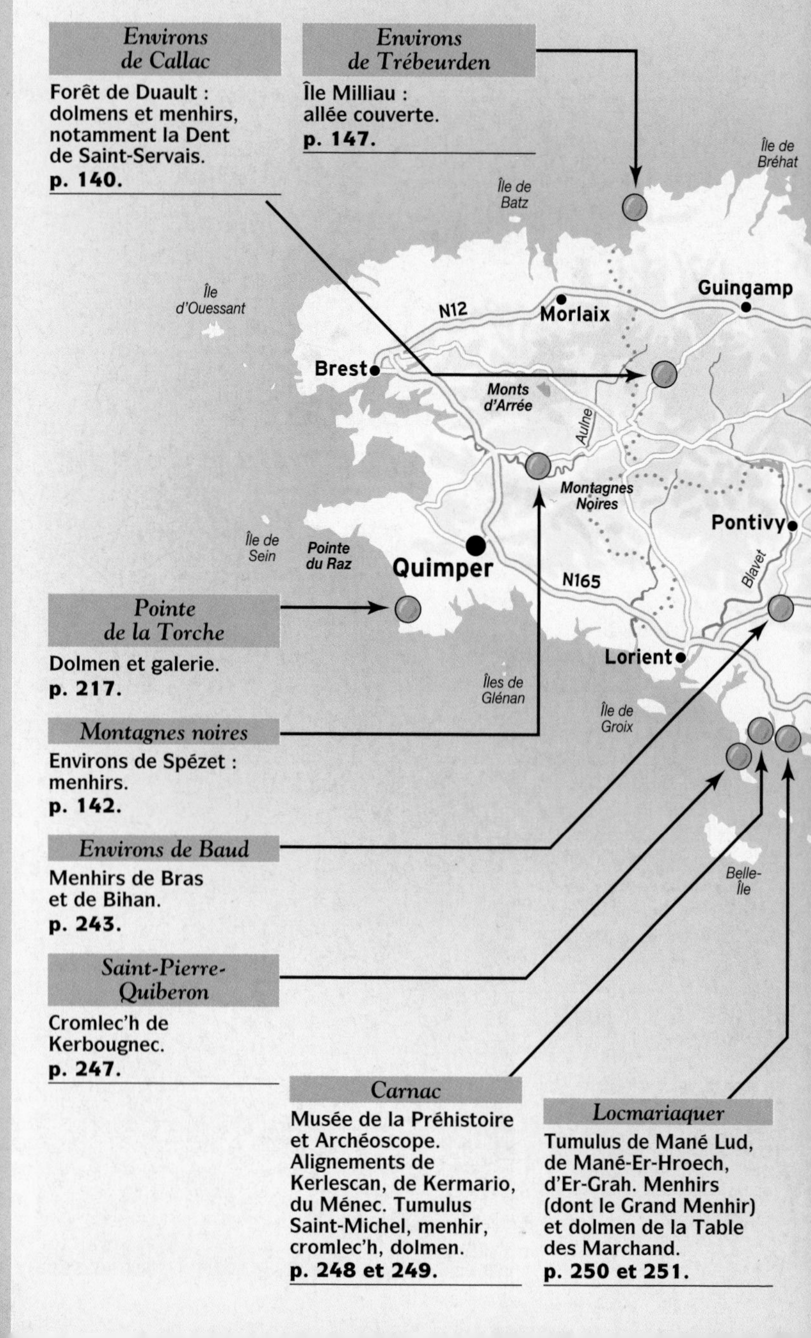

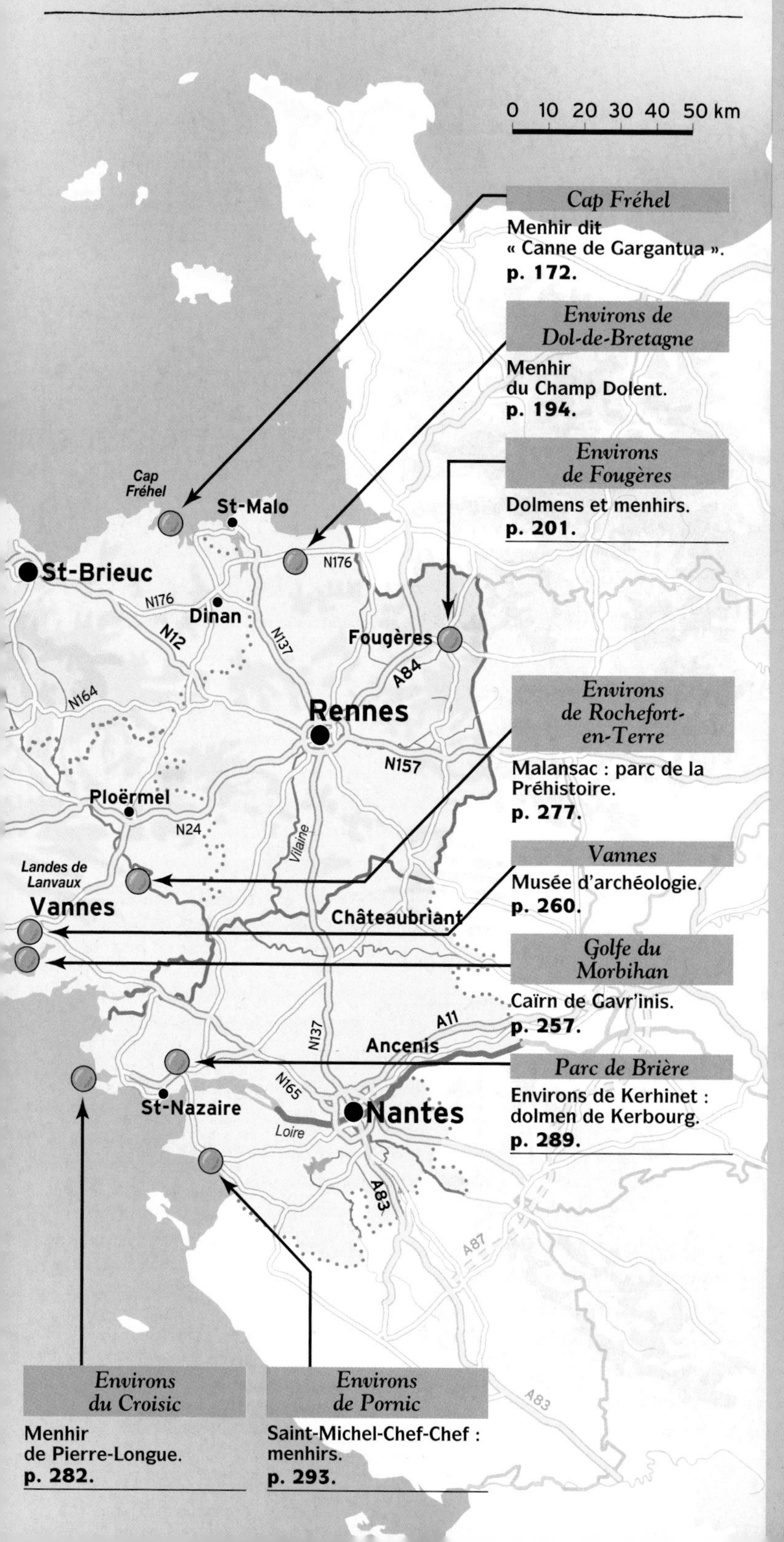
0 10 20 30 40 50 km
Cap Fréhel
Menhir dit « Canne de Gargantua ».
p. 172.
Environs de Dol-de-Bretagne
Menhir du Champ Dolent.
p. 194.
Environs de Fougères
Dolmens et menhirs.
p. 201.
Environs de Rochefort-en-Terre
Malansac : parc de la Préhistoire.
p. 277.
Vannes
Musée d'archéologie.
p. 260.
Golfe du Morbihan
Caïrn de Gavr'inis.
p. 257.
Parc de Brière
Environs de Kerhinet : dolmen de Kerbourg.
p. 289.
Environs du Croisic
Menhir de Pierre-Longue.
p. 282.
Environs de Pornic
Saint-Michel-Chef-Chef : menhirs.
p. 293.
Cap Fréhel
St-Malo
St-Brieuc
N176
Dinan
N12
N137
Fougères
A84
N164
Rennes
N157
Ploërmel
N24
Vilaine
Landes de Lanvaux
Vannes
Châteaubriant
A11
N137
Ancenis
N165
St-Nazaire
Nantes
Loire
A83
A87
A83

Les mégalithes

Obélix avant la lettre…

Un menhir

Les alignements de Kerlescan

Région bénie pour les chercheurs, la Bretagne est particulièrement riche en mégalithes, littéralement « grosses pierres », dont les plus anciennes remontent à 5 000 ans avant notre ère. Après avoir excité bien des imaginations, on sait désormais que les menhirs, ces pierres levées, largement popularisées par Obélix, et les dolmens, tables de pierre qui s'inscrivaient souvent dans un ensemble plus vaste, servaient de sépultures et parfois de lieux de culte.

Un dolmen

Le dolmen

Le dolmen peut désigner à la fois une simple table de pierre ou un ensemble plus complexe servant de sépulture collective et comprenant plusieurs mégalithes. Ces monuments funéraires, de taille parfois très imposante, étaient enfouis dans une cavité du sol ou construits en surface puis recouverts de terre formant un tumulus. Beaucoup sont composés d'un long couloir menant à une ou plusieurs chambres formées de grosses dalles. Ils pouvaient être également entourés de pierres sèches et portaient alors le nom de cairns.

Les cairns

Ce sont en fait les plus impressionnants des monuments mégalithiques dans la mesure où ils peuvent regrouper plusieurs dolmens selon des agencements très étudiés. Le cairn de Barnenez, en baie de Morlaix, qui remonte à plus de 5 000 ans av. J.-C., est l'un des plus beaux exemplaires de ces nécropoles avec celui de Gavrinis, dans le golfe du Morbihan, qui aurait nécessité de nos jours environ 10 000 t de matériaux et 3 ans de travail.

5 000 ans avant Jésus-Christ

Ces monuments datent pour la plupart d'une période allant de 5 000 à 2 000 ans av. J.-C. Cet art des pierres levées témoigne, notamment, de rites funéraires très développés. Les populations de l'époque étaient certes organisées à l'abri de camps fortifiés et avaient délaissé la chasse et la cueillette pour l'agriculture et l'élevage, mais leurs moyens logistiques restent mystérieux si l'on songe aux dimensions gigantesques de certains dolmens, de menhirs pesant jusqu'à 350 t, de cairns pouvant atteindre 70 m de long…

Un cairn

Un cromlech

Les alignements

Pistes d'atterrissage pour extraterrestres, armées pétrifiées, pluie d'astéroïdes ? Les interprétations les plus folles ont de tous temps circulé autour des alignements dont on ignorait la fonction. Si le caractère funéraire de nombreux monuments mégalithiques ne fait plus guère de doute, on pense également aujourd'hui que certains menhirs, les plus élevés pouvant atteindre 7 m, ont pu servir de repères. Des données astronomiques précises semblent en outre avoir présidé à l'organisation des alignements de Carnac, orientés selon les solstices et complétés à leurs extrémités par des cromlechs, ou cercles de pierres.

Décors

On a pu dater les monuments mégalithiques grâce aux dessins gravés par piquetage dans la pierre. Dès le IVe millénaire av. J.-C., on découvre des serpents, des haches et autres crosses inscrites dans la pierre tandis que mille ans plus tard, ces thèmes font place à des poignards et même à des paires de seins ornées de colliers et sculptées en relief dans les allées couvertes.

Des bijoux très à la mode

La fouille des tumulus a permis de retrouver quantité d'objets et de bijoux d'une beauté souvent remarquable et outre les haches polies en jadéite ou en fibrolite, des pierres rares. On peut admirer dans les musées de Vannes ou de Carnac de magnifiques colliers en callaïs, sorte de turquoise, mais aussi des pendeloques, des perles et autres parures qui étonnent par leur finesse et leur « modernité ». Ces objets ne font qu'épaissir le mystère d'une civilisation encore mal connue mais sûrement assez avancée.

Les alignements de Kermario

La Bretagne au temps d'Astérix

Les Celtes arrivent en Armorique vers 600 avant notre ère. À l'apogée de leur civilisation, ils soumettront Rome. C'est l'époque où le chef Brennus jette son fameux « Malheur aux vaincus ! » aux Romains terrifiés. En Armorique, l'intégration des Celtes aux populations déjà installées donnera naissance à un partage de la région entre les différentes tribus, les Coriosolites autour de Corseul, les Osimes vers Carhaix, les Venètes de Vannes à Nantes. Ces derniers iront ensuite porter secours à un certain chef arverne, du nom de Vercingétorix, assiégé à Alésia. La résistance armoricaine à l'invasion romaine sera très forte, ce qui explique la persistance de la culture celte dans la région. Le plus bel exemple en est la langue bretonne elle-même.

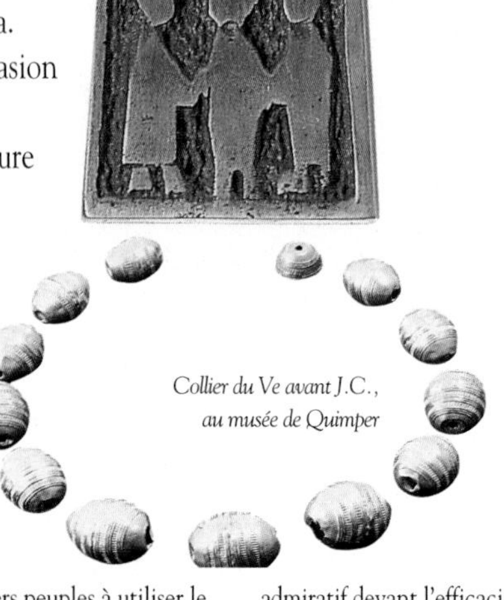

Collier du Ve avant J.C., au musée de Quimper

Une incroyable richesse

Masques d'or, riches armements, bijoux de toutes sortes retrouvés dans les sépultures celtes témoignent de la splendeur de cette civilisation. On trouve également trace de cette richesse dans la vie quotidienne. Les Celtes furent sans doute, en Europe, l'un des premiers peuples à utiliser le char de combat. Dans la *Guerre des Gaules*, Jules César témoigne de son étonnement admiratif devant l'efficacité de ces chars. De même, alors que les Romains ne connaissaient que l'amphore, les Celtes avaient inventé le tonneau. Une véritable révolution, comparable à l'apparition de la roue. Le tonneau restera le contenant transportable de grande capacité le plus utilisé jusqu'au milieu du XXe s.

Jules César, gravure du XVIIe s.

Les druides

Ils sont le trait d'union entre Celtes et Gaulois. Chefs spirituels, mais aussi guerriers et médecins, rien ne se faisait chez les Celtes sans la consultation du druide. Le druidisme professait l'immortalité de l'âme. Ce savoir se transmettait oralement de druide à druide à travers un poème de 20 000 vers qui ne fut jamais écrit. La grande réunion annuelle des druides se tenait dans la forêt des Carnutes, aux alentours de Chartres. Certaines plantes comme le gui – qu'ils coupaient avec une faucille d'or – étaient investies de vertus divines. De même, le chêne représentait Dieu. Les bardes et les ovates, dans la hiérarchie celte, venaient juste après les druides.

L'héritage des Celtes

L'Armorique, plus ou moins soumise par un empire romain qui se délite au IVe s. va servir de terre de repli aux habitants de l'île de Bretagne – actuelle Grande-Bretagne – qui fuient devant les Saxons et les Angles. C'est de cette époque que date la dénomination de Breton. Un nouveau métissage se produit entre Celtes et Bretons, mais cette alliance laisse des traces culturelles durables, notamment dans la langue. *Lann*, en celtique, signifie monastère, congrégation religieuse, et *plou* désigne un groupe de guerriers. Si vous venez en Bretagne par la route, vous pourrez constater que le nombre de cités bretonnes commençant par ces préfixes est particulièrement important. Vous pourrez ainsi déduire que Landivisiau ou Landerneau ont été fondés par des religieux alors que les origines de Plougastel ou de Plouguerneau sont guerrières. Dans les deux cas, le nom du moine ou du chef de clan suit souvent le préfixe. Lannion a été fondée par le moine Ion, Ploudaniel, par le chef Daniel. Maintenant, à vous de jouer !

Vercingétorix haranguant les Gaulois

Petit jeu des 10 000 familles

Les patronymes bretons ont très souvent une origine celte. Ils peuvent tous être traduits en français. Le petit jeu des équivalences est amusant. *Gwen* (ou Guen) signifie blanc. Le Guen, un nom très répandu, est donc l'équivalent du français Leblanc. Sachant que *du* veut dire « noir », *coz* « vieux » et *penn* « extrémité », vous trouverez les correspondances françaises parfois surprenantes ! On retrouve également dans les noms de lieu des traductions amusantes comme Aber-Wrac'h, qui signifie littéralement « estuaire des sorcières ».

Le patrimoine religieux

Comme de nombreuses régions de France, la Bretagne abrite beaucoup de chapelles, d'églises pittoresques, romanes ou gothiques, de belles cathédrales et des abbayes. Mais elle présente également des spécificités à ne pas manquer : enclos et calvaires.

Églises, chapelles, abbayes, calvaires

1. Daoulas : abbaye. **p. 127.**
2. Enclos paroissiaux de Trémaouézan, Pencran, Dirinon, La Roche-Maurice. **p. 125.**

10. Pointe du Raz : Pont-Croix, collégiale Notre-Dame-de-Roscudon. Pointe du Van : chapelle Saint-They. **p. 213.**

3. Spézet : chapelle Notre-Dame-du-Crann. **p. 142.**
4. Paimpol : abbaye de Beauport, église Notre-Dame-de-Bonne-Nouvelle. **p. 156 et 157.**
5. Mont-Saint-Michel : abbaye. **p. 188 et 189.**
6. Île de Sein : église Saint-Guénolé, chapelle Saint-Corentin. **p. 211.**
7. Crozon : église Saint-Pierre. **p. 204.**
8. Châteaulin : chapelle Notre-Dame. Port-Launay : chapelle Saint-Sébastien. Pleyben : calvaire. **p. 208 et 209.**
9. Locronan : chapelle Notre-Dame-de-Bonne-Nouvelle, chapelle du Pénity, église Saint-Ronan. **p. 218.**

11. Fouesnant : église Saint-Pierre. La Forêt-Fouesnant : église et calvaire. **p. 230 et 231.**
12. Nizon : église et calvaire. **p. 233.**
13. Quimperlé : églises Sainte-Croix et Saint-Michel. Moëlan : chapelle. **p. 234 et 235.**
14. Hennebont : église Notre-Dame-du-Paradis. **p. 240.**
15. Pontivy : basilique Notre-Dame-de-Joie. Saint-Nicolas-des-Eaux : chapelle Saint-Nicodème et ermitage Saint-Gildas. **p. 244 et 245.**
16. Portivy : chapelle de Lotivy. **p. 247.**
17. Carnac : chapelle et calvaire. **p. 248 et 249.**

(18) Locmariaquer : église Notre-Dame-de-Kerdro.
p. 250.

(19) Auray : église Saint-Goustan, chartreuse.
p. 253.

(20) Saint-Anne-d'Auray : basilique Sainte-Anne, couvent, chapelle, Scala Santa.
p. 254 et 255.

(21) Paimpont : abbaye. Tréhorenteuc : église.
p. 275.

(22) Josselin : basilique Notre-Dame-du-Roncier.
p. 270.

(23) Rochefort-en-Terre : église Notre-Dame-de-la-Tronchaye.
p. 277.

(24) Environs de La Baule : chapelle Sainte-Anne-et-Saint-Julien et calvaire.
p. 287.

(25) Pays de Retz : Saint-Philbert-de-Grandlieu, abbaye carolingienne. Saint-Lumine-de-Coutais : église Saint-Léobin.
p. 294 et 295.

(26) Ancenis : église Saint-Pierre-et-Paul.
p. 306.

(27) Audierne : calvaire de Notre-Dame-de-Tronoën.
p. 217.

Cathédrales

(28) Tréguier : cathédrale Saint-Yves.
p. 152.

(29) Dol-de-Bretagne : cathédrale Saint-Samson.
p. 194.

(30) Quimper : cathédrale Saint-Corentin.
p. 220.

(31) Vannes : cathédrale Saint-Pierre.
p. 261.

(32) Nantes : cathédrale Saint-Pierre.
p. 296.

L'architecture religieuse bretonne

La première époque de l'architecture religieuse bretonne remonte aux mégalithes, aux pierres millénaires et aux stèles païennes sculptées. Ces monuments ont été « récupérés » par les chrétiens à partir du IVe s. Les croix surmontant les menhirs de Brignogan ou de Trégunc, celle gravée sur la pierre du Coq de Pont-Aven attestent du souci de conquête inhérent à chaque culte, d'une religion à l'autre. Au passage, les Romains eux aussi ont utilisé les pierres levées pour célébrer leur propres divinités comme le montre la stèle aux cinq dieux exposée à Quimper.

La crypte de Lanmeur

Le perguet de Bénodet, la collégiale de Loctudy ou l'église Locmaria de Quimper comptent parmi les plus beaux témoignages de l'architecture romane des XIe et XIIe s. Les transformations subies, notamment après les guerres, sous prétexte de rénovation, dissimulent souvent leur appartenance à la période. Ce n'est pas le cas à Lanmeur où la crypte du Xe s. a été restaurée en l'état. Cette vaste grotte à colonnades ornées de serpents est le plus ancien sanctuaire de Bretagne. À Dinan, le portail de l'église Saint-Sauveur est, lui, un modèle d'architecture romane.

L'âge d'or du gothique

C'est à partir du XVe s. que les plus beaux fleurons de l'architecture religieuse bretonne ont vu le jour : la basilique du Folgoët (1423), Notre-Dame-des-Carmes de Pont-Labbé, datée début XVe s., Saint-Nonna de Penmarc'h (1489) sont de purs chefs-d'œuvre du gothique flamboyant que vous reconnaîtrez aux multiples sculptures de flammèches aux fenêtres et aux ornements complexes des verrières. La finesse et la légèreté de l'époque vont perdurer jusqu'à la fin du XVIe s., époque où l'on élève les fameux enclos paroissiaux.

Le calvaire

Si les enclos paroissiaux se retrouvent en d'autres régions – en Aquitaine par exemple –, le calvaire, lui, est typiquement breton et même bas-breton. Un calvaire est un tableau sculpté représentant une page, un épisode de l'Évangile. Les calvaires ont fleuri en Bretagne de 1450 (troënen de Saint-Jean-Trolimon) à 1610 (construction du dernier grand calvaire à Saint-Thégonnec). Celui de Plougonven en Finistère (1554) est composé d'une centaine de personnages retraçant les scènes de la vie et de la passion du Christ. On peut s'amuser à y reconnaître les rois mages ou le diable cornu. Plougonven est également le seul grand calvaire signé par ses sculpteurs : Henry et Bastien Prigent, qui s'intitulent eux-mêmes « ymageurs ».

Les fontaines guérisseuses

Traditionnellement symboles de purification, les fontaines sont réputées avoir des vertus médicinales diverses. Elles sont si nombreuses en Bretagne que l'on devrait pouvoir pratiquement y soigner toutes les maladies de la terre. Souvent ouvragée comme au Folgoët, à Sant-Nicodème-en-Pluméliau ou à Logonna-Daoulas, la fontaine a évolué avec les styles architecturaux. Parfois elle peut n'être qu'un simple trou d'eau, comme au Rocher-des-Trois-Évêques, dans les monts d'Arrée. Les maladies concernées sont toujours en rapport avec la vie du saint qu'elles honorent. D'une manière générale, sachez que de nombreux saints bretons sont réputés traiter le mal de dos, la cécité ou les dérangements intestinaux…

NOTRE DAME DE PITIE

LES ENCLOS PAROISSIAUX

À partir de la fin du XVIe s., certains villages du nord du Finistère s'enrichissent par la culture du lin et la fabrication de toiles, exportées en Angleterre, au Portugal et même en Amérique du Sud. Ce commerce augmente considérablement les ressources de ces petits villages. Ils vont alors se doter d'un nouveau sanctuaire. On découvre des enclos un peu partout en Bretagne, notamment dans le Trégor, mais les plus beaux se trouvent autour de l'Élorn, la rivière qui sépare le Léon de la Cornouaille. (La Martyre, Sizun, Landivisiau, Lampaul-Guimiliau valent plus qu'un détour.) À cela, deux explications : la région était une étape obligée sur la route maritime entre la Flandre et l'Italie. Les bateaux qui y faisaient escale en profitaient pour acheter des toiles de lin réputées de la meilleure qualité. Un circuit relie les plus beaux enclos, ☎ 02 98 68 48 84.

La Bretagne en fête

La mer, les crêpes ou, encore, les saints patrons des multiples villages, toutes les occasions sont bonnes pour faire la fête en Bretagne. Sans compter des festivals dont la notoriété a depuis longtemps franchi les frontières de la région.

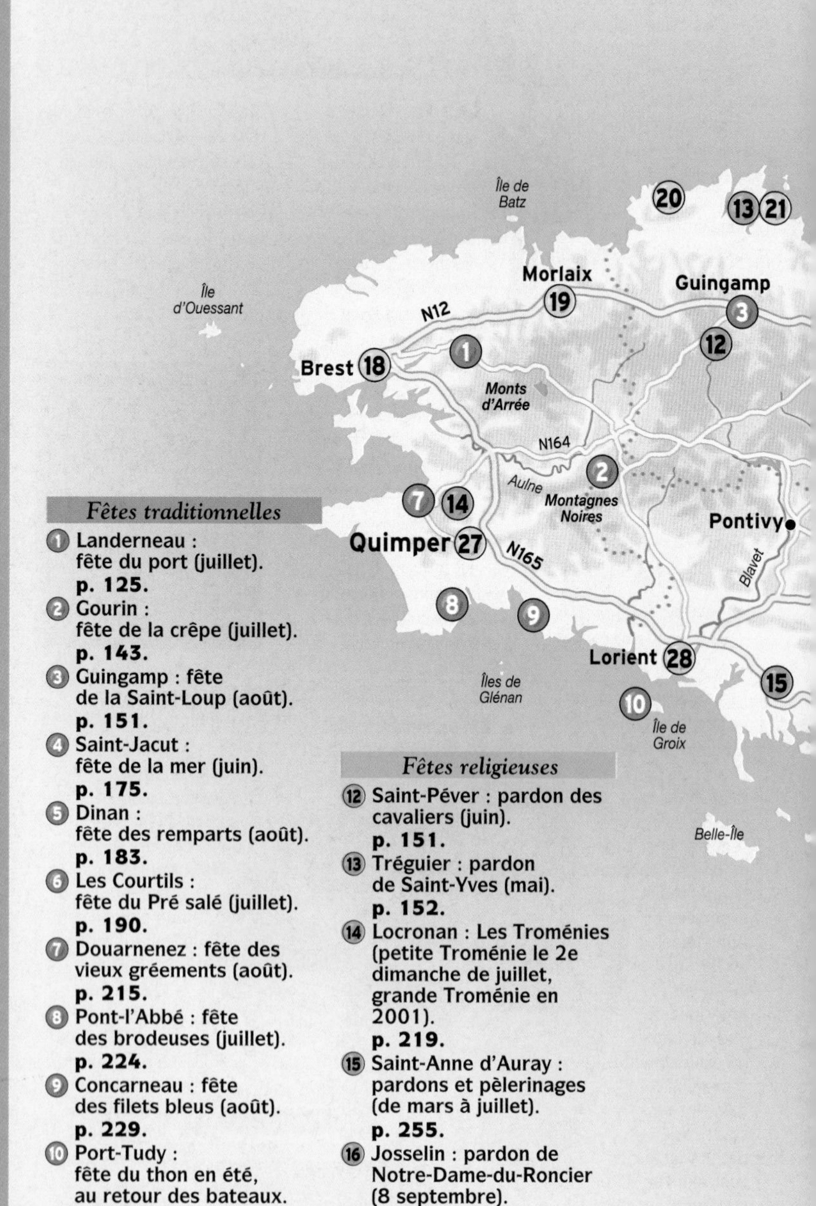

Fêtes traditionnelles

1. Landerneau : fête du port (juillet). **p. 125.**
2. Gourin : fête de la crêpe (juillet). **p. 143.**
3. Guingamp : fête de la Saint-Loup (août). **p. 151.**
4. Saint-Jacut : fête de la mer (juin). **p. 175.**
5. Dinan : fête des remparts (août). **p. 183.**
6. Les Courtils : fête du Pré salé (juillet). **p. 190.**
7. Douarnenez : fête des vieux gréements (août). **p. 215.**
8. Pont-l'Abbé : fête des brodeuses (juillet). **p. 224.**
9. Concarneau : fête des filets bleus (août). **p. 229.**
10. Port-Tudy : fête du thon en été, au retour des bateaux. **p. 238.**
11. Passay : fête des pêcheurs (août). **p. 294.**

Fêtes religieuses

12. Saint-Péver : pardon des cavaliers (juin). **p. 151.**
13. Tréguier : pardon de Saint-Yves (mai). **p. 152.**
14. Locronan : Les Troménies (petite Troménie le 2e dimanche de juillet, grande Troménie en 2001). **p. 219.**
15. Saint-Anne d'Auray : pardons et pèlerinages (de mars à juillet). **p. 255.**
16. Josselin : pardon de Notre-Dame-du-Roncier (8 septembre). **p. 270.**
17. Porcaro : pardon des motards (15 août). **p. 273.**

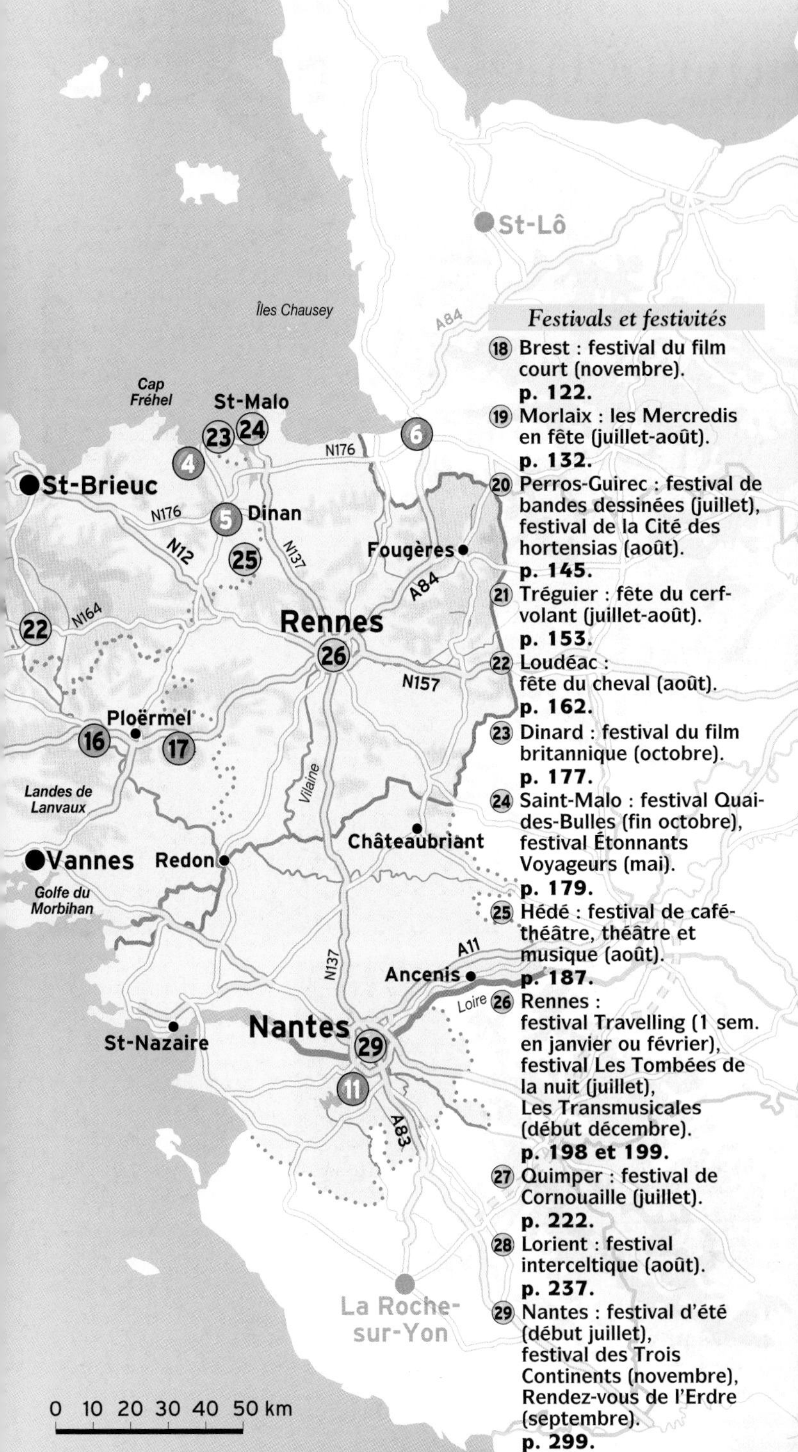
St-Lô
Îles Chausey
A84
Cap Fréhel
St-Malo
N176
St-Brieuc
Dinan
N176
N12
N137
Fougères
A84
N164
Rennes
N157
Ploërmel
Landes de Lanvaux
Vilaine
Châteaubriant
Vannes
Redon
Golfe du Morbihan
A11
N137
Ancenis
Loire
Nantes
St-Nazaire
A83
La Roche-sur-Yon
0 10 20 30 40 50 km
Festivals et festivités
18 Brest : festival du film court (novembre). p. 122.
19 Morlaix : les Mercredis en fête (juillet-août). p. 132.
20 Perros-Guirec : festival de bandes dessinées (juillet), festival de la Cité des hortensias (août). p. 145.
21 Tréguier : fête du cerf-volant (juillet-août). p. 153.
22 Loudéac : fête du cheval (août). p. 162.
23 Dinard : festival du film britannique (octobre). p. 177.
24 Saint-Malo : festival Quai-des-Bulles (fin octobre), festival Étonnants Voyageurs (mai). p. 179.
25 Hédé : festival de café-théâtre, théâtre et musique (août). p. 187.
26 Rennes : festival Travelling (1 sem. en janvier ou février), festival Les Tombées de la nuit (juillet), Les Transmusicales (début décembre). p. 198 et 199.
27 Quimper : festival de Cornouaille (juillet). p. 222.
28 Lorient : festival interceltique (août). p. 237.
29 Nantes : festival d'été (début juillet), festival des Trois Continents (novembre), Rendez-vous de l'Erdre (septembre). p. 299.

Fêtes, pardons, troménies et festou-noz

Rares sont les régions où les fêtes populaires ponctuant la vie des villages s'enracinent aussi directement dans les origines religieuses. À partir du mois de mai, les Bretons se mettent en marche derrière la croix pour la procession qui suit toujours une messe. Mais le soir venu, la fête devient beaucoup plus païenne. On délaisse les prières pour les dieux Chouchen et Hydromel, bien souvent jusqu'à l'aube. Place à la danse et à la musique, au son du biniou qu'accompagne la guitare électrique.

Les pardons : une tradition vivace

À partir du mois de mai et pendant tout l'été, les Bretons courent de pardon en pardon. Célébration du saint patron de l'église ou de la chapelle locale, cette fête commence par une messe solennelle. Les fidèles forment une procession derrière les bannières ou les reliques des saints sorties pour l'occasion. Le parcours ainsi effectué peut être d'une longueur et d'une durée très variables. Cette fête religieuse attire de nos jours un grand nombre de touristes pour son aspect folklorique. En effet, du pardon des cavaliers de Saint-Péver (p. 151) au pardon des motards à Porcaro (p. 273), en passant par le pardon de Notre-Dame-la-Garde à Pléneuf-Val-André où la messe est toujours célébrée sur un chalutier, la tradition rejoint souvent l'insolite.

La grande troménie

La petite troménie de Locronan (office de tourisme, ☎ 02 98 91 70 14) a lieu tous les ans. Mais la grande troménie, seul pardon breton qui dure une semaine entière, ne revient que tous les six ans. La troménie remonte à un rite celte, le *Nemeton*, qui désignait « un temple sous la voûte sacrée du ciel ». La procession fait donc le tour du *Nemeton*, rebaptisé par les Bretons *Minihy*, c'est-à-dire « espace où se perpétue le droit d'asile ». Sur le parcours de la grande troménie, il n'est pas rare de voir des Bretonnes s'étendre sur une immense masse de granit, la fameuse « Jument de pierre », qui rend les femmes fécondes et leur donne un mari ! D'ailleurs, le soir venu, la fête n'a plus rien de chrétien. La prochaine grande troménie de Locronan aura lieu en 2001.

La sculpture de Spézet

C'est une sculpture de beurre qui honore la Vierge, chaque dimanche de la Trinité, à Spézet (mairie, ☎ 02 98 93 80 03). Il y a peu, les femmes se rendaient encore de ferme en ferme pour amasser trois mottes de beurre assez grosses pour être travaillées. Aujourd'hui, on demande de l'argent et on achète une énorme motte que des femmes sculptent pendant des heures. Animaux, paysages, et motifs décoratifs y sont représentés.

Des festou-noz aux rave-noz

À la ferveur religieuse succède fréquemment des manifestations toutes populaires, les festou-noz. À l'origine, les danses bretonnes joignaient l'utile à l'agréable en tassant la terre battue des maisons sous les sabots des danseurs. Après l'euphorie culturelle bretonne des années 1970, puis un passage à vide, ces fêtes populaires et conviviales attirent à nouveau de plus en plus de jeunes, près à se tenir par le petit doigt

pour danser en chaîne la gavotte et l'*en dro*, ou à se lancer en couple le temps d'un *plinn* sur des rythmes endiablés. Quelques groupes comme Ar Re Yaouank ont remis les airs anciens au goût du jour sur un mode survitaminé.

Musiques et musiciens bretons

Après avoir pratiquement disparu du paysage musical, les chefs de file de la musique bretonne sont revenus en force sur le devant de la scène. Les derniers succès d'Alan Stivell, talentueux promoteur de la harpe celtique, de Tri Yann ou encore de Dan Ar Braz, le créateur de l'*Héritage des Celtes*, sont là pour en témoigner. Dans le même temps, les bagadous, formations traditionnelles associant percussionnistes, joueurs de cornemuse et joueurs de bombarde, ont remarquablement renouvelé leur répertoire, rencontrant un public nouveau et toujours plus large, notamment à l'occasion du Festival interceltique de Lorient (p. 237).

Manoirs, forts et châteaux

La richesse des châteaux bretons est en grande partie ignorée. À découvrir également : les monuments militaires. À l'intérêt architectural, ces édifices joignent un intérêt culturel, d'autant qu'ils abritent fréquemment des musées.

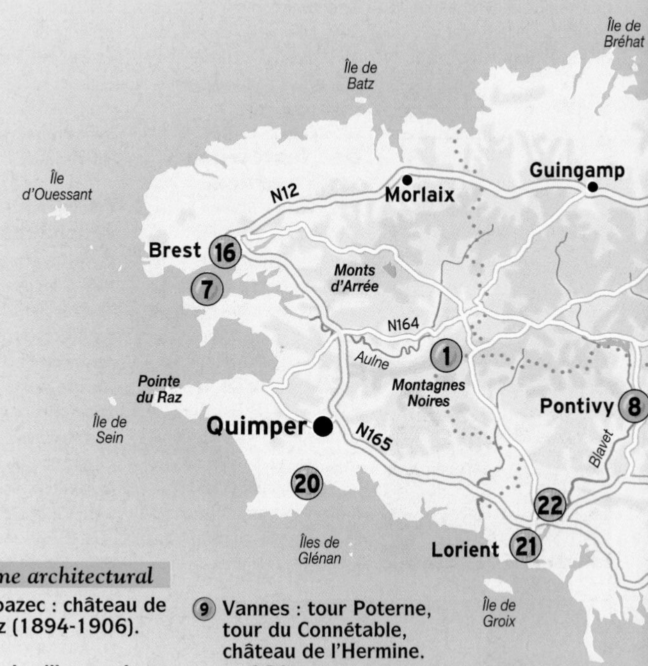

Patrimoine architectural

1. **Saint-Goazec : château de Trévarez (1894-1906). p. 143.**
2. **Quintin : la ville aux deux châteaux (XVIIe-XVIIIe s.). p. 165.**
3. **Cap Fréhel : fort La Latte (édifié il y a 700 ans). p. 172.**
4. **Combourg et ses environs : château de Chateaubriand, route des châteaux. p. 184 et 185.**
5. **Dol-de-Bretagne : château de Landal. p. 194.**
6. **Fougères : château (XIIe-XVe s.). p. 200.**
7. **Pointe des Espagnols : fortin. Camaret : tour Vauban. p. 205.**
8. **Pontivy : château (forteresse du XVe s.). p. 244.**
9. **Vannes : tour Poterne, tour du Connétable, château de l'Hermine. p. 261.**
10. **Presqu'île de Rhuys : châteaux de Suscinio et de Kerlévenan. p. 262 et 263.**
11. **Forêt de Paimpont : châteaux du Pas-du-Houx, de Trécesson, de Comper. p. 274 et 275.**
12. **Blain : château de la Groulais. p. 302.**
13. **Châteaubriant : château (médiéval et Renaissance). Saint-Aubin-des-châteaux : château du parc du Plessis. p. 304 et 305.**
14. **Ancenis : tour d'Oudon. p. 306.**
15. **Clisson : ruines de la forteresse (XIIIe-XVIe s.). p. 300.**

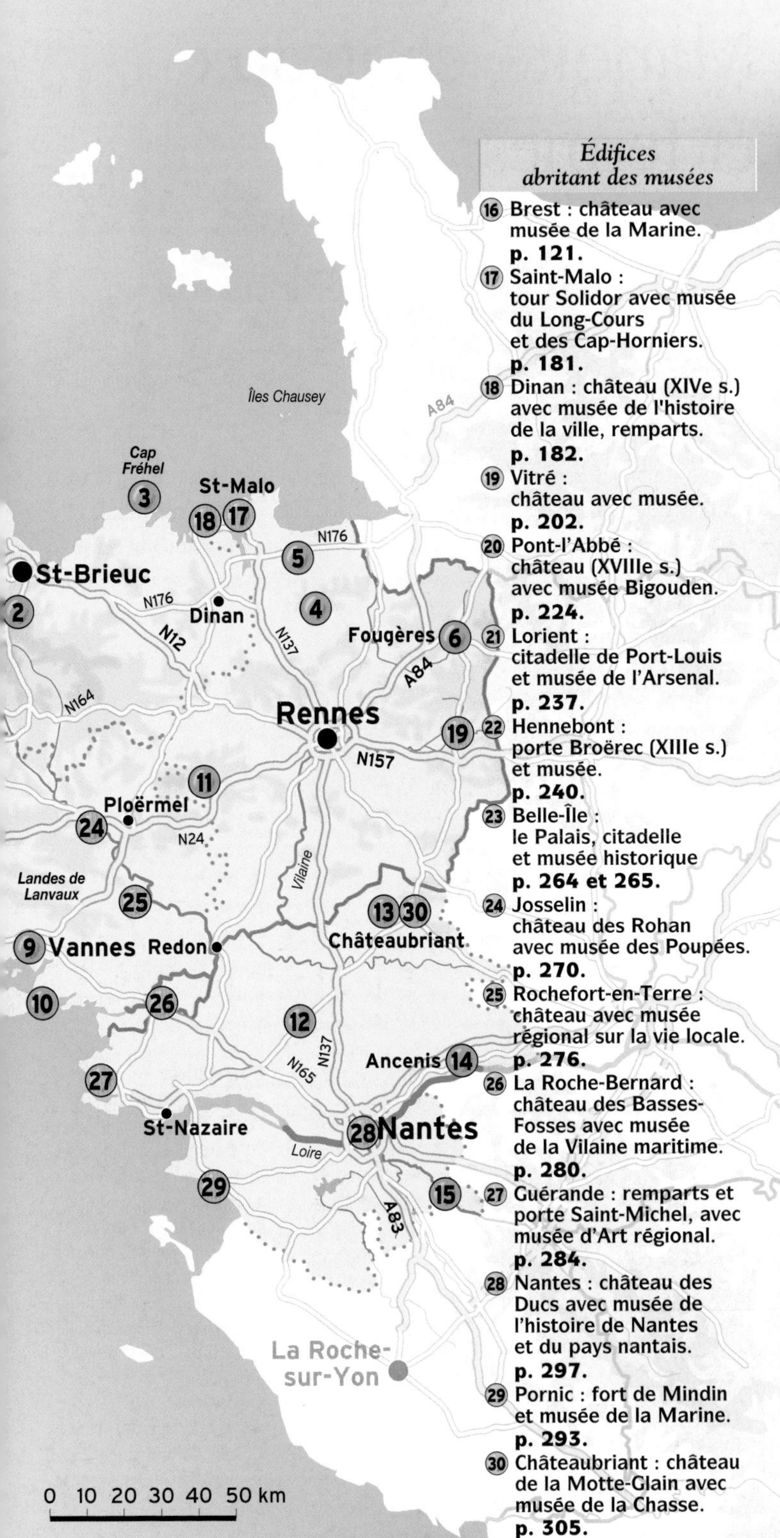
Îles Chausey
Cap Fréhel
St-Malo
St-Brieuc
Dinan
Fougères
Rennes
Ploërmel
Landes de Lanvaux
Vannes
Redon
Châteaubriant
Ancenis
St-Nazaire
Nantes
Loire
Vilaine
La Roche-sur-Yon
N176
N12
N137
N164
N157
N24
N165
A84
A83
0 10 20 30 40 50 km
Édifices abritant des musées
16 Brest : château avec musée de la Marine. p. 121.
17 Saint-Malo : tour Solidor avec musée du Long-Cours et des Cap-Horniers. p. 181.
18 Dinan : château (XIVe s.) avec musée de l'histoire de la ville, remparts. p. 182.
19 Vitré : château avec musée. p. 202.
20 Pont-l'Abbé : château (XVIIIe s.) avec musée Bigouden. p. 224.
21 Lorient : citadelle de Port-Louis et musée de l'Arsenal. p. 237.
22 Hennebont : porte Broërec (XIIIe s.) et musée. p. 240.
23 Belle-Île : le Palais, citadelle et musée historique p. 264 et 265.
24 Josselin : château des Rohan avec musée des Poupées. p. 270.
25 Rochefort-en-Terre : château avec musée régional sur la vie locale. p. 276.
26 La Roche-Bernard : château des Basses-Fosses avec musée de la Vilaine maritime. p. 280.
27 Guérande : remparts et porte Saint-Michel, avec musée d'Art régional. p. 284.
28 Nantes : château des Ducs avec musée de l'histoire de Nantes et du pays nantais. p. 297.
29 Pornic : fort de Mindin et musée de la Marine. p. 293.
30 Châteaubriant : château de la Motte-Glain avec musée de la Chasse. p. 305.

Manoirs, châteaux et fermes

Tous les chemins de Bretagne ou presque mènent à une cour de ferme. De même, il n'y a guère de hameau, de village, qui ne soit flanqué de son traditionnel manoir. Selon que vous serez au nord ou à l'ouest, sur la côte ou à l'intérieur des terres, cette architecture rurale offre une étonnante diversité. Pour ne pas manquer ces témoins d'une économie agricole toujours vivante, ouvrez l'œil ! Les rustiques longères, fondues dans le paysage, ont été en effet bien souvent remplacées par les grands hangars de l'élevage industriel.

Penty et Ty Braz

Le visiteur égaré est bien embarrassé. À quelle porte frapper dans ces hameaux où se côtoient maisons d'habitation, écuries, étables, granges, abris pour le matériel agricole ? Organisées autour d'une cour de ferme en carré, en arc de cercle ou en équerre, pour se protéger des vents dominants, les bâtiments de ferme, d'un seul étage le plus souvent, sont au cœur de l'habitat breton. Lorsqu'ils se succèdent en enfilade et sont recouverts d'un toit unique, ils portent le nom de « longères », appelées *Ty Braz* en breton, par opposition au *Penty*, qui désigne de petites maisons séparées les unes des autres.

L'ardoise et le chaume

Le toit d'ardoise gris-bleu reste l'image typique de la Bretagne. Mais, là encore, la diversité est au rendez-vous. Dans le Sud-Finistère, pour résister aux vents, l'ardoise est scellée au mortier. Quand elle est épaisse, on la pose en tailles décroissantes de bas en haut. Sur le littoral des Côtes-d'Armor, on voit aussi des toits de tuiles, importées de Grande-Bretagne au XIXe s. Quant au Morbihan, il recèle de jolis toits de chaume aussi bien composés de paille de blé ou de seigle que de hèdre, sorte de glaïeul sauvage du marais de Redon.

En haut : maison de Nicolazic, à Sainte-Anne-d'Auray ;
En bas : chaumière de Brière, à Kerhinet.

Un festival de couleurs

Si l'ocre est caractéristique des maisons de terre des environs de Rennes, le schiste pourpré habille d'une sombre robe lie-de-vin les fermes du pays de Brocéliande. On trouve également des maisons de schiste presque noir, dans la région de Morlaix. À l'opposé, c'est un grès rose, très lisse et piqué de points blancs, qui fait le charme de l'habitat traditionnel des environs d'Erquy. Le granit gris reste bien sûr très répandu. On en trouve aussi bien sur les plages, sous forme de galets, que sous forme de moellons pour édifier les murs des maisonnettes de la presqu'île de Quiberon.

Histoire de manoirs

L'architecture des manoirs, très nombreux dans le nord de la Bretagne, remonte aux XIVe et XVe s. avant d'être influencée par la Renaissance au XVIe s. Imposantes demeures des seigneurs et des bourgeois, ils ont souvent en commun une grande salle au rez-de-chaussée, une tour d'escalier flanquée sur le côté, quelques lucarnes de granit plus ou moins ouvragées, et une belle entrée centrale. Œils-de-bœuf et emblèmes de famille ornent également ces bâtiments, signes extérieurs de richesse d'une noblesse qui veillait de près sur ses paysans.

Châteaux et enceintes

Dès le XIVe siècle, le jeu des alliances et des querelles entre les grands partis de la noblesse a pour conséquence l'édification de nombreux châteaux et enceintes à travers toute la Bretagne. De Saint-Malo à Clisson en passant par Vitré ou Brest, différents styles architecturaux vont se succéder ou se côtoyer : tours de surveillance (tour Solidor à Saint-Malo), forteresses médiévales (fort La-Latte), résidences de chasse (Suscinio), édifices de style Renaissance ou encore demeures classiques. La richesse de ces grands logis est souvent ignorée et mérite largement d'être redécouverte.

Visites industrielles et scientifiques

Des moulins à marée à l'usine marémotrice de la Rance, des forges du passé à l'exploitation ultramoderne des algues, la Bretagne offre à chaque détour de chemin la possibilité de mieux comprendre les techniques d'hier et d'aujourd'hui.

Bâtiments industriels

1. Le Conquet : phare de Saint-Mathieu dans les ruines d'une abbaye.
p. 116.
2. Ploumanac'h : moulin à marée.
p. 146.

3. Bréhat : phare du Rosédo.
p. 154.
4. Cap Fréhel : phare Fréhel, l'un des plus puissants de France.
p. 172.
5. Pointe de Penmarch : phare d'Eckmühl.
p. 225.
6. Environs d'Auray : moulins à marée.
p. 253.
7. Belle-Île : phare des Poulains. Bangor : Grand Phare.
p. 265 et 266.
8. Paimpont : forges.
p. 274.
9. Environs de Clisson : anciens bâtiments industriels (filatures, moulins, mégisseries, papeteries).
p. 301.
10. Environs de Châteaubriant : visites de forges à Sion-les-Mines, Moisdon-la-Rivière (La Forge-Neuve), Martigné-Ferchaud.
p. 305.

Musées industriels et techniques

11. Ouessant : phare de Créac'h avec musée des Phares et des Balises.
p. 115.
12. Pleumeur-Bodou : Cosmopolis, musée des Télécommunications et Radôme.
p. 149.
13. Les Forges-des-Salles : visite des forges. Saint-Aignan : musée de l'Électricité.
p. 161.
14. Hennebont : forge et musée des métallurgistes.
p. 241.

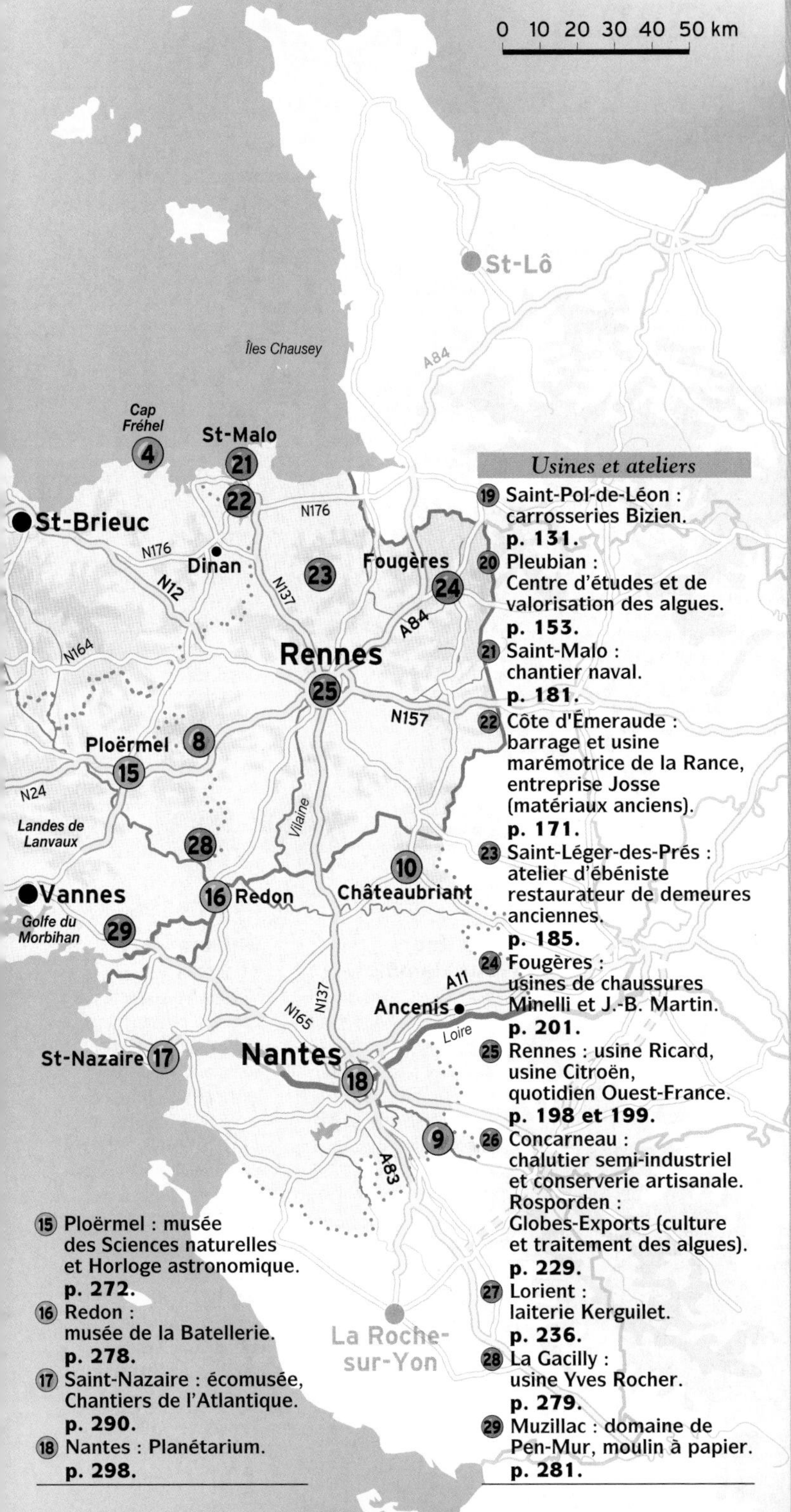

0 10 20 30 40 50 km
St-Lô
A84
Îles Chausey
Cap Fréhel
4
St-Malo
21
22
St-Brieuc
N176
Dinan
N12
N137
23
Fougères
24
A84
N164
Rennes
25
N157
Ploërmel
8
15
N24
Vilaine
Landes de Lanvaux
28
10
Vannes
16
Redon
Châteaubriant
Golfe du Morbihan
29
A11
N137
Ancenis
N165
Loire
St-Nazaire
17
Nantes
18
9
A83
La Roche-sur-Yon

(15) Ploërmel : musée des Sciences naturelles et Horloge astronomique. **p. 272.**

(16) Redon : musée de la Batellerie. **p. 278.**

(17) Saint-Nazaire : écomusée, Chantiers de l'Atlantique. **p. 290.**

(18) Nantes : Planétarium. **p. 298.**

Usines et ateliers

(19) Saint-Pol-de-Léon : carrosseries Bizien. **p. 131.**

(20) Pleubian : Centre d'études et de valorisation des algues. **p. 153.**

(21) Saint-Malo : chantier naval. **p. 181.**

(22) Côte d'Émeraude : barrage et usine marémotrice de la Rance, entreprise Josse (matériaux anciens). **p. 171.**

(23) Saint-Léger-des-Prés : atelier d'ébéniste restaurateur de demeures anciennes. **p. 185.**

(24) Fougères : usines de chaussures Minelli et J.-B. Martin. **p. 201.**

(25) Rennes : usine Ricard, usine Citroën, quotidien Ouest-France. **p. 198 et 199.**

(26) Concarneau : chalutier semi-industriel et conserverie artisanale. Rosporden : Globes-Exports (culture et traitement des algues). **p. 229.**

(27) Lorient : laiterie Kerguilet. **p. 236.**

(28) La Gacilly : usine Yves Rocher. **p. 279.**

(29) Muzillac : domaine de Pen-Mur, moulin à papier. **p. 281.**

Phares et balises

le code de la mer

Ar men, la Vieille, Kéréon, la Jument, autant de noms qui ont à la fois fasciné et fait frémir les marins bretons. Ces phares mythiques dressés au milieu des flots sont aujourd'hui automatisés et leurs feux commandés de la terre à l'aide d'ordinateurs. Ces emblèmes d'un passé souvent héroïque et légendaire cachent toutefois la forêt des systèmes destinés à la sécurité des marins et placés depuis Napoléon sous la responsabilité du service des Phares et Balises, basé à Brest.

Les balises cardinales

Tout feu tout flamme

Aujourd'hui, depuis que le feu à pétrole a été remisé au rayon des antiquités, ce sont des halogènes qui éclairent la nuit des marins. Chaque feu a ses caractéristiques propres qui permettent de le distinguer de son voisin. Sa couleur, d'abord, blanche, verte, rouge ou violette, et son rythme. On trouve des feux fixes, des feux à éclats, des feux à occultation avec des périodes de lumière plus longues que les périodes d'obscurité, des feux isophases et enfin des feux scintillants.

La pointe Saint-Mathieu

Balises et amers

Marques fixes ou flottantes, les balises permettent au marin de déterminer sa position et d'éviter tous les dangers qui peuvent se présenter à l'approche des côtes : épaves, rochers, etc. À terre, tous les objets fixes et visibles de la mer, clochers, châteaux d'eau, tourelles de phare, font office d'amers. Relevés à l'aide d'un compas et situés par rapport à des alignements préétablis, ces repères permettent au navigateur de suivre une route bien déterminée ou une passe évitant les dangers.

« Bacyrouge » et « tricovert »

À l'entrée d'un port ou d'un chenal, la règle générale est de laisser à bâbord (gauche) les marques rouges, de forme cylindrique, et à tribord, les marques vertes, de forme conique. Les marins utilisent un procédé mnémotechnique pour s'en souvenir : « bacyrouge » et « tricovert ». Si ce principe est le plus répandu dans le monde et fait partie du système A, il existe

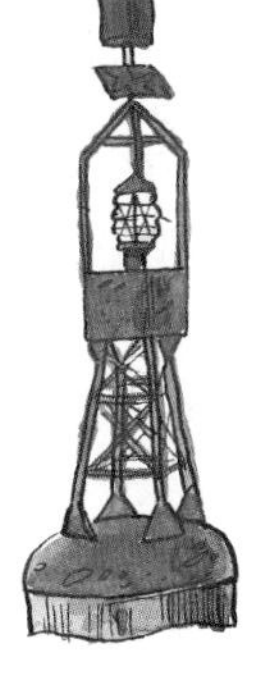

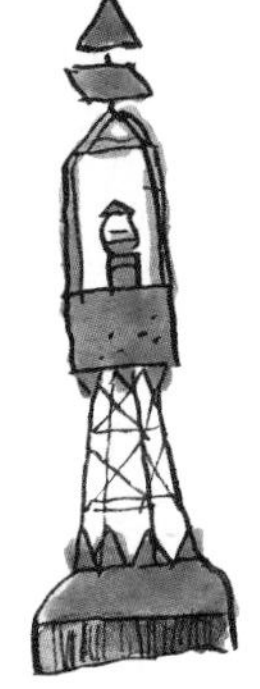

également un système B qui est exactement l'inverse. Ainsi, si le feu vert est à tribord à Brest, il est à bâbord à New York ! Restons simples…

Qui voit Ar Men…

À 12 km au large de Sein s'élève un phare mythique redouté des gardiens de toute la région. « Qui voit Ar Men, voit sa peine », dit l'adage. Commencée en 1867, la construction de cette tour, la plus éloignée des côtes, nécessita quatorze années en raison des tempêtes frappant ce rocher. Autrefois habité par des gardiens qui y restaient bloqués parfois des semaines, Ar Men est, depuis le 10 avril 1990, entièrement automatisé, comme l'ensemble des phares en mer, et sa silhouette austère n'est plus visitée que pour de brèves réparations ou entretiens de routine.

La S.N.S.M., saint-bernard de la mer

Sur 1 800 km de littoral, de l'embouchure du Couesnon, près du Mont-Saint-Michel, à l'estuaire de la Loire, il existe 250 stations de la Société nationale de sauvetage en mer. Comptant 4 000 bénévoles, souvent retraités de la marine marchande ou anciens marins-pêcheurs, la S.N.S.M., aidée par la marine nationale, les douanes ou la gendarmerie maritime, sauve près de 10 000 personnes et secourt environ 2 000 navires chaque année.

La route des phares et balises

Cet itinéraire, élaboré par l'office de tourisme de Brest, propose un parcours passionnant à la découverte d'une douzaine de phares du Nord-Finistère. Deux options sont possibles : par mer, de Brest à Ouessant, ou par la route et les sentiers côtiers, de Brest à Brignogan. À chaque fois, ces hautes tours ponctuent de superbes paysages et certaines peuvent être visitées, comme le phare Saint-Mathieu ou les phares de Trézien, de l'île Vierge ou du Stiff. Rens. à l'office de tourisme de Brest, 8, av. Georges-Clemenceau, ☎ 02 98 44 24 96.

Balises signalant un danger isolé

La phare de la pointe des Poulains, à Belle-Île

Terre des arts et des artistes

La Bretagne a donné naissance à de nombreux artistes, mais ses paysages en ont aussi inspiré plus d'un – peintres, écrivains, cinéastes. Cette carte répertorie les lieux qui ont gardé leur empreinte et les musées qui leur sont consacrés.

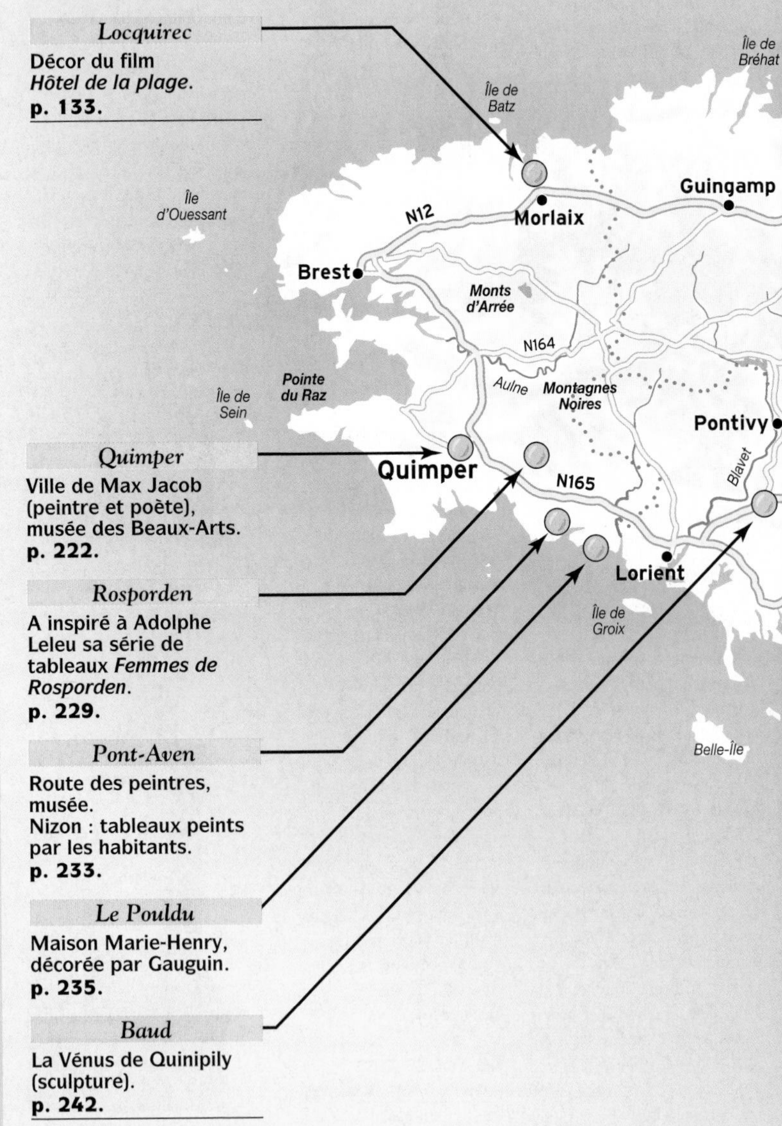

Locquirec

Décor du film *Hôtel de la plage*.
p. 133.

Quimper

Ville de Max Jacob (peintre et poète), musée des Beaux-Arts.
p. 222.

Rosporden

A inspiré à Adolphe Leleu sa série de tableaux *Femmes de Rosporden*.
p. 229.

Pont-Aven

Route des peintres, musée.
Nizon : tableaux peints par les habitants.
p. 233.

Le Pouldu

Maison Marie-Henry, décorée par Gauguin.
p. 235.

Baud

La Vénus de Quinipily (sculpture).
p. 242.

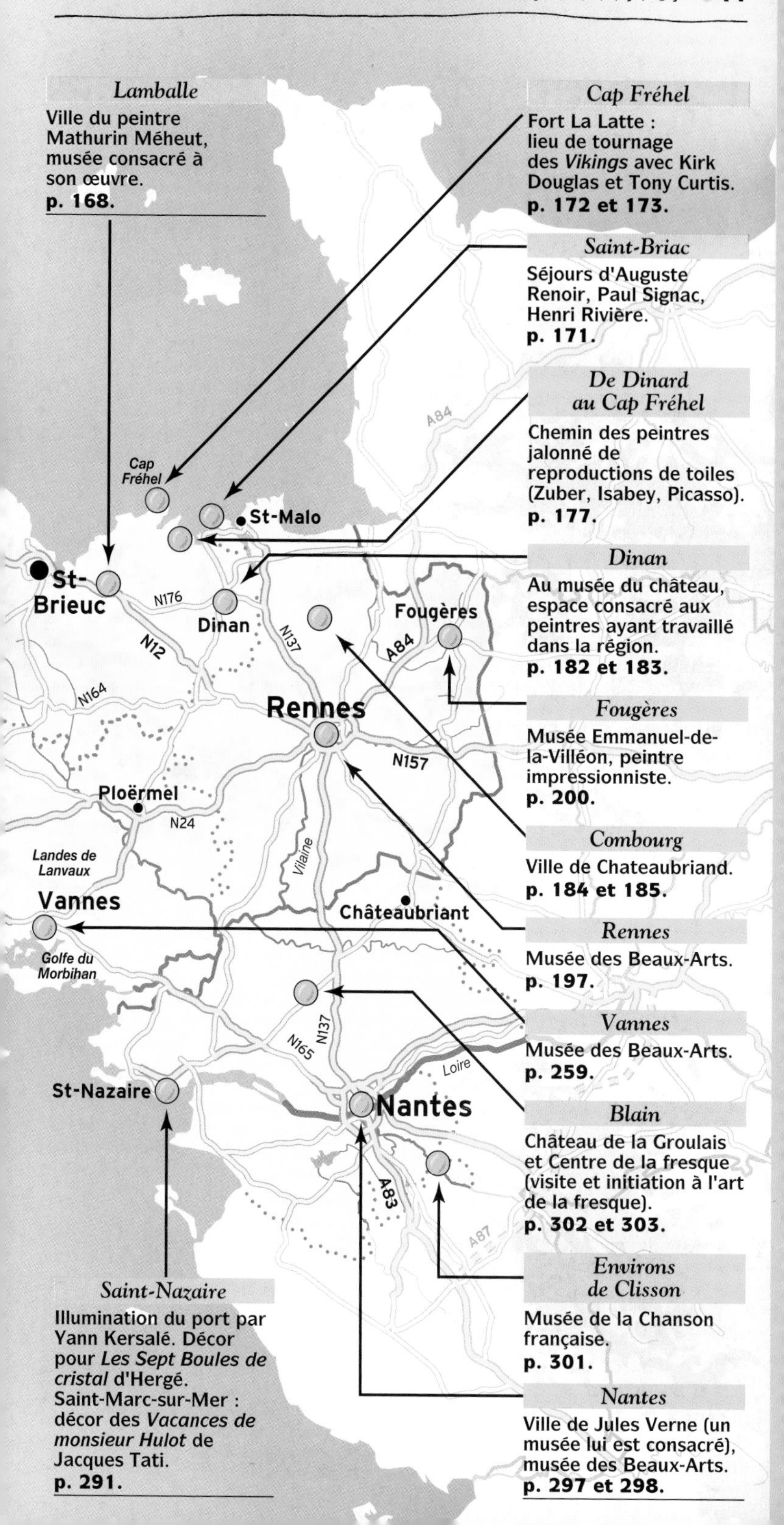
Lamballe
Ville du peintre Mathurin Méheut, musée consacré à son œuvre.
p. 168.
Cap Fréhel
Fort La Latte : lieu de tournage des *Vikings* avec Kirk Douglas et Tony Curtis.
p. 172 et 173.
Saint-Briac
Séjours d'Auguste Renoir, Paul Signac, Henri Rivière.
p. 171.
De Dinard au Cap Fréhel
Chemin des peintres jalonné de reproductions de toiles (Zuber, Isabey, Picasso).
p. 177.
Dinan
Au musée du château, espace consacré aux peintres ayant travaillé dans la région.
p. 182 et 183.
Fougères
Musée Emmanuel-de-la-Villéon, peintre impressionniste.
p. 200.
Combourg
Ville de Chateaubriand.
p. 184 et 185.
Rennes
Musée des Beaux-Arts.
p. 197.
Vannes
Musée des Beaux-Arts.
p. 259.
Blain
Château de la Groulais et Centre de la fresque (visite et initiation à l'art de la fresque).
p. 302 et 303.
Environs de Clisson
Musée de la Chanson française.
p. 301.
Nantes
Ville de Jules Verne (un musée lui est consacré), musée des Beaux-Arts.
p. 297 et 298.
Saint-Nazaire
Illumination du port par Yann Kersalé. Décor pour *Les Sept Boules de cristal* d'Hergé. Saint-Marc-sur-Mer : décor des *Vacances de monsieur Hulot* de Jacques Tati.
p. 291.
Cap Fréhel
St-Malo
St-Brieuc
N176
Dinan
N12
N137
Fougères
A84
N164
Rennes
N157
Ploërmel
N24
Landes de Lanvaux
Vilaine
Vannes
Châteaubriant
Golfe du Morbihan
N137
N165
Loire
St-Nazaire
Nantes
A83
A87

La Bretagne en quelques mots

Monde de beauté et de diversité, terre d'histoire et d'aventure, peuplée d'explorateurs et de visionnaires, la Bretagne a aussi donné à la littérature quelques-uns de ses plus brillants serviteurs. Chateaubriand, Lamennais, Queffelec et Pierre-Jakez Hélias ont porté haut le noir et blanc breton. En français ou en breton, leur terre d'origine les a inspirés, comme elle inspire aujourd'hui les poètes, les dessinateurs et les romanciers qui marchent sur leurs traces.

Terre de souvenir et d'aventure

De François-René, vicomte de Chateaubriand, qui passa la plus grande partie de sa jeunesse entre Saint-Malo et Combourg, à Jules Verne, le Nantais, la Bretagne a vu naître des écrivains de renom. Plus près de nous, Pierre-Jakez Hélias, qui a si bien su raconter la Bretagne, est le plus grand écrivain bretonnant contemporain. Son enthousiasmant *Cheval d'orgueil* a été traduit en une vingtaine de langues. Le cap Horn, les glaces du Sud, le Pérou ou l'île Maurice font aussi sûrement partie du paysage breton que la lande de Lanvaux, la falaise de Fréhel ou les remparts de Saint-Malo. Roger Vercel (*Visages de corsaires*), André Le Gall (*Le Roi des chiens*) ou Bernard Simiot (*Ces Messieurs de Saint-Malo*, *La Trilogie des Carbec*) illustrent cette Bretagne

ouest france

Rennes

Immigration: la loi au Conseil des ministres

Soulagement chez les élus PS bretons

Le congrès du Parti socialiste aura bien lieu à Brest

Michael Jordan en France avec les Chicago Bulls

Le recrutement est en cours dans les académies

Les emplois-jeunes arrivent dans les écoles

Ille-et-Vilaine

Fougères. – La literie s'enflamme : un homme meurt brûlé

Stade rennais : la ville passe la main, la voie est ouverte au groupe Pinault

universelle dans leurs romans historiques. Ces conteurs d'aventures vous entraînent dans le sillage des corsaires les plus audacieux. Commencer l'un de ces romans sur la plage, c'est le coup de soleil assuré. Cette tradition d'écrivains à succès se perpétue de nos jours avec des auteurs comme Yann Queffelec.

Terre de B.D.

C'est une autre spécialité bretonne. Bécassine, la Bretonne naïve au solide bon sens créée en 1905 par le scénariste Caumery et le dessinateur Pinchon, a fait des émules. Deux auteurs pour rire et comprendre la région… Cr'haen d'abord : son *Bout d'homme* est superbe de sensibilité et d'expressions imagées de la culture et des légendes de la région. Vous suivrez avec délice les aventures d'un petit garçon qui ne deviendra pas grand. La force d'un scénario original, la finesse du dessin… *Bout d'homme* a consacré son auteur comme l'un des grands de la B.D. française. Autre temps mais même lieu, de Forest et Bignon dépeint avec malice, dans *Mulot*, les pérégrinations farfelues d'un écrivain parisien venu au fin fond de la Bretagne résoudre une énigme magique que lui a soumise son curé de frère. La Bretagne y est caricaturée avec bonhomie. Un régal. Où les trouver ? Bien sûr un peu partout, mais si vous passez par Saint-Brieuc, ne manquez pas le détour par Dédicaces (12, rue Saint-Goueno, ☎ 02 96 33 92 93), où un fou de B.D. vous expliquera pourquoi, avec Loisel, Cr'haen, Lidwine…, la bande dessinée bretonne égale celle de la Belgique.

Lu, écrit, parlé : breton et gallo

Grâce à l'apparition des écoles en langue bretonne *Diwan* et des classes bilingues créées par l'Éducation nationale, le breton a repris depuis quelques années du poil de la bête. Aujourd'hui, 300 000 Bretons, essentiellement finistériens, parlent encore cette langue qui connaît différentes variantes suivant les régions. En revanche, l'autre langue régionale, le gallo, autrefois prédominant dans l'est de la Bretagne et d'origine romane, n'a plus que de rares survivances dans le patois de certaines campagnes d'Ille-et-Vilaine et du Morbihan.

L'édition et la presse

De tradition démocrate-chrétienne, *Ouest-France*, premier quotidien français avec un million d'exemplaires distribués chaque jour, est devenu un pilier incontournable de la culture régionale, défendue également par le *Télégramme de Brest*, basé à Morlaix. Ces dernières années, de nouveaux périodiques sont apparus, comme *Armen* et *Le Chasse-Marée*, deux remarquables revues d'ethnologie installées à Douarnenez. Mais l'édition en général se porte plutôt bien en Bretagne puisque, bon an mal an, plus de 1 000 ouvrages en français et en breton sortent des maisons d'édition, de la plus modeste à la plus puissante.

La librairie du Chasse-Marée, à Douarnenez

Les peintres de la Bretagne

Cl. Monet, Récifs à Belle-Île

Contrée aux mille aspects, cieux changeants, lumières fantastiques exprimant tour à tour la colère et la douceur, légendes vivaces et traditions vivantes, la Bretagne est depuis longtemps une terre de prédilection pour les peintres de tous les pays. L'école de Pont-Aven, fondée par Paul Gauguin et Émile Bernard en 1888, aura ainsi profondément marqué cet art. La terre bretonne n'en a pas moins accueilli et vu grandir en son sein de nombreux autres artistes de renom.

P. Gauguin, La Belle Angèle, *1889*

Mathurin Méheut (1882-1958)

C'est peut-être le plus célèbre peintre que la terre bretonne ait porté, « le plus breton des artistes de tous les temps », disait de lui l'écrivain Henri Polles. Plus que peintre, Mathurin Méheut était dessinateur, illustrateur et ethnologue comme le prouve un ensemble d'œuvres remarquables témoignant de la vie quotidienne en Bretagne au début du siècle. Pour saisir le marin, le paysan, l'artisan, dans leurs gestes de tous les jours, l'artiste se déplaçait partout. Il a laissé une œuvre très riche dont on peut voir de nombreux spécimens au musée de Lamballe, sa ville natale.

L'école de Pont-Aven

Fuyant Paris et son agitation, Paul Gauguin (1848-1903) débarque en juin 1886 à Pont-Aven, à la recherche d'authenticité et d'une nouvelle fraîcheur. Les dix années qui suivront seront particulièrement fécondes pour ce peintre qui, entouré d'une vingtaine d'artistes parmi lesquels on retiendra les noms d'Émile Bernard, Paul Sérusier, Maurice Denis mais aussi de Hollandais, d'Irlandais, etc., rompt avec l'impressionnisme et jette les bases d'un nouveau style, le symbolisme, qui conduira plus tard d'autres peintres sur les chemins de l'abstraction.

Les lieux préférés des peintres

Si l'ensemble du territoire breton a attiré des artistes aussi illustres que Monet, Corot, Renoir ou Matisse, certains secteurs ont été plus particulièrement prisés. Dès 1863, une petite colonie d'artistes s'installe ainsi à Douarnenez. Eugène Boudin (1824-1898) préfère quant à lui les ambiances du Faou et de Camaret. Belle-Île et la presqu'île de Guérande ont aussi de nombreux adeptes parmi les artistes, tandis que les vacances de Picasso à Dinard s'avèrent très productives. Au hit-parade de ces lieux de villégiature créatrice, la Cornouaille, de Quimper à Pont-Aven, arrive néanmoins largement en tête.

Un grand précurseur

Dès 1826, le célèbre paysagiste anglais William Turner (1775-1851), qui annonce l'impressionnisme, trouvait en Bretagne des horizons bénis pour son art. Tout au long du voyage qui l'emmène le long du littoral avant de remonter la Loire, il ne cesse de travailler, réalisant à Nantes des aquarelles qui sont parmi les premiers témoignages artistiques sur la cité des Ducs.

Y. *Tanguy*, Divisibilité infinie

Le symbolisme selon Gauguin

Vision après le sermon, *Le Christ jaune*… Paul Gauguin réalise en Bretagne des œuvres majeures qui se caractérisent par leurs couleurs très denses posées en aplat et cernées d'un trait sombre qui évoquent le travail des émaux et du vitrail. Le poète symboliste Édouard Dujardin parlera à leur sujet de « cloisonnisme ». « Voyez-vous cette ombre bleue ? disait Gauguin à ses disciples. Mettez le plus beau bleu de votre palette. » De manière plus subtile, on trouve aussi à travers ces toiles aux motifs épurés, s'inspirant de scènes religieuses ou de la vie quotidienne, l'influence inattendue des estampes japonaises.

Quelques peintres bretons connus

Aux côtés de Mathurin Méheut, citons les noms de Jean-Julien Lemordant, dont on verra le panneau *Contre le vent* au musée de Quimper, ou de Pierre Jacob, dit Tal Coat (1905-1985), originaire du Pouldu, parmi les peintres bretons les plus affirmés. Sans oublier l'artiste surréaliste Yves Tanguy (1900-1955), originaire de Locronan. Plus contemporain, le jeune artiste rennais Jean-Charles Blais, qui a commencé à dessiner sur des affiches déchirées, est également aujourd'hui très coté sur le marché de l'art.

P. *Gauguin*, Moulin en Bretagne

P. *Bernard*, Bretonnes dans la prairie

La nature bretonne

Faune et flore sont aussi variées en Bretagne que sont variés les milieux naturels : frange littorale, mais aussi marais, landes et forêts. Sauvage ou domestiquée, la nature bretonne offre toujours un spectacle magnifique.

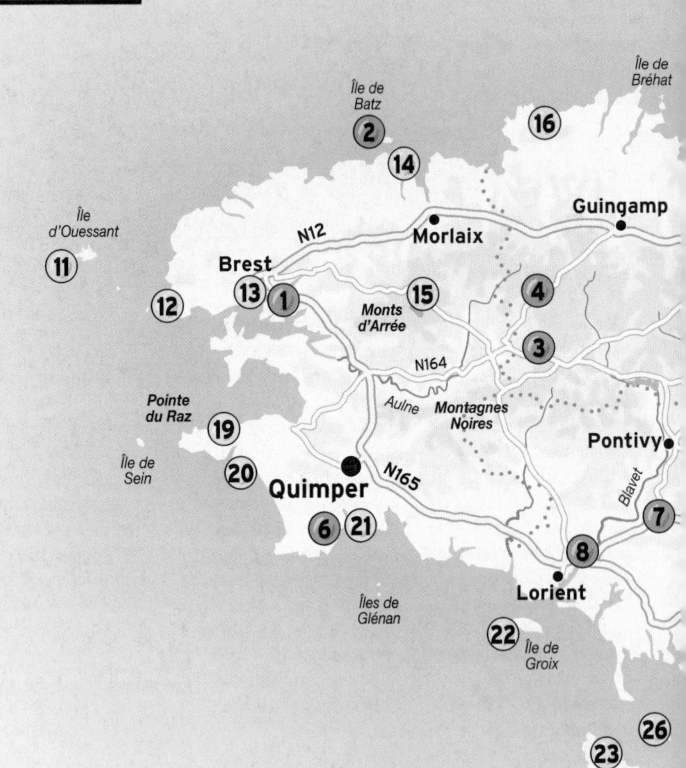

Forêts, parcs et jardins

1. Plougastel-Daoulas : jardin de l'abbaye de Daoulas (plantes médicinales et parc paysager). **p. 127.**
2. Île de Batz : jardin exotique Georges-Delaselle. **p. 129.**
3. Maël-Carhaix : jardin d'eau (centre de botanique aquatique). **p. 139.**
4. Saint-Servais : forêt de Duault. **p. 140.**
5. Fougères : Parc floral de Haute Bretagne, forêt de Fougères. **p. 201.**
6. Combrit : parc botanique de Cornouaille. **p. 227.**
7. Forêt de Camors. **p. 243.**
8. Hennebont : parc botanique de Kerbihan. **p. 241.**
9. Josselin : forêt de Lanouée. **p. 271.**
10. Forêt de Paimpont (ancienne Brocéliande). **p. 274 et 275.**

Découverte du milieu naturel

⑪ Ouessant : Centre d'étude du milieu (séjours et stages d'ornithologie, de botanique, d'entomologie).
p. 115.

⑫ Le Conquet : port de départ de la vedette aquafaune à la découverte des fonds marins et de l'archipel de Molène.
p. 116.

Cap Fréhel
17
St-Malo
18
N176
St-Brieuc
N176
Dinan
N12
N137
Fougères
5
A84
N164
Rennes
N157
10
N24
Ploërmel
9
Vilaine
Landes de Lanvaux
Châteaubriant
24
Vannes
Redon
25
31
A11
28
N137
N165
Loire
27
Nantes
St-Nazaire
30
29
A83

⑬ Brest : Océanopolis, la mer sous tous ses aspects.
p. 123.

⑭ Roscoff : observatoire océanologique.
p. 129.

⑮ Monts d'Arrée : castors de la réserve des monts d'Arrée.
p. 134.

⑯ Perros-Guirec : réserve ornithologique des Sept-Îles.
p. 144.

⑰ Cap Fréhel : réserve ornithologique de la Fauconnière.
p. 173.

⑱ Saint-Malo : Grand Aquarium (visites, conférences, boutique).
p. 181.

⑲ Cap Sizun : réserve (oiseaux migrateurs et nicheurs).
p. 213.

⑳ Audierne : maison de la Baie (découvertes ornithologiques et visites guidées).
p. 216.

㉑ Penfoulic : maison du Marais (présentation de la faune et de la flore), sorties nature.
p. 231.

㉒ Île de Groix : écomusée de Port-Tudy et réserve de Pen-Men.
p. 239.

㉓ Belle-Île : réserve ornithologique de Koh-Kastell.
p. 266.

㉔ Vannes : aquarium et papillonneraie.
p. 259 et 260.

㉕ Golfe du Morbihan : réserve biologique de Falguérec (anciennes salines de Séné).
p. 257.

㉖ Houat : écomusée (culture du plancton et écosystème sous-marin).
p. 269.

㉗ Le Croisic : Océarium.
p. 282.

㉘ Parc de Brière : parc animalier, maison de l'Éclusier (histoire et tradition du marais).
p. 288.

㉙ Saint-Philbert-de-Grandlieu : maison du lac (faune du lac).
p. 295.

㉚ Île de Versailles : maison de l'Erdre (présentation de l'écosystème de la rivière).
p. 299.

㉛ Forêt du Gâvre : maison Benoist (flore, faune, métiers de la forêt).
p. 302 et 303.

Les oiseaux de mer

Souvent, on perçoit leurs cris sans même les voir. À la saison des labours, derrière les tracteurs, ils forment de grandes traînes de mariées flottant au-dessus des sillons. Ou, quand le vent est trop fort, ils viennent se réfugier en ville. Du cap Fréhel au cap Sizun, du golfe du Morbihan à l'embouchure de la Loire, goélands cendrés, sternes ou mouettes rieuses, les oiseaux de mer sont omniprésents en Bretagne. Et il suffit d'ouvrir un peu les yeux pour profiter de leurs ballets incessants peuplant le ciel. À vos jumelles !

Goéland

Mouette ou goéland ?

La question est récurrente chez tous les observateurs novices. Mais, au fond, elle n'est pas si importante puisque le latin *larus*, pour laridés, qui désigne le genre, ne fait pas de différence. Le terme « mouette » est d'ailleurs surtout utilisé en France pour désigner les petites espèces de laridés, dont l'envergure dépasse rarement le mètre alors que celle du goéland marin peut atteindre le double. En Bretagne, la mouette tridactyle est la seule espèce reproductrice et passe le plus clair de son temps en haute mer, mais on trouve aussi d'importantes colonies de mouettes rieuses.

Au rythme des saisons

Au printemps, saison de reproduction chez la plupart des oiseaux de mer, les goélands, mouettes tridactyles et cormorans huppés viennent s'installer pour de nombreuses semaines par colonies entières sur les falaises les plus abruptes. L'été, les adultes emmènent leurs petits chercher pitance dans les ports de pêche, sur les plages, les dépôts d'ordures, là où la nourriture est abondante et facile d'accès. L'automne est la saison des migrations et rassemble le plus grand nombre d'espèces au fond des estuaires, avant le décollage général pour l'Afrique.

Fou de Bassan

Nicheurs et migrateurs

Le goéland argenté, le plus fréquent et le premier oiseau blanc que l'on verra en Bretagne, se reproduit en colonies pouvant atteindre plusieurs milliers de couples. Cet oiseau nicheur se distingue de son cousin, le goéland brun, qui est aussi migrateur et s'en va passer l'hiver en Afrique.
Les cormorans, corbeaux de mer des marins bretons, et les fous de Bassan, les plus grands des oiseaux marins, restent en revanche attachés à leurs zones de nidification.
Les sternes, ou hirondelles de mer, sont quant à elles les plus grands migrateurs au monde, passant d'un hémisphère à l'autre deux fois par an !

Du haut des falaises au ras des flots

Si le goéland marin choisit les sommets des îlots rocheux pour se reposer entre deux pêches, les eaux des golfes et autres baies accueillent de nombreuses espèces de canards, comme le harle huppé, dont la moitié des effectifs hiverne en France, notamment dans le golfe du Morbihan. La bernache cravant et le canard tadorne y sont également bien représentés. D'autres espèces, comme le grand gravelot, l'huîtrier-pie, arpentent volontiers les rivages à la recherche de petites proies,

Grand Gravelot

tandis que le pétrel fulmar passe sa vie en haute mer comme nombre de ses congénères.

Harle huppé

Le macareux moine

Le macareux moine, très photogénique avec son bec qui lui donne un air de clown plus que de religieux, est devenu un symbole des richesses naturelles en Bretagne et certains bistrots ont même adopté son nom ! Arrivant en mars de la haute mer, il se reproduit essentiellement sur l'archipel des Sept-Îles, dans la baie de Morlaix

Macareux moine

et sur les rochers d'Ouessant. Victime des marées noires et de l'explosion démographique des fous de Bassan, il a bien failli disparaître et seuls quelques centaines de couples viennent encore aujourd'hui en Bretagne pour perpétuer l'espèce.

Canard siffleur

La côte des abers

le domaine des goémoniers

Nul autre littoral français ne connaît une telle interpénétration de la mer et de la terre. Caps, îles, estuaires, baies, anses… Mondes fluvial et maritime sont étroitement liés, l'action de la marée se faisant parfois sentir loin dans les terres. Ces caractéristiques sont très favorables au développement des algues : la Bretagne possède l'un des plus riches gisements au monde, avec 90 % des 80 000 tonnes de goémons récoltées chaque année en France. Depuis une décennie, cette exploitation s'est considérablement diversifiée et plusieurs entreprises élaborent de nouveaux produits alimentaires ou cosmétiques à base d'algues.

La presqu'île de Sainte-Marguerite

Ria et aber

On trouve beaucoup de rias dans la péninsule ibérique. Le mot lui-même est espagnol. Par extension et assimilation, l'usage en a fait un synonyme d'aber.

Or son sens est bien précis. Une ria est une ancienne vallée envahie par la mer, à la suite soit d'un glissement de terrain, soit d'une montée des eaux. Étel dans le Morbihan, Tréguier en Côtes d'Armor sont des rias. *Aber* est un terme celte qui signifie simplement « embouchure ».

Il s'applique évidemment à la côte des légendes : Aber-Wrac'h, Aber-Benoît et Aber-Ildut. Ces fjords à l'armoricaine peuvent parfois s'étirer sur plusieurs km. Il existe de nombreux autres estuaires en Bretagne, mais la particularité de l'aber réside dans la prédominance de la mer. C'est son mouvement qui impose sa force à celui de la rivière, réduite à un simple filet d'eau à marée basse.

Goémon et goémoniers

La côte des abers et celle du haut Léon sont le royaume des goémoniers. Elles fournissent à elles seules 80 % de la production française.

L'utilisation et le ramassage du goémon semblent avoir toujours existé en Bretagne. Mais, aujourd'hui, tracteurs et navires équipés ont remplacé les fourches et les charrettes tirées par des chevaux. Très abondant et caractéristique avec ses grosses vésicules, le goémon, ou *Fucus vesiculosus*, est toujours utilisé comme engrais.

L'Aber-Wrac'h, petit port et station balnéaire

Le scoubidou

Autrefois armés d'une « pigouille », sorte de longue faux coupant les algues des fonds marins, les bateaux spécialisés sont, depuis les années 1970, équipés d'un « scoubidou ». Il suffit de plonger ce crochet rotatif, monté sur une grue hydraulique, dans l'eau et les algues s'enroulent tout autour comme des spaghettis autour d'une fourchette.
Essentiellement composées de laminaires, elles sont stockées en vrac dans les cales et déchargées mécaniquement sur le port avant d'être acheminées vers les usines de transformation. En Bretagne, on exploite environ 1 200 ha de champs d'algues sous-marins.

À boire et à manger

Très riches en oligoéléments, en sels minéraux et en vitamines, les algues sont utilisées dans l'alimentation directe comme légumes, en salades, ou encore comme condiments, sous forme déshydratée ou saumurée. Dans les magasins spécialisés et les rayons de produits diététiques, on trouve aujourd'hui du pain, des pâtes et même des gâteaux apéritifs aux algues. Certaines boissons isotoniques pour les sportifs utilisent également cette ressource dans leur composition. Le marché des algues alimentaires reste pourtant réduit en France où il ne représente que 4 à 5 % de la production totale. Au Japon, cette proportion est de 95 %.

Les algues : des goûts et des couleurs

Rouges, bleues ou brunes, on recense au large des côtes bretonnes plus de 700 espèces d'algues, dont une douzaine sont autorisées pour l'alimentation humaine. Les pêcheurs de Lanildut ou de Plouguerneau, dans le Nord-Finistère, exploitent surtout la *Laminaria digita*, dont les propriétés gélifiantes et épaississantes sont utilisées dans les industries pharmaceutiques et agroalimentaires.
C'est elle, et quelques autres, que l'on retrouve sous les mystérieux pseudonymes de E401, E402 ou E404 dans la composition de nombreux aliments. Le wakamé, principale algue utilisée dans l'alimentation directe, est cultivé en pleine mer sur des cordes, un peu comme les moules, et se cueille à marée basse.

L'Ar Goat
de la forêt à la lande

Il y a quelques milliers d'années, la Bretagne était entièrement recouverte d'une immense forêt, désignée par l'expression *Ar Goat*, le monde de l'intérieur, par opposition à *Ar Mor*, le monde de la mer. Les romains entreprirent un déboisement qui ne s'arrêta plus. Les seigneurs bretons taillèrent des parcelles, créant le bocage, mais laissant aussi des zones vierges défrichées. Par étouffement progressif de l'humus, elles devinrent la fameuse lande bretonne. Image éternelle de la Bretagne, celle-ci reste omniprésente en Ille-et-Vilaine et dans le Morbihan, s'intégrant comme nulle part ailleurs au paysage.

Bois et forêts

La pré-forêt, ou sous-bois, est propice à différentes cueillettes : champignons, bien sûr, mais aussi quelques baies sauvages comme la groseille, la mûre ou la myrtille. Les buissons à mûres, notamment, sont bien connus des Bretons qui les prennent d'assaut chaque fin septembre pour faire des confitures délicieuses. Les jonquilles, elles, se cueillent au printemps. En Bretagne, elles sont fréquemment sauvages. Les grandes forêts sont principalement constituées de chênes et de hêtres. Ce sont d'ailleurs les bois préférés des charpentiers et des artisans en raison de leur résistance et de leur nervure serrée. Mais on trouve aussi beaucoup de châtaigniers qui font la joie des amateurs, en particulier dans la région de Redon au moment de la fête des Marrons (p. 278). Sur le littoral, pins et ifs abondent. Autrefois, pour la construction navale, grande consommatrice de bois, on bridait les arbres choisis avec des étais afin que les troncs destinés aux coques prennent une courbure d'origine.

Sur les hauteurs bretonnes

Les principales landes se trouvent sur des régions montagneuses, hautes et

sèches, aux sols maigres où ne pousse qu'une végétation spécifique, comme la molinie, une herbe qui donne un aspect parfois jaunâtre à la lande, mais aussi des fleurs, gentiane pneumonante et orchidée tachée, espèces protégées qu'il est interdit de cueillir. De nombreuses falaises ne sont pas en reste, comme le cap Fréhel, la pointe du Grouin ou le cap Sizun, où s'effectue actuellement une expérience de replantation de bruyères et d'ajoncs.

Une flore en jaune et mauve

Petits arbustes qui ont des épines pour feuilles, ce qui les distingue du genêt, les ajoncs sont une des plantes les plus communes des landes bretonnes. L'ajonc d'Europe, qui peut mesurer jusqu'à 2 m de haut, y prospère. Sa floraison a lieu au printemps et donne à la lande son aspect d'immense tapis jaune au parfum sucré et délicat. L'ajonc legall, plus petit, commence à fleurir en août et en septembre et ne dégage aucun parfum particulier. Autrefois, les ajoncs étaient broyés pour l'alimentation des bestiaux. Autre plante typique de la lande : la bruyère. La bruyère cendrée vit dans les parties les plus sèches, tandis que la bruyère ciliée tapisse de mauve les pentes légèrement humides. La callune est une espèce aussi à l'aise dans l'un ou l'autre de ces deux milieux, tandis que les zones les plus humides sont occupées par la bruyère à quatre angles. Moins courante, la bruyère blanche sauvage est, paraît-il, un porte-bonheur éprouvé…

Oiseaux des landes

Si le verdier, petit passereau au plumage jaune, construit son nid dans les buissons les plus hauts, la linotte reste l'oiseau le plus typique des landes, où elle revient début avril après de longs périples en Espagne ou au Maroc. Dans les landes rases nichent également deux autres passereaux, le pipit farlouse et le traquet pâtre. La fauvette pitchou se plaît, pour sa part, aussi bien dans les garrigues que dans les landes bretonnes. Depuis quelques temps, on assiste également au retour du courlis cendré, sorte de faisan au long bec, grand amateur de landes rases et dépouillées. Les landes sont encore le domaine privilégié de certains rapaces, comme le busard cendré, qui ne niche pratiquement plus que dans les monts d'Arrée, le busard saint-martin et le faucon crécerelle.

Bonnes tables

Championne des produits de la mer d'une fraîcheur absolue, la Bretagne promet bien d'autres gourmandises. Voici quelques adresses qui vous en donneront plus qu'un aperçu. Pour les trouver, tournez la page.

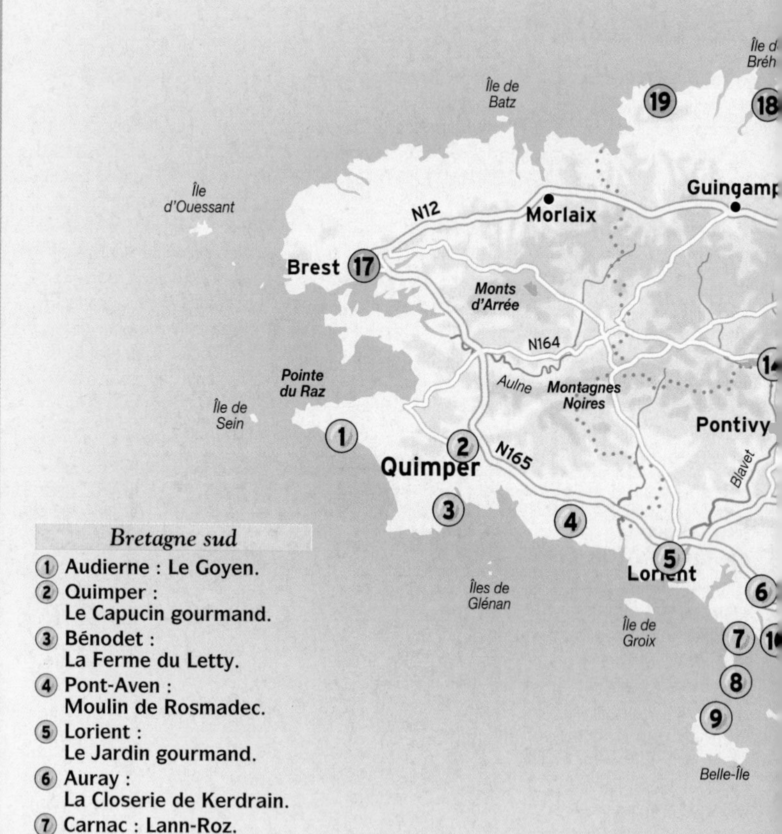

Bretagne sud

1. Audierne : Le Goyen.
2. Quimper : Le Capucin gourmand.
3. Bénodet : La Ferme du Letty.
4. Pont-Aven : Moulin de Rosmadec.
5. Lorient : Le Jardin gourmand.
6. Auray : La Closerie de Kerdrain.
7. Carnac : Lann-Roz.
8. Quiberon : La Chaumine.
9. Sauzon : Le Phare.
10. Port-Navalo : Grand Largue.
11. Vannes : Le Richemont, chez Régis Mahé.
12. La Roche-Bernard : L'Auberge bretonne.
13. Le Croisic : Le Bretagne.
14. Mûr-de-Bretagne : Auberge Grand-Maison.
15. Rennes : l'Escu de Runfao.
16. Questembert : Le Bretagne.

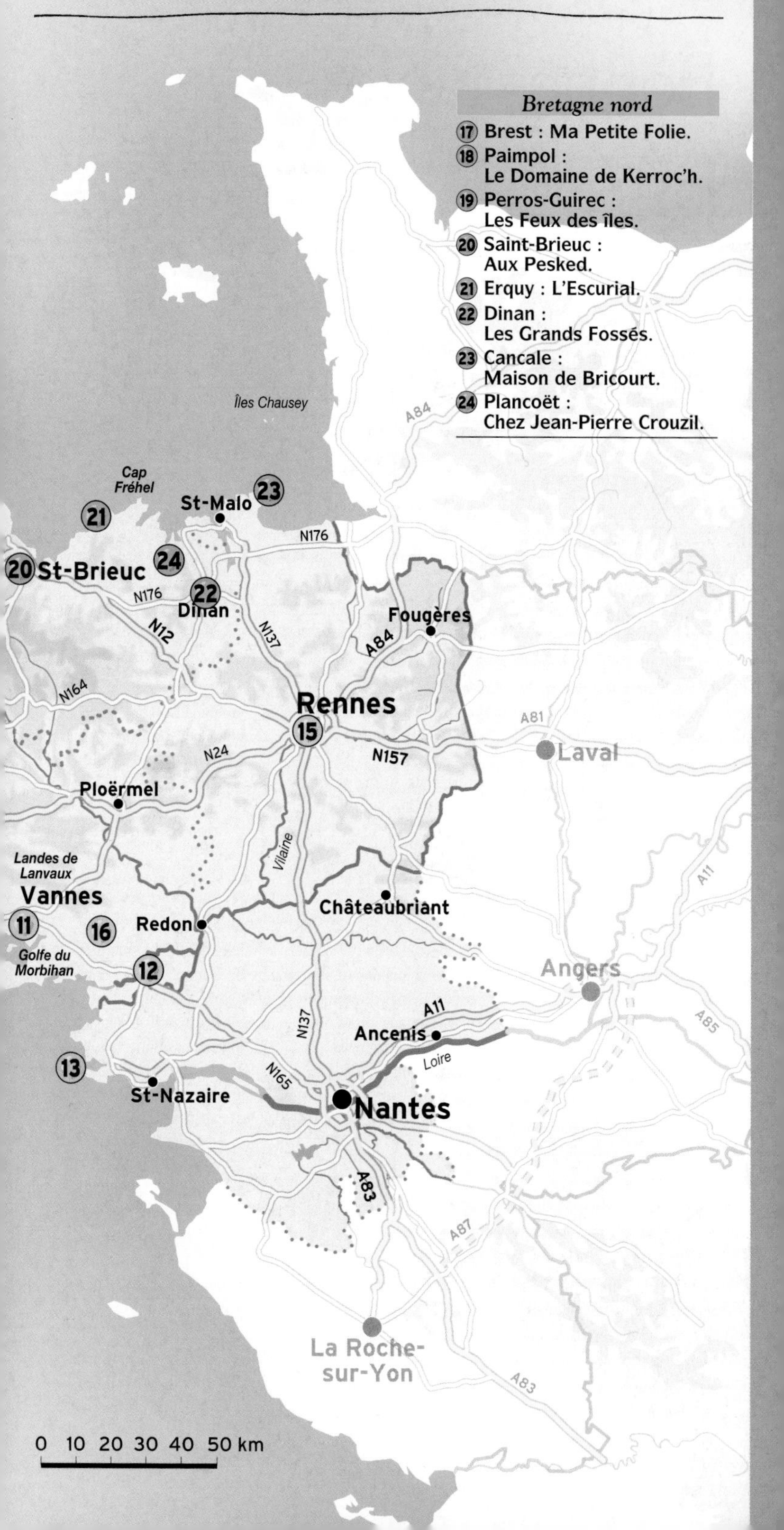
Bretagne nord
17 Brest : Ma Petite Folie.
18 Paimpol : Le Domaine de Kerroc'h.
19 Perros-Guirec : Les Feux des îles.
20 Saint-Brieuc : Aux Pesked.
21 Erquy : L'Escurial.
22 Dinan : Les Grands Fossés.
23 Cancale : Maison de Bricourt.
24 Plancoët : Chez Jean-Pierre Crouzil.
Îles Chausey
Cap Fréhel
St-Malo
St-Brieuc
Dinan
Fougères
Rennes
Laval
Ploërmel
Landes de Lanvaux
Vannes
Redon
Châteaubriant
Golfe du Morbihan
Angers
Ancenis
Loire
Vilaine
St-Nazaire
Nantes
La Roche-sur-Yon
A84
N176
N12
N137
N164
N24
N157
A81
A11
A85
N165
A83
A87
0 10 20 30 40 50 km

Bonnes tables

La Bretagne est un vrai paradis pour les amoureux de poissons et de fruits de mer. Mais la gastronomie est loin de se limiter à ces produits, toujours ultrafrais, comme en témoigne, par exemple, la fameuse andouille de Guémené.

Les étoilés

Cancale

Maison de Bricourt

1, rue Duguesclin
☎ 02 99 89 64 76.

F. mar. et mer. midi et de mi-déc. à mi-mars.

C'est tout simplement l'un des meilleurs restaurants de France. La cuisine d'Olivier Roellinger, qui marie produits du terroir ou de la pêche aux épices exotiques, est connue dans le monde entier. Mais l'incroyable, c'est que les prix pratiqués ne sont pas inabordables. Alors, vos papilles méritent bien cette savoureuse visite. Menu à part. de 280 F.

Plancoët

Chez Jean-Pierre Crouzil

20, rue Quais
☎ 02 96 84 10 24.

F. dim. soir et lun. hors saison et du 1er au 8 oct.

Chez ce très grand chef, venez déguster les huîtres chaudes et glacées au sabayon de Vouvray à la carotte, ou encore le homard breton brûlé au lambic… dans un cadre au diapason.
Menu à part. de 290 F.

L'Auberge bretonne

2, place Duguesclin
☎ 02 99 90 60 28.

F. jeu. et ven. midi, 1re quinzaine de janv. et du 22 nov. au 1er déc.

Attention, vous entrez là dans l'un des temples de la cuisine. Entre la truffe de Saint-Jacques en surprise et la charlotte d'araignée de mer en vinaigrette de coques et de fèves, l'inventivité est au rendez-vous et revisite à l'occasion la tradition, comme en témoigne le kouign aman avec crème glacée à la vanille. Menu à part. de 150 F (semaine).

Questembert

Le Bretagne

13, rue Saint-Michel
☎ 02 97 26 11 12.

F. lun., mar. midi, sf en juil.-août et en janv.

Un décor au goût sûr ; Georges Paineau est aussi peintre à ses heures. En attendant de connaître la célébrité dans ce domaine, c'est grâce à son talent culinaire qu'il attire les gourmets venant parfois de très loin. Mais comment résister aux huîtres en paquets à la vapeur d'estragon, au thon rouge poêlé avec compote de rhubarbe et vinaigrette au jus de palourde, ou encore au choux farci de homard à l'effiloché de tomates ? Menu à part. de 210 F.

Leurs valeureux cadets

Brest

Ma petite folie

Port de plaisance

☎02 98 42 44 42.

F. du 11 au 25 août et du 22 déc. au 6 janv.

Sur cet ancien langoustier, venez déguster rillettes de crabe, navarin de lotte ou encore homard breton grillé « à ma façon ».

Menu à part. de 110 F.

Paimpol

Le Repère de Kerroc'h

29, quai Morand

☎ 02 96 20 50 13.

F. mar. et mer. midi hors saison et du 1er janv. au 15 fév.

Dans ce restaurant, vous êtes assurés d'avoir dans votre assiette tout ce que la Bretagne offre de meilleur dans un état de fraîcheur absolu. Cuisine inventive dans le cadre somptueux d'une demeure du XVIIIe s.

Menu à part. de 125 F.

Perros-Guirec

Les Feux des îles

53, bd Clémenceau

☎ 02 96 23 22 94.

F. dim. soir et lun. midi : hors saison du 1er au 8 fév. et du 1er au 6 oct.

Assiette de bar de ligne au cidre et pommes fruits acidulées, blanquette de lotte aux légumes, filet de bœuf à la moelle et au vin rouge de Chinon, entre autres : Antoine Le Roux célèbre avec brio le mariage savoureux des produits de la mer et des terres.

Menu à part. de 135 F.

Le chef de la Ferme du Letty (voir p. 88)

Saint-Brieuc

Aux Pesked

59, rue du Légué

☎ 02 96 33 34 65.

F. dim. soir et lun., et du 25 déc. au 15 janv.

Toutes les saveurs de la Bretagne s'y sont données rendez-vous, des huîtres de Cancale aux crêpes à l'orange accompagnées d'un sorbet au lait ribot, en passant par les cocos de Paimpol ou l'andouille de Guémené.

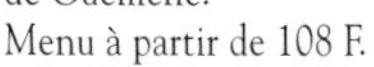

Menu à partir de 108 F.

Erquy

L'Escurial

29, bd de la mer

☎ 02 96 72 31 56.

F. dim. soir et lun. hors saison et du 25 nov. au 7 déc., ainsi que la 1re sem. des vac. scol. de fév.

Ici, on fait la cuisine de mère en fille depuis trois générations. Turbot, saint-pierre, lotte : c'est toute la mer dans votre assiette.

Menu à part. de 98 F.

Dinan

Les Grands Fossés

2, place du général-Leclerc

☎ 02 96 39 21 50.

F. le jeu.

Alain Colas ou comment sublimer les produits du terroir ! Goûtez aux profiteroles de blé noir farcis aux miettes de crabe, et au ris de veau poêlés à l'andouille de Guémené : vous nous en direz des nouvelles.

Menu à part. de 102 F.

Le ragoût de homard selon Alain Colas, aux Grands Fossés, à Dinan

Audierne

Le Goyen

Place Jean-Simon

☎ 02 98 70 08 88.

F. le lun., hors saison, de mi-nov. à fin déc. et de mi-janv. à début fév.

En direct du producteur au consommateur : le patron élève lui-même les huîtres et les homards proposés au menu. Fraîcheur garantie !

Menu à part. de 120 F.

Pont-Aven

Moulin de Rosmadec

Centre-ville

☎ 02 98 06 00 22.

F. le mer. et le dim. soir hors saison et tout le mois de fév.

L'harmonie entre plat et accompagnement y est portée à son comble : la bisque de langoustine est inséparable de ses ravioles de chèvre et morilles, la pomme de terre tient compagnie avec bonheur au carré d'agneau rôti aux herbes, sous la forme d'une délicieuse galette. Ajoutez à cela un accueil chaleureux et vous n'aurez plus qu'une envie : revenir !

Menu à part. de 165 F.

Auray

La Closerie de Kerdrain

20, rue Louis-Billet

☎ 02 97 56 61 27.

F. le dim. soir et le lun. hors saison et la 2e quinzaine de nov.

Ici, le maître mot est raffinement, qu'il s'agisse du décor aux nuances de vert tendre ou de la cuisine, qui culmine dans les préparations marines ; les Saint-Jacques en croûte de parmesan vous en donneront plus qu'un aperçu.

Menu à part. de 105 F.

Carnac

Lann-Roz

36, avenue de la Poste

☎ 02 97 52 10 48.

F. le lun. hors saison et du 5 janv. au 5 fév.

Pas de doute : on est en Bretagne ! Faïences de Quimper, meubles traditionnels bretons, aquarelles marines… tout est là pour nous le rappeler. La cuisine ne fait naturellement pas exception à la règle. Le ragoût aux petits légumes est au… homard bien sûr.

Menu à part. de 100 F.

Quimper

Le Capucin gourmand

29, rue des Reguaires

☎ 02 98 95 43 12.

F. le dim. soir et le lun.

On peut faire confiance à ce capucin-là ; pour certains, l'antre de Jacques Pichon est l'une des meilleures tables de la ville. Parions que vous n'en douterez plus après avoir dégusté son far du pays bigouden tiède avec sa sauce au pommeau.

Menu à part. de 100 F.

Bénodet

La Ferme du Letty

Le Letty Izella

☎ 02 98 57 01 27.

Ouv. du 15 fév. au 15 nov.

La *Fest Aw Hoc'h* (grande assiette de cochonnaille), la salade de boudin noir à la fouesnantaise, le pain doux bigouden et les poires pochées comptent au nombre des spécialités de cette ferme. Des produits simples revus et corrigés par un grand chef.

Menu à part. de 98 F.

Lorient

Le Jardin gourmand

46, rue Jules-Simon

☎ 02 97 64 17 24.

F. le dim. et le lun., la 1re quinzaine d'août et pendant les vac. scol. de fév.

En salle, dans un cadre aux tons pastel, Arnaud Beauvais-Pelletier ; aux fourneaux, sa femme Nathalie. On peut faire confiance à cette Lorientaise pour dénicher les produits les plus frais qu'elle accommode avec imagination tout en respectant la tradition : son gigot de lotte braisé au cidre de Guidel est un régal !

Menu à part. de 98 F.

Quiberon

La Chaumine

Quartier le Manémeure

☎ 02 97 50 17 67.

F. le dim. midi et le lun. hors saison et du 15 nov. au 15 déc.

Au cœur d'un quartier de pêcheurs, une cuisine familiale appréciée des vrais résidents de la côte. Menu à part. de 80 F.

Sauzon (Belle-Île)

Le Phare

Quai Guerveur
☎ 02 97 31 60 36.
F. du 12 nov. au 25 déc. et du 3 janv. au 27 mars.
Moules, crabes, langoustines, etc., sortent presque directement de la mer. Une escale vivifiante !
Menu à part. de 85 F.

Port-Navalo

Grand Largue

Embarcadère
☎ 02 97 53 71 58.
F. lun. midi en saison, lun. et mar. hors saison, de mi-nov. à Noël et en janv.
De l'embarcadère, vue imprenable sur le large. Côté cuisine, l'originalité réside dans le mélange d'épices avec lequel le chef sait subtilement relever les produits de la mer. Son secret est jalousement gardé.
Menu à part. de 95 F.

Vannes

Le Richemont, chez Régis Mahé

Place de la gare
☎ 02 97 42 61 41.
F. le dim. soir et le lun., 2nde quinzaine de nov. et pendant les vac. scol. de fév.
Une des meilleures tables de Bretagne. Régis Mahé a une imagination fertile : les amoureux de la cuisine inventive ne manqueront pas d'essayer son dos de bar rôti, marmelade de tomates, sauce daube, olives et écorces d'oranges. Menu à part. de 165 F.

Le Croisic

Le Bretagne

11, quai de la Petite-Chambre
☎ 02 40 23 00 51.
F. le dim. soir et le lun. hors saison et du 15 nov. au 15 déc.
Dans votre assiette, les poissons tout frais pêchés le matin même, assaisonnés avec les produits locaux : le bar en

Nathalie Pelletier, à Lorient

croûte de sel de Guérande vous rappellera que le pays des paludiers n'est pas loin.
Menu à part. de 99 F.

Ancenis

La Toile à beurre

82, rue Saint-Pierre
☎ 02 40 98 89 64.
F. dim. soir et lun.
Formé par Maximin, Rostang, Chibois, Passard, Jean-Charles Baron, un futur grand de la région, mitonne, dans son restaurant aux allures de bistrot, chausson d'anguille fumée au beurre de gamay, rôti de thon lardé et concassée de tomates, avec pour finir, une exquise poêlée de pommes au layon.
Excellente cave.
Menu à part. de 98 F.

Les Terrasses de Bel-Air

RN 23, sortie d'Ancenis direction Angers
☎ 02 40 83 02 87.
F. sam. midi, dim. soir et lun. soir.
Jean-Paul Gasnier, vous propose de goûter aux délices de fruits de mer tels que le civet de homard à la crème de champagne, ou la poêlée de Saint-Jacques fraîches au beurre d'agrumes émulsionné. Et pour finir, un feuilleté de poire sauce caramelisée à la fleur de sel de Guérande.
Menu à part. de 85 F.

Mûr-de-Bretagne

Auberge Grand-Maison

☎ 02 96 28 51 10.
F. le dim. soir et le lun. et du 15 fév. au 1er mars.
Recettes d'hier et produits du terroir sont métamorphosés par l'imagination de Jacques Guillo. Vous fondrez devant ses galettes au maquereau fumé, crème océane. Mais oserez-vous commander son coulommiers rôti au miel ?
Menu à part. de 140 F.

Rennes

l'Escu de Runfao

11, rue du Chapitre
☎ 02 99 79 13 10.
F. le dim. soir.
L'une des meilleurs tables de Rennes depuis des lustres.
Menu à part. de 135 F.

Complète, beurre-sucre
et autres douceurs

Du comptoir de fortune au coin d'un marché au restaurant plus sophistiqué, impossible d'échapper aux centaines d'établissements qui proposent crêpes et galettes en Bretagne. Si ces produits se caractérisent par leur simplicité, ils n'en suffisent pas moins, accompagnés d'une salade croquante, à composer un bon repas équilibré comprenant par exemple la traditionnelle complète (galette avec œuf, jambon et fromage) et la délicieusement familière beurre-sucre. Beurre, sucre : deux ingrédients que les Bretons savent combiner avec beaucoup d'art dans plus d'une recette. Toutes seront toujours égayées, si possible, d'une bonne bolée de cidre.

Crêpes ou galettes ?

Vous êtes plutôt crêpe ou plutôt galette ? Éminemment bretonnes, ces deux spécialités sont si proches qu'on les confond parfois sous le même nom de crêpes. Ce qui les distingue avant tout est la céréale de base : le froment pour les crêpes que l'on déguste sucrées, le plus souvent en dessert, et le blé noir, ou sarrasin, qui sert à fabriquer la véritable galette que l'on savoure à tout moment de la journée avec une saucisse, du lait ribot ou simplement encore toute chaude, avec une noix de beurre demi-sel… Humm !

La Route du blé noir

Beaucoup plus ancien que le froment, qui ne s'est démocratisé qu'au XXe s., le blé noir, importé par les croisés, eut très vite beaucoup de succès en Bretagne grâce à son rendement important sur les sols pauvres. Après une période de déclin, cette céréale connaît une nouvelle jeunesse puisque environ 250 producteurs moissonnent 2 000 ha de blé noir chaque année sur les 5 départements bretons. Mise en place par le parc naturel régional d'Armorique, la Route du blé noir est un circuit d'une centaine de km qui relie quelques écomusées, notamment les moulins de Kerouat (☎ 02 98 68 87 76) à Commana, ou le musée des Champs à Saint-Ségal (☎ 02 98 73 01 07) où se tiennent différentes animations en été (rens. ☎ 02 98 73 17 03).

Crêpes dentelles

Inventée en 1888 à Quimper, la crêpe dentelle est un subtil dosage entre sucre cristallisé et farine de froment qui lui donnent toute sa finesse et sa légèreté. Le tour de main a aussi une grande importance dans l'élaboration de cette délicieuse gourmandise, on les découpe en lanières que l'on enroule autour de la lame d'un couteau pour obtenir le produit fini. À Dinan, la fabrique de Gavottes, parmi les plus célèbres crêpes dentelles de Bretagne a son magasin au 9, rue du Château. Ouv. du mar. au sam. et le dim. en juil. et en août (☎ 02 96 87 06 48).

Le seigneur kouign aman

À tout seigneur, tout honneur ! Weight Watchers s'abstenir. C'est un savant et goûteux mélange de farine de froment, de beurre et de sucre. Traditionnellement, on situe l'origine de cette pâtisserie à Douarnenez en 1865, sur la recette d'un certain Scordia. Toutes les bonnes boulangeries bretonnes vous proposeront le kouign aman. C'est, traditionnellement, un gâteau de fête, de dimanche et de communion, mais les Bretons sont tellement gourmands…

Le far breton

Vous en goûterez peut-être avec des raisins ou des abricots. Mais sachez que le vrai far breton se fait avec des pruneaux. On verse une onctueuse pâte à crêpes parfumée d'un trait de marc de cidre et de la cannelle sur les pruneaux dénoyautés et on enfourne. Dans le Finistère, on rajoute généralement 100 g de beurre et quelques rondelles de pomme. L'origine du far remonte aux Romains, à ceci près qu'ils salaient la pâte.

En boisson… cidre, chouchen et cervoise

Le cidre est un élément essentiel de la cuisine bretonne. Il se marie avec tout. Sachez néanmoins que le seul à bénéficier d'une appellation d'origine contrôlée est le cidre de Cornouaille, provenant de la région du Fouesnant et du pays bigouden. La Bretagne compte de nombreuses cidreries, dont quelques-unes fonctionnent encore de manière artisanale (p. 230). Le chouchen, d'origine celte, est une boisson fermentée à base de miel. Attention, sa réputation est démoniaque ! Le miel est aussi l'un des composants de la cervoise, avec le houblon. Mais bien malin celui qui découvrira les 6 autres plantes qui lui donnent son goût puissant et sa couleur ambrée. Tous se consomment bien sûr avec modération.

Visites gourmandes

Où trouver les produits qui font la gastronomie bretonne ?
Producteurs et fabricants vous ouvrent leurs portes : suivez le guide.

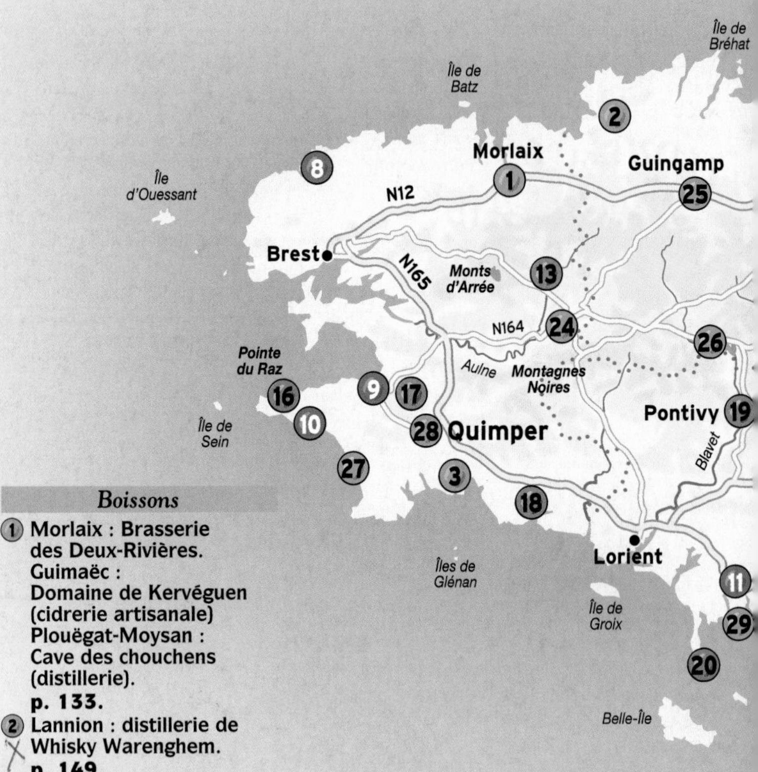

Boissons

1. Morlaix : Brasserie des Deux-Rivières. Guimaëc : Domaine de Kervéguen (cidrerie artisanale) Plouëgat-Moysan : Cave des chouchens (distillerie).
p. 133.
2. Lannion : distillerie de Whisky Warenghem.
p. 149.
3. Environs de Fouesnant : cidrerie Menez-Brug.
p. 230 et 231.
4. Entre Josselin et Ploërmel : cidrerie du terroir. Saint-Servan-sur-Oust : cervoiserie du manoir de Guermahia.
p. 271.
5. Machecoul : distillerie Séguin.
p. 295.
6. Clisson : le Caveau des vignerons.
p. 301.
7. Ancenis : établissements Guindon (caves et vins).
p. 307.

Produits de la mer

8. Lannilis : dégustation d'huîtres.
p. 118.
9. Douarnenez : COBRECO, conserverie de poissons.
p. 214.
10. Audierne : les viviers d'Audierne (crustacés), visite et boutique.
p. 217.
11. Auray : saumonerie du Loch.
p. 253.
12. Surzur : route de l'huître.
p. 263.

Sucré

- ⑬ Huelgoat : miel (observation des abeilles, dégustation, boutique). **p. 136 et 137.**
- ⑭ Loudéac : Compagnie biscuitière. Biscuiterie de Ker Cadélac. **p. 163.**
- ⑮ Saint-Alban : fabrique de crêpes. **p. 167.**
- ⑯ Plogoff : biscuiterie de la pointe du Raz. **p. 213.**
- ⑰ Locronan : À la galette Saint-Ronan (boulangerie-pâtisserie spécialisée dans les gâteaux bretons). **p. 218.**
- ⑱ Pont-Aven : biscuiterie Les Délices de Pont-Aven. **p. 233.**
- ⑲ Pontivy : biscuiterie Joubard. **p. 245.**
- ⑳ Quiberon : les Niniches. **p. 247.**
- 21 Vannes : biscuiterie de Kerlann. **p. 261.**
- 22 Saint-Michel-Chef-Chef : fabrication de galettes, sablés, roudors, michelettes,... **p. 293.**
- 23 Nantes : visite des Biscuiteries nantaises. **p. 299.**

Salé

- 24 Auberge de Saint-Péran : charcuterie artisanale. **p. 139.**
- 25 Pabu : foie gras à la ferme Huet. **p. 151.**
- 26 Kerfulus : auberge des cerfs. Cléguerec : ferme-auberge (produits du terroir). Lescouet-Gouarec : fromages de chèvre. **p. 161.**
- 27 Pouldreuzic : Jean Hénaff, le roi du pâté. **p. 225.**
- 28 Quimper : charcuteries. **p. 221.**
- 29 Locmariaquer : La Trinitaine (produits régionaux). **p. 251.**
- 30 Ploërmel : galettes à emporter. **p. 273.**
- 31 Péaule : foie gras. **p. 281.**

Dans le cochon tout est bon !

La Bretagne, qui produit 240 000 tonnes de charcuterie chaque année, soit plus du quart de la production nationale, a depuis longtemps intégré cette maxime. Les cochonnailles, sous toutes leurs formes, restent l'une des grandes spécialités régionales. À savourer sans modération.

Label rouge et porc fermier

Les critères d'attribution du label rouge sont draconiens quant à la qualité des conditions d'élevage, notamment. Le porcelet doit être élevé au grand air, son alimentation est composée aux trois quarts de céréales et les antibiotiques sont totalement proscrits. Le label donne lieu à deux appellations dans le commerce : « porc fermier de Bretagne » ou « porc fermier de l'Argoat ».

La reine des andouilles

La plus savoureuse des andouilles est sans conteste celle de Guémené-sur-Scorff, dans le Morbihan. On la reconnaît facilement à ses cercles concentriques formés par les boyaux cuisinés, salés, puis enfilés les uns dans les autres. L'andouille est ensuite séchée et fumée, ce qui lui donne sa peau sombre. On la consomme généralement froide sur une tartine de pain beurré, ou grillée avec une galette de blé noir.

Saucisses, jambons et saucissons

La saucisse pur porc a une place à part dans les cochonnailles produites en Bretagne. Grillée puis enroulée dans une galette de blé noir, c'est une véritable institution. Pour le reste, la gamme de produits est très large : jambons blancs fumés ou nature, avec ou sans couenne, saucissons secs ou à l'ail, boudins noirs ou tripes aux pruneaux.

Sale comme un cochon

La Bretagne est malade de son eau douce. Le responsable ? Le cochon. Porté aux nues pendant des années, à l'origine du redressement économique de la région, il est aujourd'hui montré du doigt. Près de 80 cantons ont été classés « zones d'excédents naturels », c'est-à-dire « zones saturées de lisier ». La région se mobilise.

Les produits laitiers
la crème des crèmes

Malgré les quotas imposés par Bruxelles, la production laitière perdure, notamment dans le Léon, qui continue de nourrir d'excellentes laitières. Reste que la majorité du cheptel bovin actuel (de plus en plus souvent des charolaises ou des charentaises) est destiné à la boucherie.

Le fameux beurre demi-sel

Il n'y a guère qu'ici que vous en goûterez, mais les Bretons, eux, ont du mal à manger autre chose. À l'origine, le sel permettait de favoriser la conservation du beurre. Sa teneur varie aujourd'hui de 0,5 à 3 %. Bridel, Besnier… les gros industriels continuent d'axer l'essentiel de leur production sur le beurre doux, mais celui-ci est destiné à « l'exportation », c'est-à-dire à la vente dans le reste du pays.

Le gros-lait

De couleur légèrement plus jaune que le lait traditionnel, il est aussi plus épais et plus crémeux. On en produit 200 t par an dans toute la région. La consommation reste locale et liée à la tradition rurale bretonne. À l'origine, on le tirait des fameuses vaches pie noire, mais, depuis quelques années, des producteurs ont réussi à en obtenir d'autres races.

Le lait ribot

C'est un lait légèrement fermenté qui se consomme froid. Son goût aigrelet en fait une boisson particulièrement désaltérante au petit déjeuner. *Ribot* signifie « baratte » en patois et c'est le symbole de la tradition agricole bretonne.

Attention, la mention « ribot » sur la bouteille ne suffit pas : c'est devenu le nom d'une laiterie et la marque fabrique aussi d'autres produits, dont du lait ordinaire. Seuls les produits portant la mention « fermenté » correspondent à la tradition du lait ribot.

La pie noire, vache de race

La tradition la dit « utile au riche, providence du pauvre… » La pie noire est la plus belle laitière de Bretagne. Au cours de promenades dans la région de cap Sizun, vous en verrez encore quelques troupeaux car certains fermiers refusent de l'abandonner malgré les quotas laitiers qui rendent cette race quasi inopérante. Costaude, petite, elle a l'arrière-train plus haut que la tête. Sa robe noir et blanc est facilement reconnaissable. Attention, elle a mauvais caractère !

Choux-fleurs et artichauts
les princes de Bretagne

Les images de préfectures bombardées de pommes de terre ou les tombereaux de choux-fleurs déversés dans les rues de Quimper ou de Morlaix par des producteurs en colère font régulièrement la une des journaux. C'est que la Bretagne, sujette aux convulsions des cours mondiaux, est la première région légumière d'Europe avec une récolte annuelle de 1 million de tonnes pour 70 000 hectares de cultures implantées entre Brest et Saint-Malo.

La « ceinture dorée »

Les côtes du Léon sont depuis 3 siècles les terres de prédilection du chou-fleur et de l'artichaut. Elles sont léchées par le courant du Gulf Stream en provenance de la mer des Caraïbes et échappent ainsi aux rigueurs de l'hiver comme aux grosses chaleurs estivales. Produit d'octobre à mai, le célèbre artichaut de Bretagne, bien charnu, que l'on consomme cuit, a trouvé depuis peu un nouveau compagnon avec l'artichaut violet que l'on déguste cru, à la croque-au-sel. Artichauts et choux-fleurs se conservent plusieurs jours dans le bac à légumes du frigo. Cuits, ils supportent très bien la congélation.

Patates and Co.

La pomme de terre, introduite à Belle-Île par des Irlandais au XVIIIe s., fut d'abord très décriée, puis elle constitua un aliment de base pendant des générations. Aujourd'hui, on en trouve de nombreuses variétés, les zones de production côtières s'étant spécialisées dans les précoces, au délicieux goût de noisette, que l'on fait généralement tout simplement revenir au beurre. Sirtema, ostara ou starlette, les plus tendres, arrivent dès le mois de mai sur les marchés, tandis que la nicolas ou la charlotte, plus fermes, attendent le mois de juin. Dans les terres, ces variétés sont récoltées en automne pour une conservation plus longue.

Le petit empire du paysan directeur général

Figure emblématique de la Bretagne, Alexis Gourvennec, sacré « paysan directeur général » avant de devenir patron de la compagnie maritime Brittany Ferries, eut le premier l'idée, en 1961, de fédérer les producteurs de la zone légumière pour leur donner plus de poids sur les marchés. Principal groupement de producteurs, la Sica compte aujourd'hui 3 500 adhérents et commercialise à elle seule 400 000 t de légumes par an. Elle gère également le marché au cadran de Kerivel, à Saint-Pol-de-Léon, qui détermine chaque jour le cours des légumes de la zone de production.

Légumes anciens et fleurs en salade

Toujours en pointe, les producteurs du Léon ont remis au goût du jour plusieurs variétés anciennes pour diversifier leur production. Ainsi, depuis 5 ans, le chou-fleur rond est concurrencé par son homologue à tête pointue, descendant d'un lointain ancêtre romain, le romanesco. Certains légumiers proposent également des fleurs à croquer en salade comme les bégonias, les soucis, les pensées ou les capucines. Ces milliers de fleurs comestibles sont conditionnées en barquettes et expédiées aux quatre coins de la planète. On les retrouve aussi au marché de Rungis au prix de 10 F la barquette de 15 fleurs et sur la table des plus grands chefs.

Le chou-fleur se visite

Le pays du haut Léon organise toute l'année des visites guidées pour les groupes avec au programme plusieurs entreprises de production comme la Compagnie bretonne de l'artichaut, spécialisée dans la fabrication de conserves et de surgelés. Vous apprendrez ainsi qu'il faut 2 kg de choux-fleurs frais pour obtenir 1 kg de fleurettes surgelées ou encore qu'un fond d'artichaut ne représente que 10 % de ce légume. Contact et réservation :
Pays du haut Léon,
place de l'Évêché,
29250 Saint-Pol-de-Léon
(☎ 02 98 29 09 09).

Tomates à la bretonne

Après des débuts difficiles, la tomate bretonne occupe une place de choix dans la production maraîchère régionale. Les plus réputées sont celles de Nantes et celles de Rennes. Elles peuvent être préparées à la bretonne, pour cela il faut les choisir petites, bien rondes et très fermes. On les joint alors à une fondue d'oignons (de Roscoff bien sûr, particulièrement tendres) cuite au beurre. Cette préparation peut ensuite accompagner une viande, un poisson ou une galette de blé noir. Bon appétit !

L'huître, mode d'emploi

La Bretagne produit chaque année 30 % des 140 000 tonnes d'huîtres de France. Cette production se répartit à peu près également entre deux grands centres : le Nord, avec les baies de Cancale, Saint-Brieuc et Morlaix ; et le Sud, avec les estuaires du Morbihan. Les Bretons dégustent l'huître toute l'année. Malgré tout, elle reste un produit de fête, puisque les ostréiculteurs réalisent en moyenne la moitié de leur chiffre d'affaire, entre Noël et le jour de l'an.

Comment les reconnaître ?

Très facilement identifiables, la « plate », *Ostrea edulis*, et la « creuse », *Crassostrea gigas*, constituent deux espèces différentes. L'huître plate existait à l'état naturel sur le littoral breton. L'huître creuse fut accidentellement importée à la suite du naufrage au large de nos côtes, en 1868, d'un navire portugais transportant des naissains à destination de l'Angleterre. Sans doute les larves trouvèrent-elles chez nous un terrain favorable à leur développement car elles

LA CULTURE DES HUÎTRES

Les larves microscopiques, en suspension dans l'eau, viennent se fixer sur les collecteurs, constitués de tuiles superposées. Au bout de quelque mois, les bébés-huîtres (le naissin) ont grossi et on les détache du collecteur : c'est l'opération de détrocage. Les huîtres vont ensuite être élevées dans les parcs où elles vont grossir pendant plusieurs années. Au terme de leur croissance, elles quittent les parcs pour des bassins d'affinage où elles vont engraisser. Triées, grattées, trempées dans des bassins d'eau claire, les huîtres débarrassées de leurs impuretés seront mises en bourriches et commercialisées.

se multiplièrent. Décimées par un virus en 1973, les creuses portugaises ont depuis été remplacées par des naissains venus du Japon.

Paimpolaise, morlaisienne ou cancalaise ?

On distingue en Bretagne, comme pour le bon vin, douze grands crus d'huîtres selon les « terroirs ». Citons par exemple la paimpolaise, très iodée et bien charnue, la morlaisienne à la chair délicate, la creuse de Cancale, moyennement charnue et au goût salé prononcé. Très réputées, la fine de claire et les plates du Belon, produites en Bretagne-Sud, ont un délicat arrière-goût de noisette. La marenne à chair verte est, quant à elle, élevée en Vendée. Les huîtres se consomment généralement crues avec un peu de vinaigre à l'échalote ou un filet de citron. Elles peuvent également être cuites ou farcies.

Comment s'approvisionner ?

Tandis que la majorité des grandes surfaces concentrent leurs efforts de ventes d'huîtres en période de fêtes, les poissonniers détaillants les proposent tout l'année. Parmi les différentes formes de ventes, ce sont cependant les marchés qui occupent aujourd'hui la première place. Selon leur grosseur, les huîtres plates sont classées en neuf catégories, et les huîtres creuses en huit catégories. Sachez également que les huîtres s'achètent à la douzaine et les moules au litre, mais que ces deux coquillages sont parfois aussi vendus au poids.

Quand les manger ?

Contrairement à une idée reçue, huîtres et moules se consomment toute l'année. Plus grasse durant la période de reproduction, de mai à août, l'huître n'en conserve pas moins ses qualités vitaminiques. C'est un édit royal de Louis XV qui interdit non pas la consommation mais le transport des huîtres durant les mois sans « r », car ce sont les plus chauds de l'année. Chez le poissonnier, les étiquettes agrafées sur les bourriches indiquent l'origine, la taille et la fraîcheur du produit. Pour les moules, on peut demander l'étiquette sanitaire qui atteste de leur date d'expédition et de leur salubrité.

Comment conserver les huîtres ?

Pour conserver les huîtres, il suffit de les empêcher d'ouvrir leur coquille. Pour cela il faut simplement les entasser et les couvrir d'un poids. Le bas du réfrigérateur comme le rebord d'une fenêtre en hiver font facilement l'affaire et vous pourrez ouvrir et déguster vos coquillages une dizaine de jours après leur sortie de l'eau sans aucune crainte. D'une manière générale, jetez les huîtres qui n'ont pas d'eau et celles dont le manteau (le tour, plus foncé) ne réagit pas à la pointe du couteau. N'ouvrez pas les bourriches si vous ne consommez pas les huîtres immédiatement.

Visite des parcs à huîtres

Les Viviers de la Forêt, La Cale La Forêt-Fouesnant ☎ 02 98 56 96 68.
Téléphoner pour les horaires.

Les huîtrières du château de Belon Port de Belon, Riec-sur-Belon ☎ 02 96 06 90 58.
Ouv. tte l'ann.

(Voir également la route de l'huître p. 263)

À la pêche aux moules

Mollusques bivalves, les moules, comme les huîtres, font depuis des siècles le délice des gastronomes. Appréciées dès l'Antiquité, elles comptent deux espèces, les petites, ou *Mytilus edulis*, et les plus grosses, ou *Gallo provincialis*, que l'on trouve en Méditerranée. Si chaque moule est mâle ou femelle, certaines huîtres sont tour à tour les deux. Cela n'empêche pas les unes et les autres de se prévaloir de vertus aphrodisiaques toujours célébrées...

La France gourmande

La France est tellement friande de moules que sa production, 70 000 t par an, ne suffit pas à satisfaire la demande. Chaque année, près de 40 000 t de moules sont importées, principalement des Pays-Bas, d'Espagne et d'Irlande.
Les moules françaises sont en majorité des moules d'élevage, beaucoup plus savoureuses que les moules de pêche en provenance de l'étranger. N'hésitez pas, chez le poissonnier ou au restaurant, à demander l'origine des coquillages.

À la pêche aux moules

Il est toujours possible d'aller pêcher les moules en Bretagne, mais renseignez-vous tout de même auprès des offices de tourisme, car cette pêche est réglementée. Ne vous précipitez pas sur les coquillages que vous verrez en quantité accrochés aux rochers qui parsèment le bord de mer. Bien souvent, ils sont impropres à la consommation.

Les moules de bouchot

En Méditerranée, l'élevage se fait généralement à plat. En Bretagne, le mode de culture dominant est le bouchot. C'est un alignement de 50 à 100 m de pieux en chêne hauts de 4 à 6 m solidement enfoncés à la limite des basses mers. Le naissain de moules est élevé sur des cordes que l'on enroule sur les pieux lorsque les larves sont devenues de jeunes moules. L'élevage dure 2 années pour que les moules atteignent une taille minimale de 4 cm. Il nécessite une surveillance constante pour protéger les moules de leurs prédateurs, goélands, crabes verts, étoiles de mer et bigorneaux perceurs. Les pieux sont régulièrement entretenus et remplacés. La cueillette se fait soit à la main, soit à la machine.

Les embarcations conchylicoles

La plupart des activités liées à la culture des huîtres ou des moules se font à l'aide d'embarcations spécifiques dont la plus curieuse est le bateau à roues, utilisé, surtout en baie du Mont-Saint-Michel, pour l'élevage des moules. Véritables ateliers ambulants et amphibies, ces engins permettent de travailler sur les bouchots quel que soit le niveau de la marée. L'élevage des huîtres se fait quant à lui à l'aide de barges plates capables de transporter de 5 à 6 t d'huîtres ou avec des yoles à fond creux, plus petites et donc plus maniables.

MOULES MARINIÈRES

Dans une casserole, versez du vin blanc (le gros-plant du Pays nantais est idéal) sur des échalotes ou des oignons coupés fin. Ajoutez un bouquet garni, quelques branches de persil et morceaux de beurre, poivrez. Portez à ébullition et laissez mijoter 5 min, puis ajoutez les moules après les avoir soigneusement lavées et grattées. Couvrez. La cuisson des moules est complète lorsqu'elles sont bien ouvertes. Servir bien chaud. Les moules se consomment également nature, cuites sans eau, mais avec un peu de persil, des oignons, un brin de thym, une feuille de laurier et un morceau de beurre. Si c'est un plat principal, il faut compter environ 500 g de moules par personne. Vous pouvez en manger sans modération, la valeur énergétique d'une moule est d'à peine 9 calories.

À la mode de Bretagne

Entre les produits locaux et artisanaux, les vêtements et les objets de marine, les souvenirs de vacances ne manquent pas. Et si l'utilisation de certains d'entre eux vous échappe, les musées d'art et traditions populaires sauront vous éclairer.

Artisanat et produits bretons

① **Le Conquet : atelier Botou Koat (bois, cuir, émail). p. 116.**

② **Landerneau : Comptoirs des produits bretons. p. 124 et 125.**

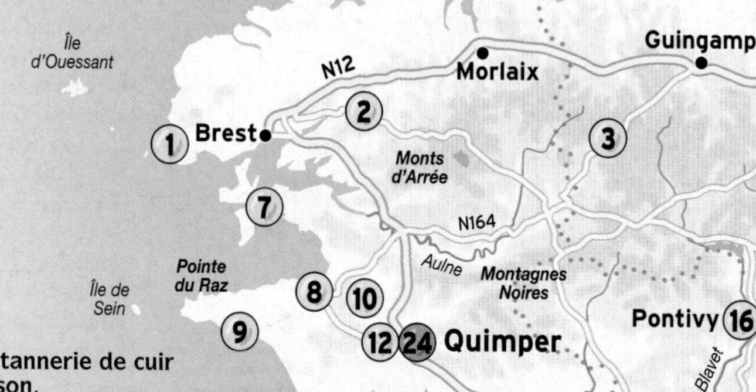

③ Callac : tannerie de cuir de poisson. **p. 141.**

④ Loudéac : fabrique et restauration de meubles. **p. 162.**

⑤ Dinan : boutiques d'artisans. **p. 183.**

⑥ Saint-Méloir : village artisanal. **p. 195.**

⑦ Crozon : Grains de couleur (bijoux, peinture, miroirs). **p. 204.**

⑧ Douarnenez : Le Chasse-Marée (librairie spécialisée). **p. 215.**

⑨ Audierne : les Frères Douirin (objets de marine). **p. 217.**

⑩ Locronan : Maison des artisans. **p. 219.**

⑪ Pont-l'Abbé : Le Minor (broderies d'art). Coopérative de Penmarc'h (équipements marins). **p. 224 et 225.**

⑫ Quimper : Novy Nick (vêtements marins), Keltia Musique (musique traditionnelle). **p. 223.**

⑬ Pont-Scorff : village d'artisans. **p. 237.**

⑭ Camors : Au Sabot camorien (fabrication et vente de sabots). Poul Fétan : hameau restauré habité par des artisans. **p. 242 et 243.**

⑮ Guérande : galeries d'art et d'artisanat local, boutiques de souvenirs (vaisselles bretonnes, articles de décoration marine...). **p. 284 et 285.**

⑯ Pontivy : poterie de Lezerhi. **p. 245.**

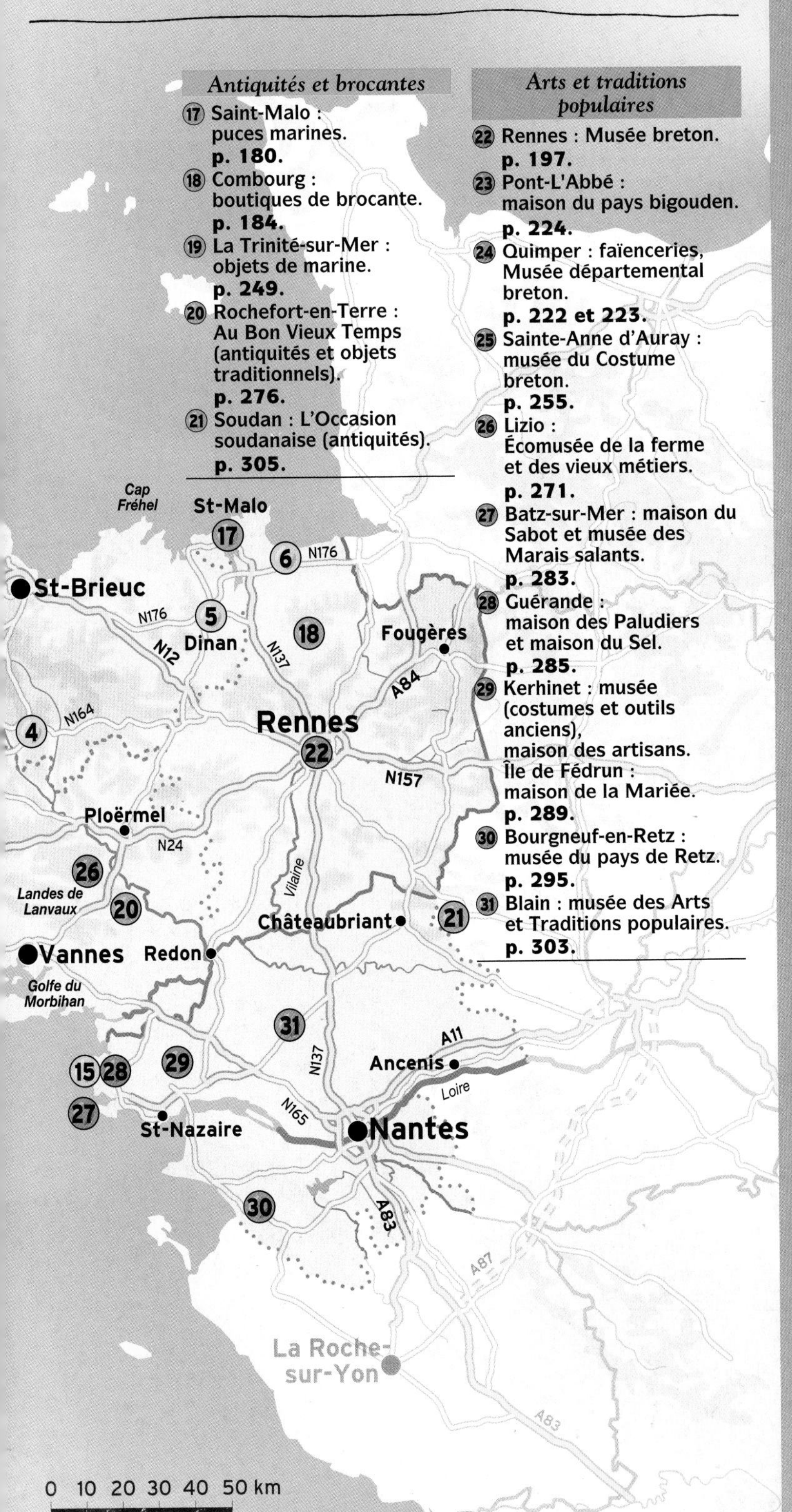
Antiquités et brocantes
17 Saint-Malo : puces marines. p. 180.
18 Combourg : boutiques de brocante. p. 184.
19 La Trinité-sur-Mer : objets de marine. p. 249.
20 Rochefort-en-Terre : Au Bon Vieux Temps (antiquités et objets traditionnels). p. 276.
21 Soudan : L'Occasion soudanaise (antiquités). p. 305.
Arts et traditions populaires
22 Rennes : Musée breton. p. 197.
23 Pont-L'Abbé : maison du pays bigouden. p. 224.
24 Quimper : faïenceries, Musée départemental breton. p. 222 et 223.
25 Sainte-Anne d'Auray : musée du Costume breton. p. 255.
26 Lizio : Écomusée de la ferme et des vieux métiers. p. 271.
27 Batz-sur-Mer : maison du Sabot et musée des Marais salants. p. 283.
28 Guérande : maison des Paludiers et maison du Sel. p. 285.
29 Kerhinet : musée (costumes et outils anciens), maison des artisans. Île de Fédrun : maison de la Mariée. p. 289.
30 Bourgneuf-en-Retz : musée du pays de Retz. p. 295.
31 Blain : musée des Arts et Traditions populaires. p. 303.
Cap Fréhel
St-Malo
N176
St-Brieuc
Dinan
N12
N137
Fougères
A84
N164
Rennes
N157
Ploërmel
N24
Vilaine
Landes de Lanvaux
Châteaubriant
Vannes
Redon
Golfe du Morbihan
A11
N137
Ancenis
Loire
N165
St-Nazaire
Nantes
A83
A87
La Roche-sur-Yon
0 10 20 30 40 50 km

Cirés et suroîts

vêtements bretons

La pluie, le vent et les embruns n'épargnent pas la Bretagne. La tradition vestimentaire bretonne tient compte des conditions climatiques hivernales les plus rudes. Résistance, chaleur, confort sont ses caractéristiques essentielles. Sur ce secteur, plusieurs marques ont développé des gammes de vêtements de travail adaptés à la dure vie des pêcheurs. Pratiques et faciles à vivre, ces vêtements marins se sont répandus parmi les plaisanciers.

L'épopée des Cotten

Elle démarre au début des années 1960, quand Guy Cotten se lance dans la fabrication de vêtements de pêche. Ses amis marins-pêcheurs lui décrivent le vêtement qu'ils aimeraient trouver sur le marché : solide, étanche comme un ciré, mais confortable comme une veste. Guy et Françoise Cotten dessinent et cousent un vêtement que les stagiaires du centre nautique de Rosbraz sont les premiers à essayer. Le succès est immédiat. La veste Rosbraz est née. Elle fera le tour des océans. Ses ambassadeurs se nomment Colas, Tabarly ou Poupon.

Aujourd'hui, l'usine de Trégunc (Pont-Minaouët, 29910 Trégunc, ☎ 02 98 97 66 79) est une entreprise florissante de 150 salariés. L'usine ne se visite pas. Mais chaque année, à partir du 30 juin, vous pouvez vous y procurer, à des tarifs imbattables, toutes les fins de série de l'année précédente.

Cirés et suroîts

Le ciré classique, jaune, imperméable, léger et solide, se vend désormais partout avec une capuche intégrée. La tradition du suroît persiste cependant. C'est un chapeau ciré avec un large bord vers l'arrière, pour recouvrir l'encolure des vêtements. D'un charme suranné, il a conservé ses adeptes, principalement dans le Sud-Finistère. Intérieur velours ou lisse, c'est un couvre-chef confortable étudié pour que la pluie ne vous glisse pas dans le cou. Un joli souvenir de Bretagne qui coûte moins de 100 F et que vous trouverez par exemple à Concarneau, au Moussaillon (av. Biele, Seld-Zenne, ☎ 02 98 97 09 22).

Vareuse et pull marin

Depuis les années 1960, le modèle du pull marin a évolué. Son confort, en revanche, n'a pas varié. Chaud, fermé sur l'épaule gauche par une bande boutonnée, il est assez long et près du corps pour ne pas entraver les mouvements. Comptez environ 400 F pour un « vrai » pull marin. La vareuse est un autre élément du costume marin breton. Plus prisée des pêcheurs que des plaisanciers, elle est taillée dans une toile assez dure pour résister aux intempéries. C'est un coupe-vent dont le col doit être suffisamment long pour être relevé et, c'est indispensable, boutonné.

La veste de quart

On la porte aussi bien en mer d'Iroise que sur les Champs-Élysées. La mode de la veste de quart a envahi la France au début des années 90. Les imitations ne manquent pas, alors ouvrez l'œil. Imperméable, solide, facile à vivre, toujours de couleur vive (pour qu'un marin puisse être vu de loin), plus qu'un vêtement, c'est presque un accessoire de survie. Son prix est un peu élevé (à moins de 700 F vous aurez du mal à en trouver) mais son confort et son adaptation à tous les types de temps ont conquis le monde entier. En ville on peut la porter sur une veste. Toutes les boutiques du marin en proposent, mais si vous souhaitez miser sur une valeur sûre et faire un investissement qui vous durera toute une vie, vous pouvez acheter les yeux fermés Helly Hansen, Aigle, Botalo ou Guy Cotten…

Faïence de Quimper
et d'ailleurs

La faïence et les faïenceries semblent avoir toujours fait partie du patrimoine breton. Qui ne connaît l'estampille H. B. Henriot ? Cet artisanat, lié à Quimper comme la porcelaine à Limoges, remonte à 1690, date à laquelle un faïencier venu de Provence, Jean-Baptiste Bousquet, installa la première manufacture de céramique dans le quartier de Locmaria. Il fit quelques émules et la faïence de Quimper est désormais célèbre dans le monde entier, tout spécialement aux États-Unis, où elle reste très prisée.

Les motifs

La faïence traditionnelle de Quimper se caractérise, dès 1850, par ses décors floraux et surtout par l'apparition du « petit Breton », avec son *bragou braz* (large culotte), son chapeau et ses cheveux longs. Ces dessins naïfs aux teintes vives sont entièrement réalisés à la main, par des touches et des traits de pinceaux en forme de gouttes étirées pour former fleurs et feuillages. Vers la fin du XIXe s., sous la houlette d'un artiste remarquable, Alfred Beau, ces motifs s'enrichissent de multiples scènes de la vie quotidienne paysanne – noces, danses, marchés, pardons, etc.

La fabrication

Tout d'abord, les faïenciers préparent une pâte composée d'argile, de dolomie, de talc, de poudre de verre et de silice, ils la réduisent à l'état de bouillie avant de la transformer en une sorte de galette qui va perdre 75 % de son eau. Cette galette, encore malaxée, va constituer un pain de terre qui sera découpé par les faïenciers puis moulé. Séchées et lissées manuellement, les différentes pièces subissent une première cuisson avant d'être plongées dans des cuves remplies d'émail, puis une seconde, qui fixe les couleurs du décor.

VISITE D'UNE FAÏENCERIE

La plus célèbre, H. B. Henriot, située rue Haute dans le quartier de Locmaria, où prit naissance la vocation quimpéroise, propose des visites guidées et payantes de ses ateliers du lundi au vendredi, à 9 h, 10 h 15, 11 h 15, 14 h, 14 h 45, 15 h 45 et 16 h15. Sur r.-v. pour les groupes au ☎ 02 98 90 09 36. Vous pouvez également visiter le musée de la Faïence (14, rue Jean-Baptiste-Bousquet, ☎ 02 98 90 12 72 ; ouv. mi-avr.-fin oct., lun.-sam., 10 h-18 h. F. dim. et j. fér.).

La faïence ancienne

Avant la fin du XIXe s., la vaisselle n'était pas signée. Ensuite elle fut estampillée des marques les plus prestigieuses : H. R., H. B., Henriot ou Éloury-Porquier. Les articles les plus abordables, beaucoup plus jolis que les produits modernes, datent des années 1950 et 1960 où l'on utilisait encore une terre naturelle. Les produits actuels, même s'ils sont toujours peints à la main, sont fabriqués à partir de pâtes industrielles plus friables et toujours blanches. Il suffit, pour en juger, de retourner la vaisselle. Avec un peu de chance, on peut trouver de très jolis et authentiques bols, cendriers ou petits pots en faïence de cette époque pour 100 ou 150 F.

Conseils pratiques

Assiettes, bols, lampes, statuettes, vases, toutes sortes d'objets usuels et de vaisselles sont réalisés en faïence de Quimper.

S'il n'y a aucune contre-indication pour faire subir le test du lave-vaisselle à la plupart de ces pièces, celui-ci est cependant déconseillé pour les pelles à tarte et les couteaux à beurre. De même, une gamme spéciale de vaisselle a été conçue pour résister à la chaleur des fours traditionnels comme du four à micro-ondes. En dehors de ces plats, mieux vaut s'abstenir.

Mobilier et objets du quotidien

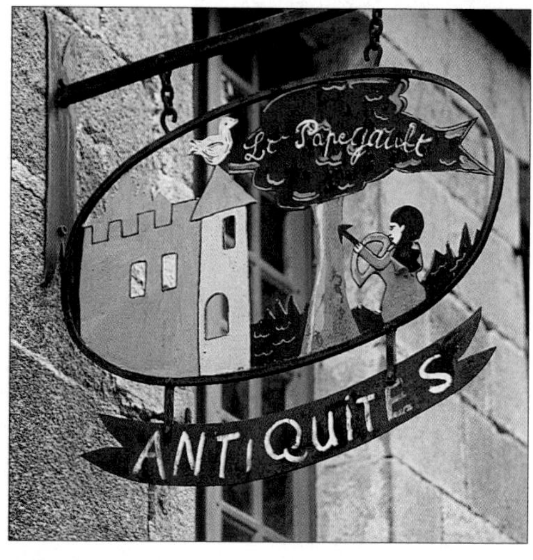

Une armoire traditionnelle ou un coffre breton, en bois sombre sculpté, sont de magnifiques pièces à rapporter. Mais pour ceux qui ne voudront pas s'encombrer, il existe toute une série de petits objets typiques et originaux qui vous rappelleront l'air des vacances une fois rentrés à la maison.

Le mobilier

Si le mobilier breton traditionnel, tel que lits clos ou buffets, se fait rare et donc cher, on trouve encore un nombre important d'armoires et de commodes de style Louis XV ou Louis-Philippe adaptées à la mode armoricaine et de dimensions raisonnables. Dans les Côtes d'Armor, certaines armoires avec des corniches au dessin caractéristique sont appelées « oreilles de cochon » ! Comptez entre 3 000 et 7 000 F pour un modèle simple non restauré, plus quelques centaines de francs pour un éventuel transport.

De la table au jeu de boules

Moules à beurre et marques à beurre, sorte de tampons rustiques, se trouvent encore chez les brocanteurs bretons. De même que toute la panoplie de petites cuillères en hêtre ou en buis allant des plus rudimentaires aux couverts incrustés d'étain ou de laiton. Certains sont même pliables, pour aller à la noce. Écuelles et bols en terre cuite, dépouillés mais très décoratifs, en provenance d'anciens centres de poterie locaux, se dénichent également pour quelques centaines de francs. Sans oublier la paire de boules bretonnes, ou *bouloupok*, grosses sphères de bois plein, qui font des serre-livres originaux.

Les boîtes à biscuits

Les collectionneurs en raffolent et ont fait grimper les prix. La boîte de biscuits LU décorée du célèbre petit écolier est l'une des plus recherchées avec celles en forme de train ou de tour Eiffel. Compte tenu du nombre important de biscuiteries dans la région, on trouve énormément de boîtes, plus ou moins anciennes, pour tous les goûts et tous les prix.

Objets de marine

La plaisance va de pair avec un certain art de vivre. Sur les grands voiliers, le confort confine même au luxe absolu. Les bois chauds, les objets cuivrés, qui font partie de ce décor marin, sont bien sûr disponibles à terre. Alors, poussez la porte !

Le sextant

C'est le plus bel objet de marine. Attention, c'est très cher (1ers prix autour de 3 000 francs pour un sextant en métal inox dans son coffret de bois), mais ce prix est justifié pour une mécanique d'une telle précision. Longtemps indispensable au marin pour mesurer l'angle du Soleil avec la Terre – en visant l'horizon, on obtenait la position de longitude du bateau –, il est aujourd'hui en passe d'être supplanté par le fameux GPS, un petit ordinateur de poche, beaucoup moins décoratif, mais qui calcule tout seul la position du bateau. Vous avez donc quelque chance de dénicher un sextant, symbole de la navigation hauturière, chez un brocanteur ou dans une salle des ventes.

Le bateau d'Ali Baba

Tout vieux bateau recèle des trésors. Baromètres de cuivre, barres à roue vernie, coffres ouvragés et équipement de rangements ciselés… Vous retrouvez tout cela à terre. Mais évitez les boutiques de souvenirs pour ce genre d'achats. Skippers et propriétaires se fournissent aussi dans les belles boutiques du port. C'est une garantie de qualité.

Le tableau de nœuds

Tout le monde trouve ça joli, donc les prix flambent. Un joli tableau flirte souvent avec les 3 000 F, même si les premiers tournent autour de 500 F.

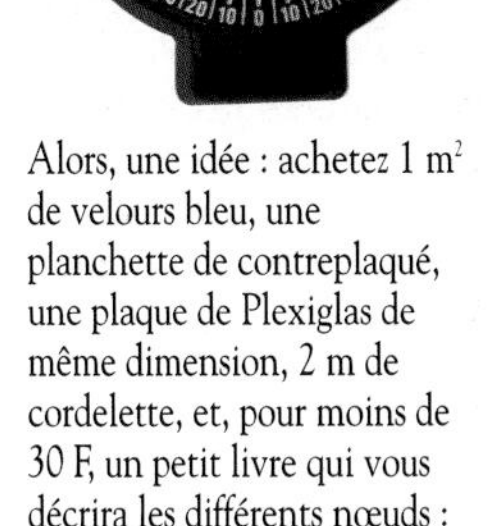

Alors, une idée : achetez 1 m² de velours bleu, une planchette de contreplaqué, une plaque de Plexiglas de même dimension, 2 m de cordelette, et, pour moins de 30 F, un petit livre qui vous décrira les différents nœuds : au travail !

La Bretagne de proche en proche

Bretagne nord

Bretagne sud

Pays du Ménez-Hom 204

De Raz à Penmarc'h 210

Cornouaille 218

Portes de Cornouaille 232

Vallée du Blavet 240

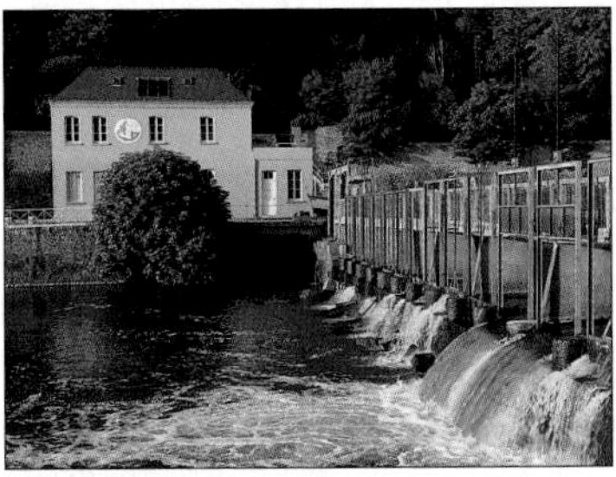

Quiberon et pays d'Auray 246

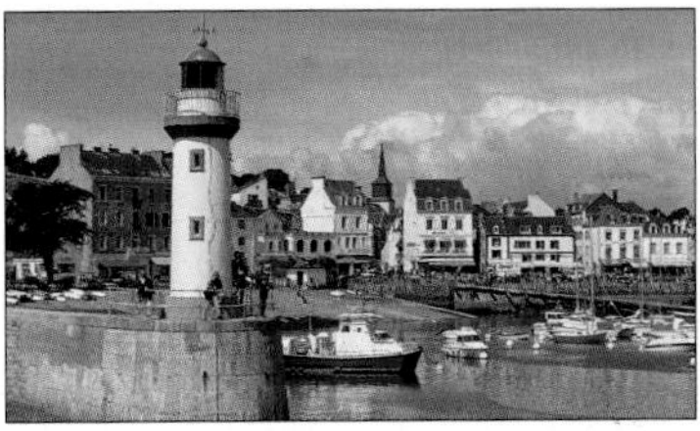

Au pays des îles 256

De l'Oust à la Vilaine 270

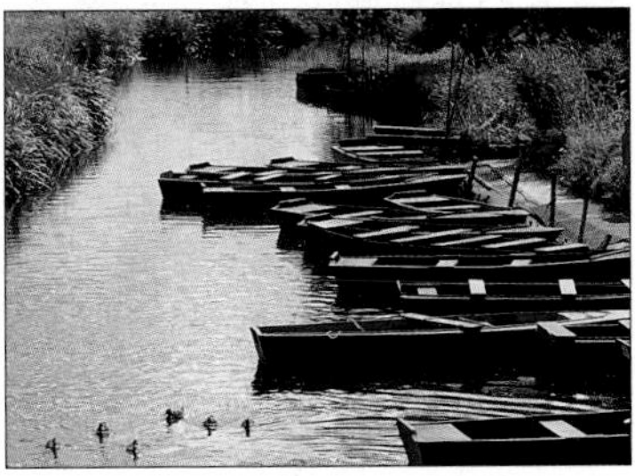

Les marais et la riviera bauloise 282

Nantes et sa région 290

Portes de Bretagne 302

La Bretagne de proche en proche

Vous trouverez dans les pages qui suivent toutes les clés pour visiter la Bretagne. Par commodité, la région a été découpée en zones touristiques. À chacune d'elles correspond une couleur qui vous permettra de la repérer facilement.

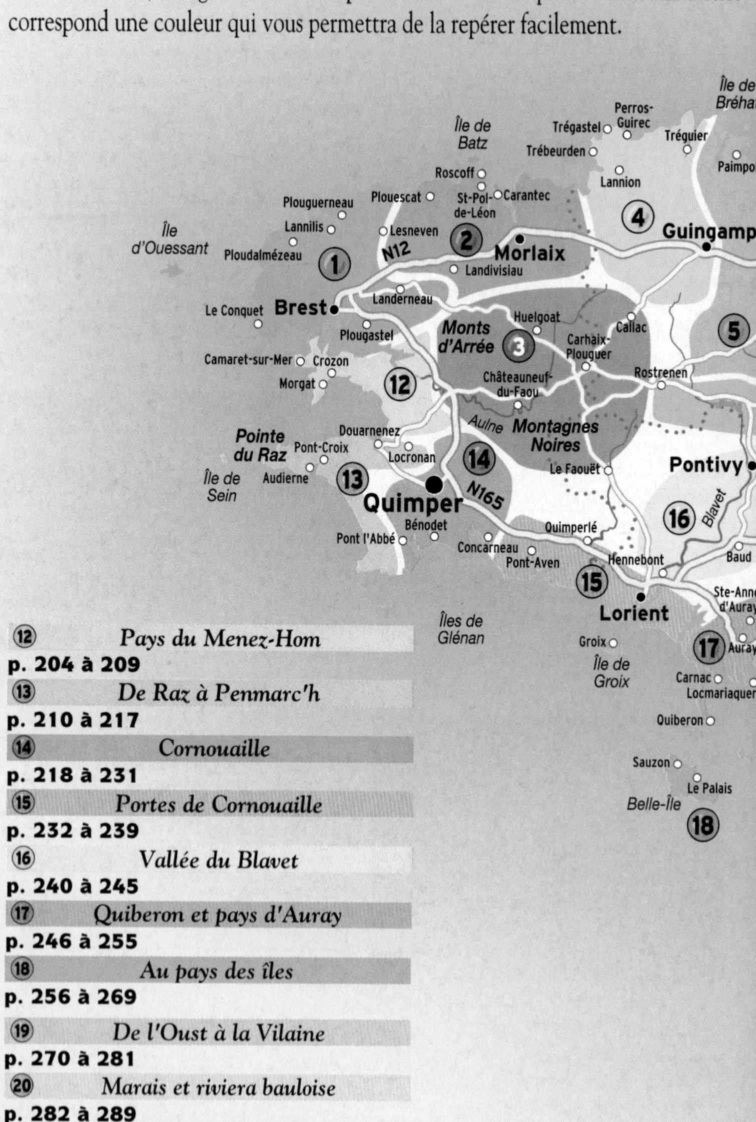

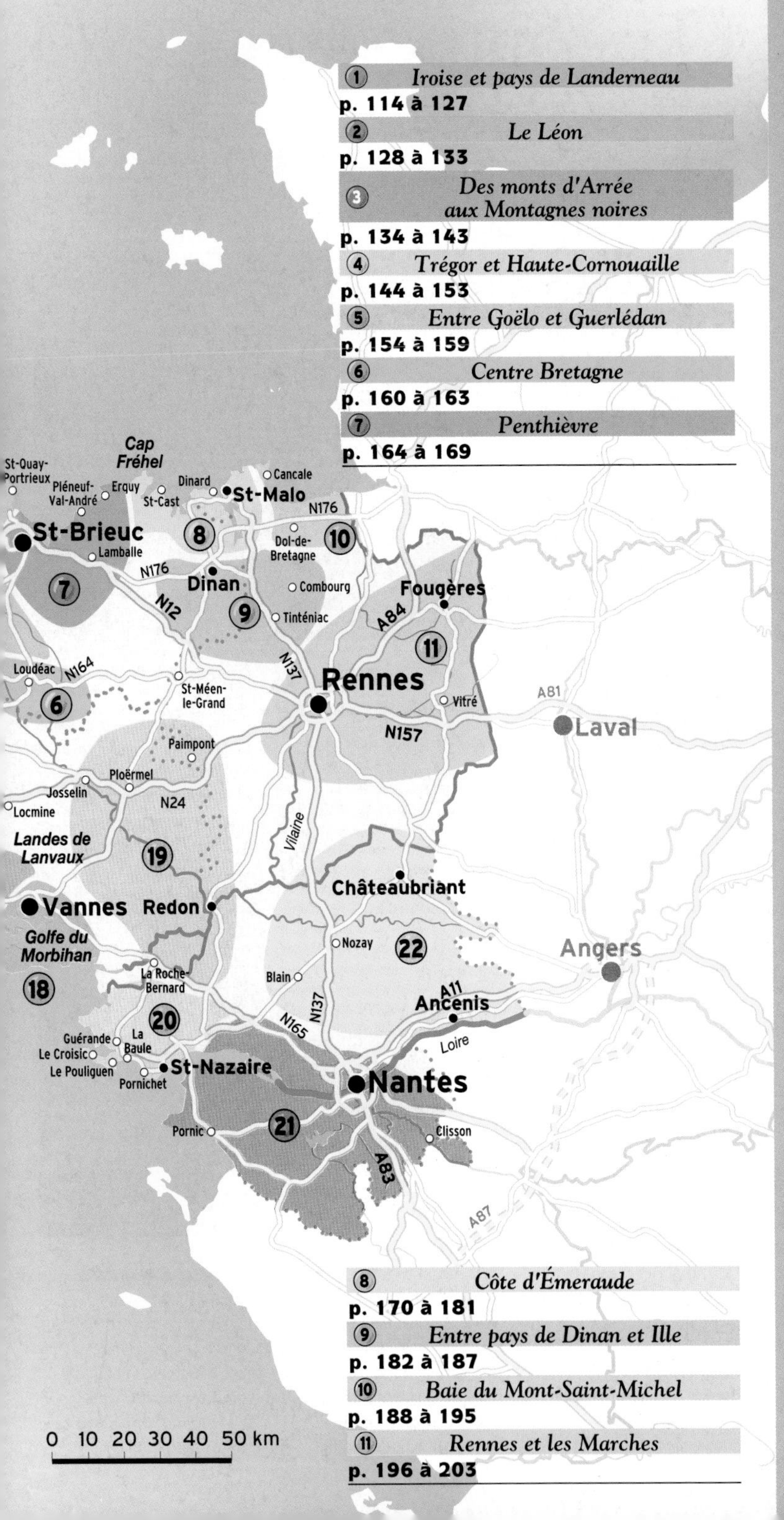
1 Iroise et pays de Landerneau
p. 114 à 127
2 Le Léon
p. 128 à 133
3 Des monts d'Arrée aux Montagnes noires
p. 134 à 143
4 Trégor et Haute-Cornouaille
p. 144 à 153
5 Entre Goëlo et Guerlédan
p. 154 à 159
6 Centre Bretagne
p. 160 à 163
7 Penthièvre
p. 164 à 169
Cap Fréhel
St-Quay-Portrieux
Pléneuf-Val-André
Erquy
St-Cast
Dinard
Cancale
St-Malo
N176
St-Brieuc
Lamballe
Dol-de-Bretagne
Dinan
N12
Combourg
Tinténiac
Fougères
A84
Loudéac
N164
St-Méen-le-Grand
N137
Rennes
Vitré
A81
Laval
N157
Paimpont
Ploërmel
Josselin
Locmine
N24
Landes de Lanvaux
Vilaine
Châteaubriant
Vannes
Redon
Golfe du Morbihan
Nozay
Angers
La Roche-Bernard
Blain
A11
Ancenis
N165
Guérande
La Baule
Le Croisic
Le Pouliguen
Pornichet
St-Nazaire
Loire
Nantes
Pornic
Clisson
A83
A87
0 10 20 30 40 50 km
8 Côte d'Émeraude
p. 170 à 181
9 Entre pays de Dinan et Ille
p. 182 à 187
10 Baie du Mont-Saint-Michel
p. 188 à 195
11 Rennes et les Marches
p. 196 à 203

Ouessant, terre lointaine…

C'est le bout du bout du monde, un lieu magique où la mer, la terre et le vent communient sous le regard de l'homme qui s'accommode de la formidable puissance des éléments. Les habitants d'Ouessant ont toujours vécu dans une autarcie presque totale, les hommes partant sillonner les mers, les femmes tirant ce qu'elles pouvaient d'une terre aride. Ouessant, du fait de l'absence fréquente et longue des hommes, a toujours été une société dominée par les femmes. Un exemple? Jusqu'au début du XXe s., c'étaient elles qui demandaient les hommes en mariage ! Et nul n'aurait toléré qu'il en fût autrement.

Comment y aller ?

Du littoral (les départs se font de Brest), deux compagnies (**Penn Ar Bed** ☎ 02 98 80 24 68 et **Finist'Mer** ☎ 02 98 89 16 61) assurent les liaisons maritimes avec l'île. Une seule compagnie aérienne, **Finist'air** (Aéroport de Brest-Guipavas ☎ 02 98 84 64 87), assure une liaison par avion. Arriver à Ouessant par les airs est un plaisir court (20 min), mais c'est surtout un souvenir inoubliable. Vous aurez d'abord l'impression que l'avion va se poser sur une gigantesque masse d'écume, puis, peu à peu, vous distinguerez le petit terrain au bord de l'eau. Quand l'appareil est dans l'alignement de la piste, vous aurez alors la certitude qu'il va se poser sur l'Océan. Pas d'inquiétude, le pilote a l'habitude !

Un site sauvage préservé

Il n'y a pas de voitures sur l'île. On circule à pied ou à bicyclette (rens. à l'office de tourisme, place de l'église, ☎ 02 98 48 85 83). L'île est un site classé « réserve de biosphère d'Iroise ». On n'y tolère aucune pollution. Un circuit d'une dizaine de kilomètres part de l'église de **Lampaul** en direction de la

Grand'Roche, énorme brise-lames naturel trônant au milieu d'une petite baie, puis rejoint le **petit port de Bougezenn**, où des treuils remontent les bateaux au sec pour des réparations. Vous apercevez ensuite le magnifique site de la **pointe du Pern**, puis le fameux **phare de Créac'h**. Retour à Lampaul par le petit village de **Niou Uhella**.

Le phare de Créac'h

☎ 02 98 48 80 70 ou ☎ 02 98 48 85 83.
Ouv. t. l. j. mai-sept., 10 h 30-18 h 30. Hors saison, 14 h-16 h, sf lun.
Accès payant.
Créac'h abrite le **musée des Phares et Balises**. On y retrace l'histoire et les progrès accomplis en matière de signalisation maritime depuis l'Antiquité. Nul autre site que celui-ci n'était susceptible de recevoir un tel musée, les rochers d'Ouessant ayant été le théâtre de nombreux naufrages.

L'écomusée d'Ouessant

Maison du Niou Uhella
☎ 02 98 48 86 37 ou ☎ 02 98 48 85 83.
Ouv. t. l. j. mai-sept., 10 h 30-18 h. Hors saison, 14 h-16 h, sf lun.
Accès payant.
Vous êtes dans une maison ouessantine telle qu'elle se présentait au milieu du XIXe s. Vie quotidienne et traditions îliennes vous seront expliquées en détail. Vous trouverez également des explications quant à la taille minuscule des animaux ouessantins, chevaux, vaches, moutons… Mis à part les moutons noirs, ces bêtes ont aujourd'hui disparu.

La foire aux moutons

Il fait froid, le vent souffle en trombes, la pluie frappe durement, la mer est déchaînée : c'est un temps de février sur l'île. Le 1er mercredi du mois, on rassemble les moutons qu'on a lâchés à la Saint-Michel (29 septembre) et chaque propriétaire reconnaît son bien à une marque faite à l'oreille. Les moutons non reconnus sont vendus aux enchères et l'argent va aux îliens qui ont souffert des dégâts causés par l'hiver. C'est la tradition communautaire de l'île. Les touristes sont bien sûr rares à cette époque de l'année. C'est pourtant le meilleur moment pour ressentir la solidarité qui anime l'âme ouessantine.

Repères

A2

Activités et loisirs

Balades à pied ou a vélo
Le centre ornithologique
Le phare de Créac'h
La foire aux moutons

Office de tourisme

Ouessant : ☎ 02 98 48 85 83

Centre ornithologique

Centre d'étude du milieu
☎ 02 98 48 82 65.
Ouessant est un site naturel remarquable pour l'étude des oiseaux, notamment en automne, quand les migrateurs font étape sur l'île. Le Centre d'étude du milieu vous propose des séjours ou des stages pour parfaire vos connaissances en ornithologie, mais aussi en entomologie et en botanique. Certains stages sont programmés à l'avance, mais vous pouvez aussi mettre sur pied un séjour à votre convenance. Le centre pourra s'occuper de votre hébergement.

Le Conquet et la pointe Saint-Mathieu

le bout de la France

L'endroit est assez couru et il faudra sans doute réserver, mais il faut absolument aller déguster un plateau de fruits de mer, au crépuscule, au restaurant de la pointe Saint-Mathieu (☎ 02 98 89 00 19). La nuit tombant, vous allez voir les quinze phares des alentours s'allumer successivement. À la fin du repas (menus de 155 à 400 F), ne manquez pas la petite promenade au pied du phare et autour des ruines de l'abbaye. La lumière des étoiles, l'éclat des phares, le vent et le bruit de la mer, une trentaine de mètres plus bas. Vous entrez dans un monde féerique.

Le Conquet, petit port de pêche

C'est un port d'une incroyable activité. Est-ce dû à sa taille restreinte ? Peut-être. Mais plus sûrement encore au fait que la pêche est ici, depuis toujours, la seule activité économique ou presque. La vie du village est axée autour du port. Attardez-vous à l'une des terrasses qui lui font face et laissez vos yeux errer d'un bateau à l'autre, d'un oiseau à un casier. Le temps paraît court. La petite cité du Conquet et ses ruelles en pente appellent à la flânerie. Rendez-vous par exemple jusqu'à l'**atelier Botou Koat** (☎ 02 98 89 12 08), face à l'église, où vous dénicherez sûrement un petit objet breton en cuir ou en émail, pourquoi pas une paire de sabots ?

La pointe de Kermorvan et la pointe de Corsen

Par une jolie passerelle suspendue, à la sortie du Conquet, vous rejoignez la presqu'île qui domine la plus longue plage de la région : la **plage des Blancs-Sablons**, 2 km de long, coincée entre des falaises qui l'abritent du vent. Mais avant d'aller vous étendre, ne manquez pas le panorama sur l'Océan. La **pointe de Corsen**, au nord, peut être rejointe par un sentier de randonnée. Là, vous êtes vraiment au bout du bout de la France. Symbolisant son isolement, deux panneaux indicateurs vous signalent Moscou à 3 010 km à l'est, et New York à 5 080 km à l'ouest. Cela vaut bien une photo.

La vedette « Aquafaune »

☎ 02 98 89 17 66.
T. l. j. d'avr. à oct, sur réservation.

Une petite balade dans l'**archipel de Molène** ? C'est à bord de la vedette *Aquafaune*, un bateau à vision sous-marine, qui vous emmène à la découverte des fonds marins autour des îles Béniguet, Queménès, Trielen, Molène et Balanec : pour observer phoques et dauphins dans leur milieu naturel. Trois types de programme sont prévus, dont un avec escale à Molène.

L'embarquement se fait au môle Sainte-Barbe, port du Conquet.

L'anse de Bertheaume

Visite t. l. j. en saison.
C'est un endroit abrité qui compte plusieurs plages bien sympathiques, dominées par une forteresse impressionnante. Le fort de Bertheaume est justement surnommé le Fort du bout du monde.
Son aspect désolé et la violence des éléments qui se déchaînent autour vous feront comprendre pourquoi.

Le Trez-Hir

Saint-Trop' sur-Rade

Env. 7 km à l'E. du Conquet
C'est la villégiature préférée des Brestois, là où ils ont parfois une maison de campagne, en raison de la proximité de la ville. C'est aussi le nom de la plus grande

plage qui s'étend sous la protection du fort de Bertheaume. La minuscule station de Trez-Hir est assez branchée. C'est carrément Saint-Trop'-sur-Rade.

Repères

A2

Activités et loisirs

Randonnée sur le littoral
La vedette *Aquafaune*

Avec les enfants

La ferme de Keringar

Office de tourisme

Le Conquet :
☎ 02 98 89 11 31

La ferme de Keringar

En redescendant sur Le Conquet, pourquoi ne pas faire une petite halte à la ferme de Keringar (Lochrist, Le Conquet, ☎ 02 98 89 09 59). C'est à la fois un espace de jeux et de découverte de la vie rurale pour les enfants de 4 à 12 ans. Plusieurs espèces d'animaux en voie de disparition sont élevées ici. Les enfants peuvent apprendre les différents travaux de la ferme, mais aussi le tissage ou la vannerie… Des minicamps sous tipi sont organisés, avec un encadrement qualifié. Et pour les parents ? Les produits de la ferme sont en vente, à leur disposition.

La côte des abers
les fjords à l'armoricaine

Un aber est une avancée de la mer dans les terres « navigable et accessible à toutes les heures de la marée », ce qui le différencie des rias

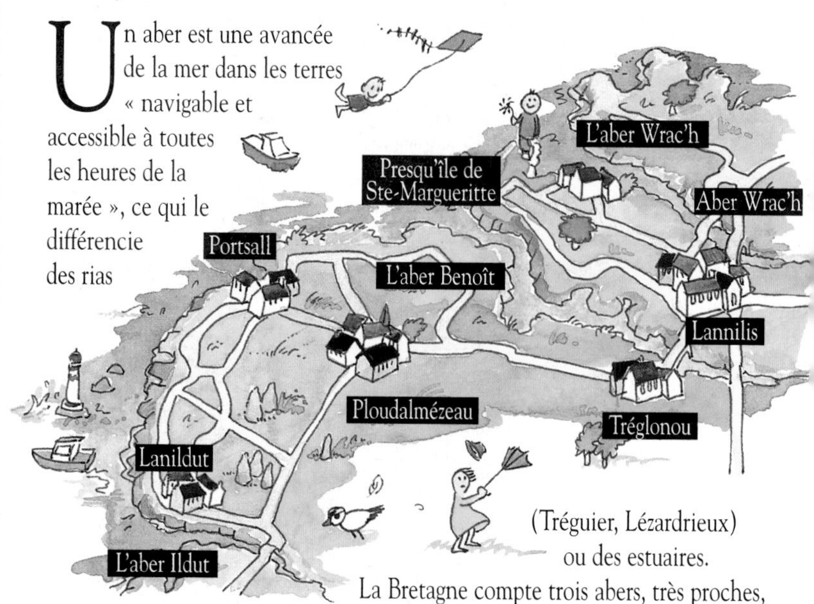

(Tréguier, Lézardrieux) ou des estuaires.
La Bretagne compte trois abers, très proches, Wrac'h, Benoît et Ildut, qui rivalisent de charme. Abri naturel de premier ordre, l'aber protège des petits ports de cabotage dont l'heure de gloire commerciale est souvent passée mais qui ont su conserver cachet et authenticité.

Tréglonou

Quelques kilomètres à pied...

Du fond de l'aber Benoît, à Tréglonou, part un sentier de randonnée qui rejoint la mer, offrant une succession de points de vue superbes et particulièrement prisés des amateurs d'oiseaux. La balade à marée basse permet de reconnaître, dans la vasière, de nombreux hérons cendrés, des aigrettes et des chevaliers. De nombreux autres circuits de randonnée existent (brochure disponible à l'office de tourisme de Lannilis, 1, place de l'Église, ☎ 02 98 04 05 43).

Lannilis

Au-dessus des abers

Lannilis est une jolie petite cité située entre l'aber Wrac'h et l'aber Benoît. Sa spécialité ? Les huîtres, que vous pourrez déguster directement chez l'ostréiculteur **Bescond** (Beg ar Vill, le Passage, Landéda, ☎ 02 98 04 93 31). C'est de Lannilis que part le fameux pont Krach, dallé dès l'âge du fer et pour lequel un meunier signa un pacte avec le diable

afin de ne plus avoir à contourner l'aber pour livrer sa farine. De là, un petit sentier en boucle permet de découvrir les berges de l'aber.

L'aber Benoît

Au pays des moulins

On en a compté plus de 100 en activité au même moment, à la fin du XIXe s., qui fournissaient toute la région en farine. Surplombant la rivière, ces moulins sont aujourd'hui devenus des résidences secondaires, des restaurants… mais leur caractère et leur architecture sont restés immuables. Une balade fléchée est possible à partir du **moulin de Mesnaod**.

Repères

A2-B2

Activités et loisirs

Circuits de randonnées
En bateau dans l'aber Wrac'h
L'aber Ildut en kayak
Plongée dans l'aber

À proximité

Saint-Pol (env. 50 km E.), p. 130

Office de tourisme

Lannilis : ☎ 02 98 04 05 43

L'aber Wrac'h

En bateau

C'est le plus connu et le plus grand des trois. Quand la fée Wrac'h lui donna son nom, elle ne se doutait pas que l'endroit allait devenir l'un des sites touristiques les plus fréquentés de Bretagne Nord.

Au fil des marées montantes et descendantes, l'aber Wrac'h change de couleurs et de paysages. L'**excursion en mer** est un excellent moyen de découvrir la majesté du lieu (office de tourisme de Lannilis, 1, place de l'Église, ☎ 02 98 04 05 43). Si vous n'avez pas le pied marin, rabattez-vous sur la **superbe plage** de la presqu'île Sainte-Marguerite, pour une longue balade au milieu des dunes, ou bien sur le petit **port de L'Aber-Wrac'h** et sa baie des Anges, très animés en saison.

Une plongée dans l'aber

Port de L'Aber-Wrac'h
☎ 02 98 04 81 22

Successivement vaseux, rocailleux puis sableux, les fonds marins des abers sont parmi les plus divers de Bretagne. C'est peut-être le moment de tenter une petite plongée, bien à l'abri du vent et de la houle, entre les berges rassurantes.

Portsall

De sinistre mémoire

Les rochers de Portsall sont le symbole de la plus grande marée noire que connut la Bretagne. Le 16 mars 1978, l'*Amoco-Cadiz* sombrait corps et biens, laissant échapper de son ventre ouvert 220 000 t de pétrole brut. Bien sûr, toute trace en surface a aujourd'hui complètement disparu. Mais au fond de l'eau, certaines espèces végétales et animales sont perdues à jamais. Même si les Bretons ont été indemnisés, un procès est toujours en cours pour établir les responsabilités. Au bout du môle de Portsall, l'ancre gigantesque de l'*Amoco* rappelle cette catastrophe.

En kayak

À l'entrée de l'aber Ildut, la charmante petite ville de Lanildut n'est pas moins que le premier port goémonier d'Europe. C'est un spectacle à la fois ravissant et étonnant de voir ces chaloupes chargées à ras bord rentrer au port en début d'après-midi avec leur étrange moisson. Certains vont prospecter les champs d'algues jusqu'aux alentours d'Ouessant ! Pour goûter au mieux le charme de l'aber, explorez-le en kayak de mer. Le centre nautique de Lanildut propose des visites guidées (☎ 02 98 04 40 56).

Brest, dernier arrêt avant l'Amérique !

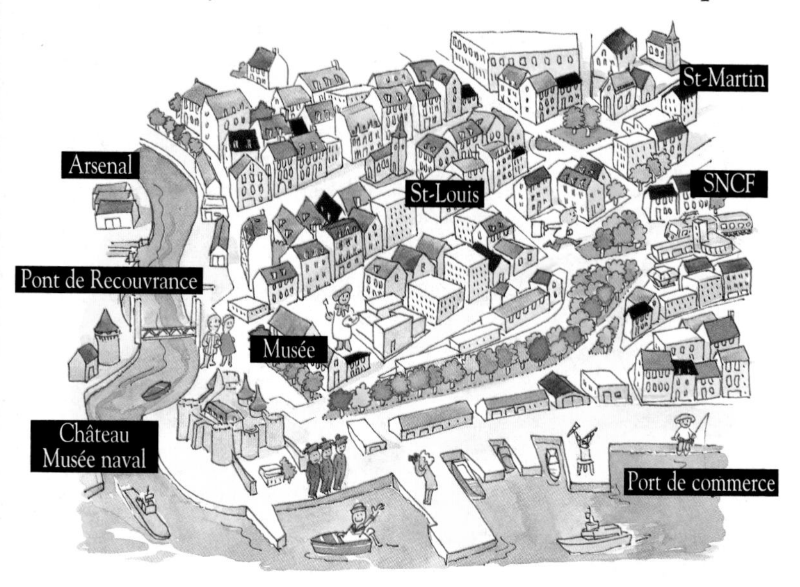

C'est le port français le plus avancé vers le continent américain, un site stratégique de première importance. Brest est une ville méconnue. Elle mérite le détour. Lieu de légende, Brest est marqué par l'esprit des gens du bout du monde et un sens de l'hospitalité prononcé. C'est aussi le point de départ de plusieurs circuits, notamment celui de la route des phares.

L'arsenal et la rade

Porte de la Grande-Rivière
☎ 02 98 22 23 68.
Ouv. t. l. j. 15 juin-15 sept. et vac. scol., 9 h-11 h et 14 h-16 h.
Accès gratuit (carte d'identité obligatoire).

L'arsenal est le symbole de la ville. Brest est la préfecture maritime de la plus grande façade littorale française, de Granville à Biarritz. Les deux autres sont Cherbourg pour le Nord et Toulon pour la Méditerranée. Avisos, frégates, navires antimines, porte-hélicoptères, porte-avions, sous-marins nucléaires : la plus grande partie de la flotte française de guerre est amarrée ici. C'est sa situation exceptionnellement abritée, au fond d'une rade close, qui décida les Romains, puis Richelieu, Colbert, et enfin de Gaulle à la renforcer sans cesse dans sa vocation de place forte militaire. Cette rade, vaste amphithéâtre marin de 150 km², s'offre à la vue du haut de ses belvédères naturels ou aménagés : le belvédère de Sainte-Anne du Portzic, le jardin de Kerbonne, le cours Dajot, le pont Albert-Louppe ou la pointe des Espagnols. Autre point de vue, au fil de l'eau, avec les vedettes armoricaines (☎ 02 98 44 44 04).

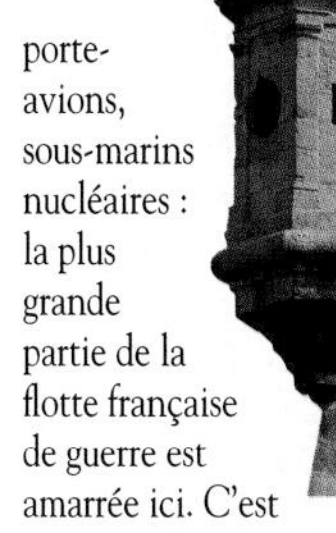

Repères

B2

Finistère

Activités et loisirs

Les vedettes armoricaines
Le musée de la Marine
Les Jeudis du Port
Océanopolis
Le Festival du film court

À proximité

Monts d'Arrée (env. 40 km E.), p. 134,
Landévennec (50 km), p. 206
Châteaulin (46 km S.-E.), p. 208

Office de tourisme

Brest : ☎ 02 98 44 24 96

Le château

Musée de la Marine
☎ 02 98 22 12 39.
Ouv. t. l. j. sf mar., 10 h-12 h et 14 h-18 h.
Accès payant.

Le château de Brest, oppidum romain en l'an 300, est l'un des plus beaux de France. C'est aujourd'hui le siège du musée de la Marine.
Un sous-marin miniature a été reconstitué, voisinant avec quelques voiliers, un bateau de boat-people… Belles collections de

Sortir le soir

Le Quartz (☎ 02 98 44 33 77) est le théâtre d'avant-garde. Il compte plus de 10 000 abonnés et reçoit plus de 250 000 spectateurs par an. La liste des spectacles est mise à jour à l'office de tourisme (av. Georges-Clemenceau, BP 24, ☎ 02 98 44 24 96). Côté cinéma, Brest organise chaque année, vers le 15 novembre, le Festival du film court qui réunit les meilleurs courts-métrages français. Brest est aussi le siège, depuis 1995, de la cinémathèque de Bretagne, installée dans la rotonde du Quartz.

maquettes, de tableaux, de sculptures et d'instruments de navigation actuels ou anciens…

Le Moulin-Blanc, plaisance et nautisme

C'est un port de plaisance fréquenté, dont il fait bon arpenter les pontons pour admirer les nombreux bateaux de course qui sont amarrés à demeure ou simplement de passage. Il abrite aussi le centre nautique municipal (☎ 02 98 34 64 64). En été, les **Jeudis du port** attirent la foule. À partir de la fin de l'après-midi, concerts et spectacles gratuits, théâtre de rue, chansons de marins…, animent les quais et les rues adjacentes (programme disponible à l'office de tourisme). Le Moulin-Blanc, c'est aussi une plage de sable blanc abritée.

Recouvrance

Tel est le nom du plus grand pont levant d'Europe et d'un des quartiers animés de la ville, surtout le soir. Les filles à matelots qui arpentaient ses trottoirs ont aujourd'hui

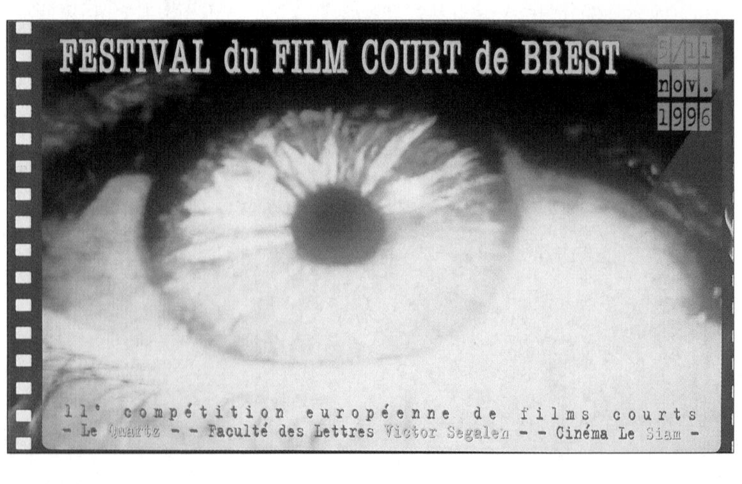

disparu (encore que…), mais le quartier exerce toujours la même fascination sur les noctambules. Au coin de la rue Borda, le petit bar-tabac est sans doute le seul de Bretagne à ne jamais fermer sa porte avant 6 h du matin. De Recouvrance à la rue de Siam, il n'y a qu'un pas, qui vous mènera vers les restaurants, les cafés-concerts, les discothèques et les pubs. L'un

des plus réputés pour son large choix de bières et de whiskies est le **Thalassa** (6, rue de Siam, ☎ 02 98 44 13 71).

Le quartier Saint-Martin

C'est là que se retrouvent les étudiants brestois. À ne pas manquer : les deux pubs irlandais de la rue de Glasgow. On écoute les Rolling Stones au **World's End Pub**, les Pogues et Sinead O'Connor au **Dubliners**. Dans les deux cas, la bière est excellente. Le jour levé, le quartier reprend sa vocation de place des Halles dans une ambiance très animée.

OCÉANOPOLIS

Port de plaisance du Moulin-Blanc
☎ 02 98 34 40 60.
Ouv. 1er sept.-15 juin, lun. 14 h-17 h, mar.-ven. 9 h 30-17 h, w.-e. et j. fér. 9 h 30-18 h. ; 15 juin-31 août. : t. l. j., 9 h 30-18 h.
Accès payant.

Océanopolis est la vitrine technologique et scientifique de Brest. Vous y découvrirez la mer comme vous ne l'avez jamais vue. Sous tous ses aspects (tempêtes, calmes, ouragans…), elle est reconstituée dans des aquariums dont le volume total atteint 500 000 l ! Les fonds marins bretons vous sont bien sûr expliqués dans le détail. Phoques, murènes, poissons pierres : vous avez ici la possibilité de tout savoir sur tout ce qui vit, remue, bouge, sous ou sur l'eau dans n'importe quel point de la planète. C'est aussi le plus grand aquarium marin à ciel ouvert.

Pas de bruit dans Landerneau…

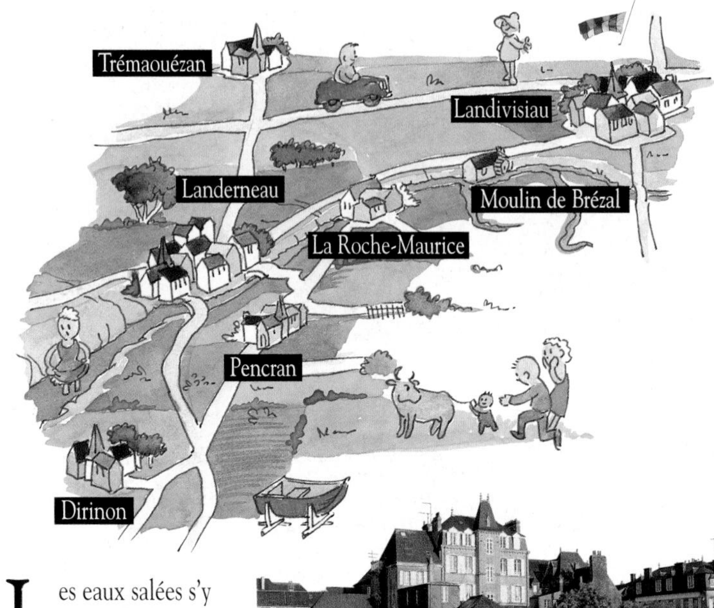

Le pont de Rohan

Les eaux salées s'y mêlent aux eaux douces – la marée remonte deux fois par jour jusqu'au pont de Rohan, l'un des derniers ponts habités d'Europe, dont l'architecture actuelle date de 1510. Autant dire que nous sommes ici au pays de la pêche. Mais Landerneau, c'est encore une ville aux belles demeures en pierres ocre doré. Au fait, l'expression « Faire du bruit dans Landerneau » provient probablement de la tradition médiévale du charivari qui consistait à aller tambouriner sur des chaudrons et des casseroles sous les fenêtres d'un couple récemment marié.

Les saumons de l'Élorn

Depuis quelques années, on pêche de nouveau des saumons ainsi que des truites dans l'Élorn, rivière classée en catégorie 1 et réputée pour être l'une des mieux gérées de France. En début d'année, cuillers et leurres artificiels donnent les meilleurs résultats. Ensuite, optez pour la crevette (saumon) et la mouche fouettée. Les périodes les plus fastes pour le « guennig » (saumon d'été) vont de mars à juillet, puis septembre. Enfin, n'oubliez pas que qui dit pêche dit adhésion à une association agréée pour la pêche et la protection du milieu aquatique (rens. p. 39).

Le Comptoir des produits bretons

☎ 02 98 21 35 93.

Sur le principe bien connu des comptoirs irlandais ou des maisons de Bavière, le Comptoir breton vous offre tout ce qui se fabrique, se mange ou se crée dans la région. Une riche

idée abordable, quai de Cornouaille, où vous découvrirez bien un joli souvenir à 50 F, une faïence à 100 F ou même un tableau à 1 000 F.
Le comptoir breton est aussi une vaste galerie d'art où la mémoire d'un peuple s'exprime et se perpétue.

Les enclos paroissiaux des environs

Il y en a quatre. Celui de **Trémaouézan** est le plus simple. Celui de **Pencran** possède un ossuaire qui fut longtemps utilisé par les habitants comme… bureau de tabac ! Celui de **Dirinon** est dédié à sainte Nonne, qui s'y réfugia au Ve s. après avoir été abusée par un seigneur gallois. Celui de **La Roche-Maurice** est l'occasion de voir une représentation sculptée de l'Ankou, messager de la mort.

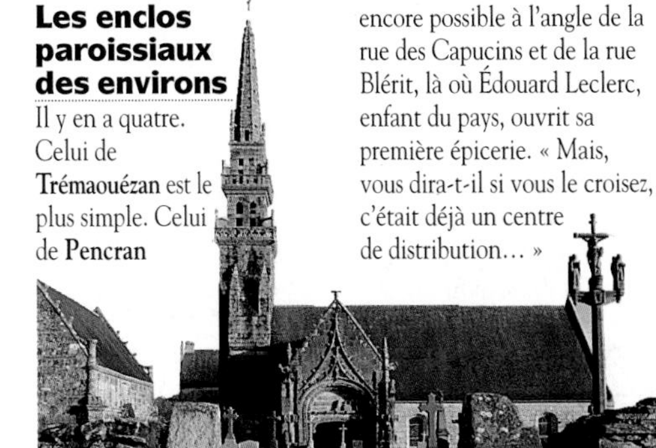
L'enclos de l'église de Pencran

Un marché en musique

Ça c'est une idée ! Faire ses courses en écoutant **Dan Ar Braz**, **Allan Stivell** et les autres. C'est une idée que les Landernéens mettent en pratique chaque samedi d'été, le jour du marché. C'est tout de même mieux que d'aller faire ses courses chez Leclerc. Quoique… Celui de Landerneau est très particulier. C'est le tout premier. Bien sûr, depuis, il a déménagé pour s'installer dans le nord de la ville. Mais le pèlerinage est encore possible à l'angle de la rue des Capucins et de la rue Blérit, là où Édouard Leclerc, enfant du pays, ouvrit sa première épicerie. « Mais, vous dira-t-il si vous le croisez, c'était déjà un centre de distribution… » Édouard Leclerc se bat actuellement pour rouvrir, sur cet emplacement même, un centre rénové.

Repères

B2

Activités et loisirs

Le port en fête
Pêche en rivière

À proximité

Morlaix (36 km N.-E.), p. 132,
Les monts d'Arrée (env. 30 km S.-E.), p. 134.

Office de tourisme

Landerneau :
☎ 02 98 85 13 09

Le port en fête

Le port de Landerneau, situé sur l'Élorn, dépend de la marée. C'est pourquoi s'y trouver au moment du déchargement du sable des vraquiers est un vrai spectacle. La vitesse est impressionnante car il faut vite retourner à Brest avant que les eaux de l'Élorn ne baissent. Quand elles montent, il est bon de déjeuner dans l'un des petits restaurants situés sur le pont de Rohan. L'eau s'engouffre littéralement entre les piliers du pont. Nul besoin de musique.
À propos de musique : si vous vous trouvez dans le coin aux environs de la fin juillet, ne manquez pas la Fête du port. De nombreuses animations sont organisées sur les quais et tout cela finit en un joyeux fest-noz.

Plougastel-Daoulas
cité de la fraise

La presqu'île de Plougastel compte environ cent soixante petits villages disséminés à travers une lande rouge et jaune que parcourent plus de cent vingt kilomètres de sentiers de randonnée particulièrement appréciés des amateurs en raison de leur caractère à la fois campagnard, forestier et maritime. Plougastel, c'est aussi le siège du plus beau calvaire de Bretagne, érigé en 1589 pour conjurer une épidémie de peste. Il est décoré de plus de cent quatre-vingts figurines sculptées.

La fraise

Sa renommée, c'est d'abord à la culture de la fraise que Plougastel la doit. Une terre à la fois riche en minéraux et en éléments sablonneux est à l'origine de son goût irrésistible. Le savoir-faire des producteurs a fait le reste. Plusieurs exploitations peuvent être visitées, la liste est disponible à l'office de tourisme (6 *ter*, pl. du Calvaire, ☎ 02 98 40 34 98). À Ty Neol, sur la commune de Loperhet, Pierre et Madeleine Rolland vous proposent de venir vous-même récolter les fameux fruits, à travers les allées plantées de leur exploitation. Il vous en coûtera 12 F le kg.

Brève histoire de la fraise

C'est un certain Amédée-François Frézier, directeur des fortifications de Bretagne, siégeant à Brest en 1740, qui introduisit le fameux fruit à Plougastel. De ses nombreux voyages en Amérique du Sud, il avait notamment ramené quelques plants de la fameuse Blanche du Chili. Il en fit planter quelques pieds dans les jardins de l'hôpital, mais un infirmier malin, originaire de Plougastel, en subtilisa quelques exemplaires pour les tester sur ses terres de Kéraliou. Fréquentant régulièrement la région, les notables anglais l'adoptèrent et… lui firent faire le tour du monde,

Calvaire de Plougastel

UN DIMANCHE À PLOUGASTEL

Ce sont les « Arts et Musique au cœur de Plougastel » qui animent les matinées du dimanche de la petite cité. Manifestation traditionnelle, elle a l'apparence d'un marché, mais sa dimension artistique lui est donnée par les nombreux peintres, chanteurs ou jongleurs venus se mêler aux artisans de la région, potiers, vanniers, cordiers, pour reconstituer, avant la messe une foire dominicale comme en connut le bourg par le passé. Le travail des artisans est effectué devant vous. Rens. à l'office de tourisme : ☎ 02 98 40 34 98.

vantant ses qualités qui font qu'aujourd'hui, encore, les avions décollent de Brest avec leur chargement à destination des plus grandes tables de la planète.

Le pont Albert-Louppe

Dans les années 1930, c'était la seule liaison directe de la presqu'île avec Brest. Aujourd'hui le pont est fermé à la circulation automobile. De ce fait, il est devenu un but de randonnée pédestre ou cycliste. Le panorama sur l'estuaire de l'Élorn et sur la rade de Brest est unique. Pour traverser l'estuaire en voiture, il faut emprunter le tout nouveau pont de l'Iroise situé juste à côté.

Le pont Albert-Louppe est long de 900 m

L'abbaye de Daoulas et son jardin

Jardin botanique
☎ 02 98 25 84 39.
Ouv. t. l. j. de mai à mi-déc.
Accès payant.

Elle était déjà debout du temps de Clovis, vers l'an 500. Le cloître, avec ses fameuses colonnes, date du XIIe s., mais la partie la plus remarquable de l'édifice, parfaitement conservée, reste la vasque aux ablutions. Tout au long de l'été, l'abbaye abrite des expositions.
Elle attire également les visiteurs pour son vaste jardin où poussent plus de 400 plantes médicinales dans un parc paysager de 150 espèces d'arbres. Ce centre botanique a pour vocation de mieux faire connaître ces plantes au public, de favoriser le développement des jardins médicaux et de valoriser l'utilisation des pharmacopées traditionnelles.

Repères

B2

Activités et loisirs

Sentiers de randonnée
Visite d'exploitations fraisières
La route de la pierre
Les dimanches « Arts et Musique »

À proximité

Monts d'Arrée (env. 40 km E.), p. 134,
Landévennec (40 km S.-E.), p. 206,
Châteaulin (45 km S.-E.), p. 208.

Office de tourisme

Plougastel :
☎ 02 98 40 34 98

La route de la pierre

Un circuit de randonnée, dont le plan détaillé est disponible à l'office de tourisme de Plougastel (☎ 02 98 40 34 98), vous conduira sur les traces de Kersanton et Logonna, dont les pierres furent utilisées pour la construction de tous les édifices à partir du XIVe s. Vous aurez même l'occasion de traverser les fameux gisements de Lopheret et de l'Hôpital-Camfrout.

Roscoff
des corsaires aux Johnnies

Un nom dur, une ville douce. Une façade déchirée, un climat serein. Une terre de pêche, une île agricole. Du temps passé, la petite ville a conservé, dans ses ruelles étroites, sur les hautes façades des maisons de pierre des anciens armateurs, sur le Vieux-Quai où il fait bon boire le café du matin, l'âme puissante et le caractère trempé.

Le Jardin exotique, sur l'île de Batz

Un port dynamique et prospère

Criée du port
☎ 02 98 69 79 76.

On disait autrefois ici : « Ni trois ni cent Anglais ne me font peur » pour illustrer la bravoure des corsaires roscovites lancés aux trousses des lourds navires de Sa Gracieuse Majesté.
Aujourd'hui, on accueille le touriste anglais avec tout le respect dû à son goût pour les plaisirs de la terre bretonne.

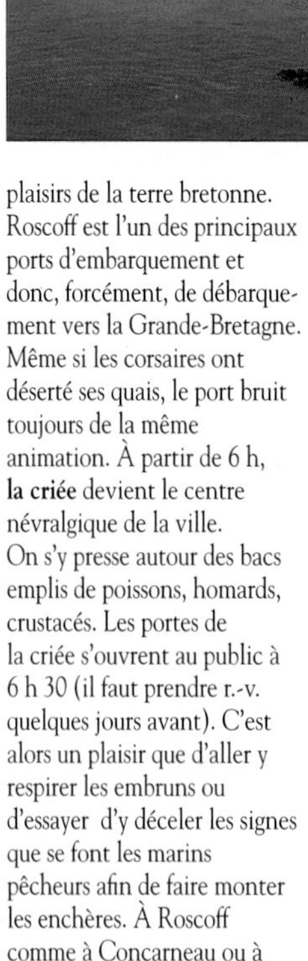

Roscoff est l'un des principaux ports d'embarquement et donc, forcément, de débarquement vers la Grande-Bretagne. Même si les corsaires ont déserté ses quais, le port bruit toujours de la même animation. À partir de 6 h, **la criée** devient le centre névralgique de la ville.
On s'y presse autour des bacs emplis de poissons, homards, crustacés. Les portes de la criée s'ouvrent au public à 6 h 30 (il faut prendre r.-v. quelques jours avant). C'est alors un plaisir que d'aller y respirer les embruns ou d'essayer d'y déceler les signes que se font les marins pêcheurs afin de faire monter les enchères. À Roscoff comme à Concarneau ou à Douarnenez, des circuits sont organisés afin de vous guider dans ce dédale et même de vous faire monter à bord des bateaux, à la rencontre des marins.

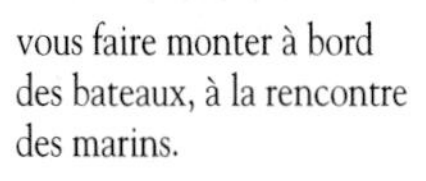

Le monde du Johnny

Chanteur ? Footballeur ? Non. Un Johnny, ici, c'est… un vendeur d'oignons ! C'est une incroyable particularité de Roscoff. L'histoire est née avec l'idée lumineuse d'un certain Henri Ollivier, mécontent de son activité continentale, qui décida un jour de 1828, d'aller vendre ses oignons outre-Manche. Couvert de chapelets, il s'embarqua et en faisant du porte-à-porte, remporta un tel succès que, bientôt, des dizaines, puis des centaines de Roscovites lui emboîtèrent le pas. À ce nouveau type de colporteurs, les Anglais donnèrent le surnom de *Johnny*, c'est-à-dire « Petit Jean ».
Aujourd'hui, quelques Johnnies

perpétuent la tradition. À Roscoff, dans la chapelle Sainte-Anne, sur le port, un **musée** retrace l'incroyable aventure des Johnnies.

Les plages

Elles ne manquent pas autour de Roscoff. La **plage de Traon-Erch** est carrément délicieuse, avec ses airs de crique corse. L'eau y est claire, bleue, verte, transparente comme… en Méditerranée. Le sable y est fin, soyeux, brillant comme… sur une plage bretonne. **Saint-Luc** ou l'**anse de Perharidy**, plus vastes, ont bien sûr aussi leurs adeptes.

Algoplus, dégustation… d'algues

Z.A.D. Bloscon
☎ 02 98 61 14 14.
Ouv. lun.-ven., 14 h-18 h (16 h hors saison).
Visite gratuite guidée.
Il faut parfois vaincre ses réticences pour découvrir de délicieuses nouvelles saveurs. Chez **Algoplus**, on récolte et on transforme les algues en produits de beauté, mais aussi en salades, sauces, condiments… Michel et Monique, fondateurs de l'entreprise, sauront initier les sceptiques à ces nouveaux produits. Récolte, découpage, conditionnement, traitement, la visite de l'entreprise est passionnante.
Et si, décidément, vous ne pouvez vous faire aux haricots marins, rabattez-vous sur les cosmétiques. Pour 5 F, vous pourrez vous offrir un savon aux algues.

L'île de Batz

Nombreux départs quotidiens pour l'île (15 min de traversée), à marée haute sur le vieux port, à marée basse, sur l'estacade. **Compagnie Armein, ☎** 02 98 61 77 75. **Compagnie finistérienne,** ☎ 02 98 61 79 66. La qualité de son sol sableux, son microclimat et la vigilance des hommes ont contribué à conserver à Batz sa réputation d'île-potager. La tradition agricole y est protégée, la voiture interdite et les parcelles soigneusement closes. Batz est une oasis cultivée en pleine mer. Pourtant sa côte découpée ne manque pas de jolies petites criques.
Dès votre descente de l'embarcadère, louez un vélo en face chez J.-Y. Le Saoût ❀ (☎ 02 98 61 77 65) et faites le **tour de l'île** par le phare, puis allez au petit village, où une jolie terrasse vous accordera un moment de répit. Ensuite, direction le **Jardin exotique** Georges-Delaselle (☎ 02 98 61 75 65), où s'épanouit une végétation luxuriante et surprenante, composée de près de 1 500 espèces originaires de tous les continents.
Enfin, accordez-vous une baignade sur l'une des deux petites plages sur la route de la jetée.

Repères

B2

Activités et loisirs

La criée du port
L'observatoire océanologique
L'île de Batz à vélo

À proximité

Landerneau (45 km S.-O.), p. 124,
Monts d'Arrée (env. 45 km S.), p. 134.

Office de tourisme

Roscoff : ☎ 02 98 61 12 13

L'OBSERVATOIRE OCÉANOLOGIQUE

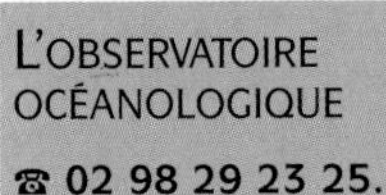

☎ 02 98 29 23 25.

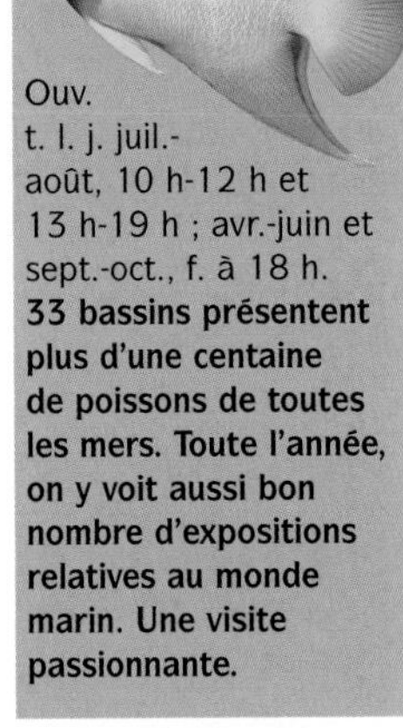

Ouv. t. l. j. juil.-août, 10 h-12 h et 13 h-19 h ; avr.-juin et sept.-oct., f. à 18 h.
33 bassins présentent plus d'une centaine de poissons de toutes les mers. Toute l'année, on y voit aussi bon nombre d'expositions relatives au monde marin. Une visite passionnante.

Saint-Pol-de-Léon

les légumes de la mer

Il fait bon parcourir le vieux Saint-Pol au long des ruelles pavées, autour de la splendide chapelle Notre-Dame-du-Kreisker et de la maison du Pilori (rue du Général-Leclerc), où l'on exposait autrefois les suppliciés. Cette cité marchande tire sa richesse des cultures maraîchères, que viennent aujourd'hui concurrencer les algues. Ses alentours réservent d'agréables promenades, notamment du côté de l'île Callot.

La passe aux Moutons

Cette chaussée sous l'eau à marée haute relie le port de Carantec à l'île Callot. Vous pouvez rejoindre celle-ci à pied sec à marée basse. L'occasion d'une belle balade entre dunes et plages.

La couette de plume : un beau panorama

C'est une promenade à faire quand le soleil descend doucement sur la digue qui relie le petit îlot Sainte-Anne à la terre ferme. Surmontant le petit îlot, un curieux caillou dénommé la « Couette de plume » (une *couette* est une « mouette » en patois). Du haut de ce rocher, la vue s'étend sur toute la baie. C'est aussi une promenade à faire avec les enfants, puisque autour du rocher, un petit parc de jeux est aménagé à leur intention.

La ceinture dorée

Le terme traduit la richesse du pays de Saint-Pol, première région légumière de Bretagne, produisant, entre autres, 70 % des artichauts français et 90 % des choux-fleurs. Le meilleur endroit pour se procurer ces produits de première qualité, c'est le marché du mardi matin. Achalandé, gouailleur et peu cher, il ouvre ses étals tout autour de la cathédrale.

Repères

B2

Activités et loisirs

Plages et cours de natation
Promenade de « la Couette de plume »
Visite des carrosseries Bizien

À proximité

Landerneau (40 km S.-O.), p. 124,
Monts d'Arrée (env. 40 km S.), p. 134.

Office de tourisme

Saint-Pol :
☎ 02 98 69 05 69

LES PLAGES

Autour de l'île Callot, elles sont magnifiques. La plage Sainte-Anne, surveillée et offrant des cours de natation, est la plus fréquentée. Mais, sous les roches de Krec'h an Drez, la très belle plage de Kersaliou séduit aussi par son sable blanc et ses coins abrités. Proche du petit port de Pempoull, la plage du même nom bénéficie d'une digue de protection. Mais autour de l'îlot Sainte-Anne, les anses sont bien agréables. Pour éviter la routine, changez chaque jour de plage !

La chapelle

La chapelle Notre-Dame-du-Kreisker fut construite à partir du XIVe s. Magnifiquement rénovée depuis quelques années, elle possède un clocher gothique et la flèche la plus haute de Bretagne. Prenez de la hauteur !

Carrosseries Bizien

Pl. de l'Europe
☎ 02 98 29 21 00.
Ouv. lun.-ven., 9 h-12 h et 14 h-17 h, sur r.-v.
Visite guidée gratuite.
Le nom est aujourd'hui connu sur toutes les routes d'Europe. Yves Bizien était forgeron quand il se lança, en 1945, dans la fabrication de camions, transformant de ce fait la forge familiale – on fabriquait avant la guerre des charrettes destinées au transport de légumes dans la région – en atelier moderne. Vous aurez la possibilité d'assister à tous les stades de la production, de la fabrication des immenses portes en polyester à la peinture décorative des panneaux latéraux (paysages, dessins, portraits…), en passant par la découpe et le montage.

Morlaix la belle

Ses marins, excellents navigateurs, étaient redoutés des navires anglais. Il faut dire que leur devise était : « S'ils te mordent, mords-les. » Du 15 juillet au 15 août ont lieu les **Mercredis en fête** de Morlaix (rens. à l'office de tourisme, place des Otages, ☎ 02 98 62 14 94), qui réunissent, dès la fin de l'après-midi, saltimbanques, jongleurs, comédiens, musiciens et artistes en tout genre.

À l'ombre du viaduc

La grimpette par la venelle de la Roche est raide et vous conduira jusqu'au premier étage du viaduc. Le panorama qui s'offre alors sur la vieille ville et le port est prodigieux. Fleurons de la vieille ville, les fameuses **maisons à lanternes**, uniques au monde, dont certaines remontent au XVe s. – les deux plus belles sont celles de la duchesse Anne, au numéro 9 de la rue du Mur (☎ 02 98 88 23 26, t. l. j. sf dim. et j. fér., 10 h-18 h 30 ; hors saison sur r.-v. ; accès gratuit), et celle de la Grand-Rue.

La corniche

Nul besoin de fréquenter les îles du Pacifique pour découvrir les plus beaux couchers de soleil. Les Morlaisiens vous diront avec raison qu'une promenade sur la route de la Corniche, le long de la rivière de Morlaix, au soleil descendant, est un ravissement. Si la mer monte, vous aurez même la chance d'assister au spectacle majestueux des voiliers louvoyant entre bouées et balises.

Ploujean : sur le chemin de la baie

À quelques kilomètres de Morlaix, le bourg de Ploujean a conservé une atmosphère rurale authentique, petite place, bistrot accueillant, église bretonne. C'est aussi le point de départ d'une **randonnée balisée** autour de la baie de Morlaix : 12 km à partir du manoir de Suscinio (GR 34).

LES DIX PLAGES DE LOCQUIREC

À 17 km au N.-E., cet ancien petit village de pêcheurs vaut le détour pour ses splendides plages de sable fin enchâssées dans les rochers et les falaises. Le Grand Hôtel des bains, construit dans le plus pur style balnéaire des années 1930, a servi de décor au film *Hôtel de la plage*, avec Anne Parillaud et Daniel Ceccaldi.

Venelles de style et bois sculpté...

Suivre le circuit des Venelles est sans aucun doute la façon la plus agréable de visiter Morlaix. Un après-midi par semaine un guide vous contera l'histoire des bois sculptés et des maisons du XVe s. Vous pouvez également vous procurer un plan à l'office de tourisme et flâner place de Viarme, rue Ange-de-Guernisac, rue Longue ou rue Courte !
En été, une balade d'une journée en train et en bateau est organisée. Demandez les billets pour le circuit « à fer et à flots » à la gare ou à l'office de tourisme (100 F/pers.).

La brasserie des Deux-Rivières

1, place de la Madeleine
☎ 02 98 63 41 92.
Visite guidée lun., mar. et mer. à 10 h 30, 14 h et 15 h 30. Hors saison le mer. sur r.-v.
Accès gratuit.

Les brasseurs des Deux-Rivières sont tellement fiers de leur bière, la Coreff, qu'ils s'autorisent le luxe de sélectionner les détaillants qui la distribuent.
Vous n'en trouverez donc pas dans tous les cafés de Bretagne. Cependant, vous aurez sûrement mérité la plus pure cervoise qu'il se puisse trouver au pays d'Obélix à la fin de la visite de cette entreprise installée dans les bâtiments d'une ancienne corderie.

Cidrerie du domaine de Kervéguen

29620 Guimaëc (env. 20 km N.-E.)
☎ 02 98 67 50 02.
Ouv. 10 h 30-12 h et 15 h-19 h sf dim. et j. fér. ou sur r.-v.
Accès gratuit.
Rares sont les endroits où l'on travaille à l'ancienne, comme ici. Même le traitement des pommiers se fait avec des méthodes naturelles. Le cidre mûrit en fût de chêne, rappelant les ambiances des caves de Cognac.

Repères

C2

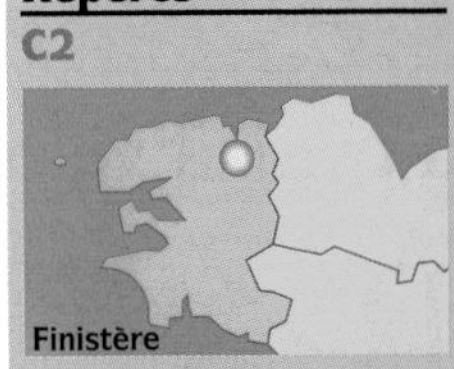

Activités et loisirs

Les Arts dans la rue
Randonnée autour de la baie
Visite d'une cidrerie

À proximité

Les monts d'Arrée (20 km S.), p. 134,
Huelgoat (29 km S.), p. 136,
Lannion (35 km N.-E.), p. 148.

Office de tourisme

Morlaix : ☎ 02 98 62 14 94

La Cave des chouchens

Pen Ar Roz
29650 Plouégat-Moysan (25 km E.)
☎ 02 98 79 21 25.
Le chouchen est une boisson fermentée à base de différents fruits et de miel. On visite la miellerie, la cave de fermentation et l'unité d'embouteillage. Et bien sûr, on déguste le chouchen, mais aussi le miel de lierre ou même de ronce.

Les monts d'Arrée
à pied, à vélo ou… à dos d'âne

Bien sûr, qualifier de monts de simples petites collines qui n'atteignent pas 400 m peut sembler dérisoire. Risible ? Certainement pas. Les monts d'Arrée sont légendaires. Déserts, hantés ou enchantés, ils sont, dans l'imaginaire breton, les portes de l'enfer. Les cimes arides du Roc'h Tredudon ou du Roc'h Trévézel, la dépression du Yeun Elez, les tourbières de Saint-Michel-en-Rivoal, tout concourt à leur faire mériter le nom de monts.

La route des Crêtes

La randonnée est le meilleur moyen de découvrir les monts d'Arrée. Mais attention, vous êtes en montagne. Bien que culminant à 350 m, les monts d'Arrée présentent les mêmes dangers que la montagne. En hiver, il y fait régulièrement très froid. En randonnée, restez le plus souvent sur les sentiers balisés. Ne vous aventurez surtout pas dans les tourbières. Un topo-guide des sentiers de randonnée est disponible à l'office de tourisme de Brasparts. Mais voilà une autre idée sympathique : Cahin Cah'âne (Tromarc'h Brasparts, ☎ 02 98 81 40 69, sur r.-v. uniq.) vous propose une **randonnée avec un âne de bât** qui portera vos pique-niques ou les enfants de moins de 40 kg, à travers sommets, vallons et rivières.

Brennilis

Les castors de Bretagne

En 1968, la rivière Ellez, dans les monts d'Arrée, a été choisie pour l'introduction de castors, à la suite du déclin de la population des castors du Rhône. La Société pour l'étude et la protection de la nature en Bretagne organise des visites guidées sur les traces du célèbre rongeur. Vous ne verrez pas l'un des quarante et quelque individus qui peuplent aujourd'hui la région, car cette population est encore fragile. Mais on vous montrera tellement d'indices de leur présence que vous aurez l'impression de les avoir croisés. Rens. à Bretagne vivante, réserve S.E.P.N.B. Monts d'Arrée, 2, rue du Calvaire, 29410 Le Cloître-Saint-Thégonnec, ☎ 02 98 79 71 98.

Auberge-expo du Youdig, les portes de l'enfer

☎ 02 98 99 62 36.

Claude Le Lann vous conduira dans le Yeun Elez à 5 h du matin, quand l'aube se lève, les animaux s'éveillent et le diable va se coucher. Il vous proposera d'ailleurs de vous accompagner dans toutes vos randonnées pour vous expliquer la faune, la flore, l'histoire, le patrimoine… Annick, sa

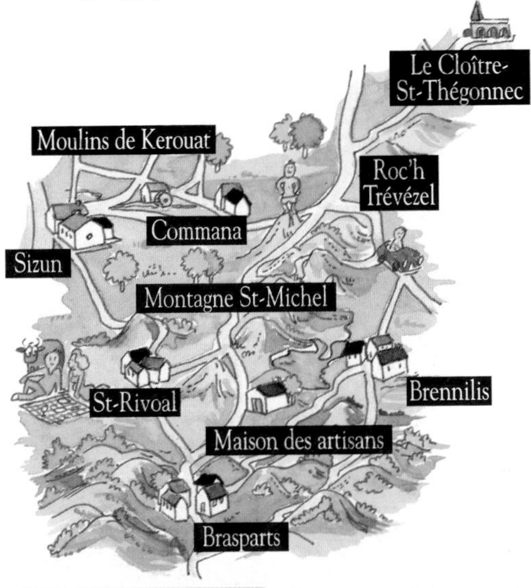

Repères

B2-C2

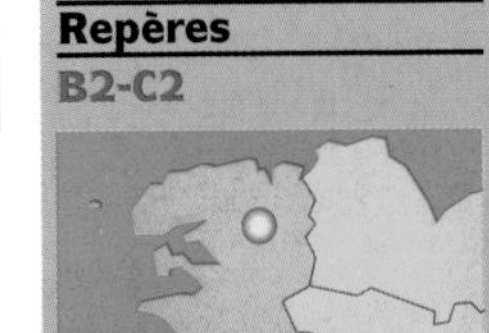

Activités et loisirs

Randonnées pédestres
Les castors de Brennilis
Écomusée de Commana
Pêche à la mouche

À proximité

Landernau (env. 30 km N.-O.), p. 124, Morlaix (20 km N.), p. 132, Châteaulin (env. 35 km S.-O.), p. 208.

Office de tourisme

Brasparts : ☎ 02 98 81 47 06

❀ La Maison de l'Eau, de la Rivière et de la Pêche

Sizun
☎ 02 98 68 86 33.
Ouv. t. l. j. 1er-30 juin, 11 h-18 h, juil.-août, 10 h 30-18 h 30 ; hors saison, téléphoner au musée.
Accès payant.
L'eau, les poissons, la pêche font partie de la vie quotidienne en Bretagne. Leur préservation est essentielle à la survie de la région. La pureté de l'eau, la chaîne alimentaire du poisson, la réglementation de la pêche sont parmi les thèmes abordés. La maison de la rivière organise par ailleurs avec le Parc régional d'Armorique (☎ 02 98 81 08 88), dont font partie les monts d'Arrée, des stages d'initiation à la mouche. Techniques de pêche, montage des mouches : les pêcheurs du pays ne vous cacheront rien, promis.

femme, vous cuisinera, avant la veillée, le fameux *kig ha farz* breton, ou bien un porc braisé au chouchen (900 F par personne pour le week-end, nuit, repas, excursions, sourires... compris).

Commana, un village d'automates qui évoque les vieux métiers du terroir.

Kerouat ... et ses moulins

Écomusée de Commana
☎ 02 98 68 87 76.
Ouv. juil.-août, 11 h -19 h ; hors saison, vac. scol. uniquement, 10 h-16 h .
Sur un site naturel, c'est un petit hameau formé de deux moulins à eau, reconstitués tels qu'ils existaient au siècle dernier. Les outils, l'habillement, la vie quotidienne du meunier... Tous les détails sont respectés. On s'y croirait. À voir également à

Randonnées à dos d'âne (voir page de gauche)

Huelgoat, forêt, pierre et eau

U*hel-Coat,* « le bois d'en haut », a donné son nom à l'une des principales clairières de la forêt magique de Brocéliande, qui s'étendait alors sans discontinuer. Centre de garnison dès l'Antiquité, le bourg est devenu une place forte sous l'égide de Du Guesclin. Au XIXe s., la fortune d'Huelgoat est née de la découverte de mines de plomb et d'argent désormais fermées. Les carrières de granit, puis le tourisme ont relancé le village qui est aujourd'hui l'un des principaux centres du tourisme vert en Bretagne.

Le lac

Bordant la cité aux maisons d'un gris brillant qu'on ne retrouve qu'à Locronan, le lac est un but de promenade sympathique pour ceux qui ne désirent pas se lancer dans l'aventure de la forêt. Il est possible d'y louer des pédalos (rens. à l'office de tourisme de Huelgoat, place Alphonse-Penven, ☎ 02 98 99 72 32). Le sentier qui en fait le tour attire tous les pêcheurs de la région car l'endroit est très poissonneux. À quelques minutes de là, dans le parc de l'Hôpital, un jardin botanique vous permettra, explications écrites à l'appui, d'apprendre à distinguer plus de 800 espèces végétales parmi les rosiers-lianes du sous-bois himalayen et les plantes de la cordillère des Andes.

La rivière d'Argent

Elle apparaît, disparaît entre d'énormes blocs de granit glissants, couverts de mousse, contourne ici un chêne centenaire, se perd dans les entrailles du chaos rocheux, renaît dans la forêt, serpente, puis s'effondre en un tumultueux torrent. La rivière d'Argent est, à elle seule, un **spectacle irréel**. De nombreux sentiers balisés percent le chaos, vous emmenant vers la grotte du Diable, le ménage de la Vierge ou la Roche tremblante (une brochure existe à l'office de tourisme). Au cœur de ce grandiose paysage, le moulin du Chaos abrite une exposition permanente (et gratuite) sur la géologie, la faune et la flore de l'endroit.

Le miel d'Huelgoat

5, route de la Roche-Tremblante
☎ 02 98 99 94 36.
Ouv. 8 h-20 h en été ; 10 h-19 h, hors saison.
Accès gratuit.

C'est ici que se prépare l'un des meilleurs miels du monde : solide, liquide, sombre, clair, parfumé ou fleuri, vous aurez l'embarras du choix puisqu'une boutique et une dégustation (gratuite) sont prévues à la fin de la visite. Avant cela, vous aurez eu la possibilité d'assister en détail au fantastique travail des infatigables ouvrières, à leur récolte du pollen, et même au processus de fécondation de la reine, à travers une vitre jouxtant une des 400 ruches. Vous ne serez jamais en contact direct avec les abeilles, allez-y donc sans crainte.

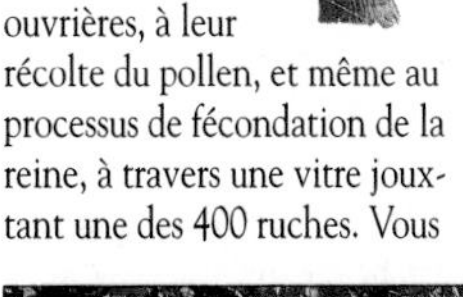

❀ Huelgoat à cheval

6 km E. de Huelgoat

Centre de loisirs de Kermabilou, La Feuillée

☎ 02 98 99 78 46.

T. l. j., 9 h-20 h.

Accès payant.

Voilà certainement l'une des plus belles manières de découvrir la région, en tout cas la plus authentique. Pas de panique si vous n'êtes pas un cavalier émérite, les chevaux de La Feuillée vous seront affectés en fonction de votre niveau. De plus, les sentiers de randonnée des environs se parcourent au pas. Vous aurez le plaisir d'aller marcher dans ceux du roi Arthur, aux alentours de la grotte d'Artus. Il vous en coûtera 450 F pour une journée, repas compris.

Repères

C2

Activités et loisirs

Le sentier du lac
La rivière d'Argent
L'Armorique en roulotte
Huelgoat à cheval

À proximité

Morlaix (29 km N.), p. 132, Châteaulin (35 km S.-O.), p. 208.

Office de tourisme

Huelgoat : ☎ 02 98 99 72 32

En roulotte dans le parc régional d'Armorique

Roulottes et calèches de Bretagne, Locmaria-Berrien

☎ 02 98 99 73 28.

Fin mars à fin sept. (se renseigner hors saison).

Huelgoat est situé dans le parc naturel d'Armorique, qui renferme un extraordinaire ensemble de curiosités naturelles et de vestiges préhistoriques. Pour ne rien perdre de la beauté des paysages, rien de tel qu'une roulotte ! Un week-end ou une semaine, en groupe ou en famille, tout est possible. On vous apprendra comment harnacher la plus belle conquête de l'homme et, circuits et carte I.G.N. en poche, vous pourrez partir en pleine nature à bord de votre maison roulante.

Carhaix-Plouguer et le Poher, le pays de l'eau

Vorgium, capitale de la tribu gauloise des Osismes, était déjà le carrefour de l'Ouest armoricain. Au croisement des axes Roscoff-Lorient et Rennes-Châteaulin, la ville connaît un essor commercial important. Au début du XXe s., Carhaix (les deux communes ne s'uniront qu'en 1956) devient aussi le centre du réseau ferré breton. L'été, une locomotive à vapeur *Mallet 030030* datant du début du siècle et parfaitement restaurée est d'ailleurs exposée à la gare (☎ 02 98 93 00 01). Aujourd'hui, Carhaix est un lieu idéal pour profiter à plein de la nature bretonne.

La rue de Brizeux

C'est la rue principale de la ville, dessinée par les Romains qui lui avaient donné le nom de *Cardo Maximus*, axe nord-sud, en opposition à la rue Félix-Faure, dénommée *Decumanus Maximus*, axe est-ouest. La **maison du sénéchal** se trouve rue de Brizeux. Une petite merveille d'architecture de la fin du Moyen Âge.

Un espace de randonnée

La région propose deux très beaux circuits dont les plans sont disponibles à l'office de tourisme (rue de Brizeux, ☎ 02 98 93 04 42). Le circuit de l'Aqueduc (5 km environ) part du petit village de **Roscoat** et vous conduit sur les traces d'un **aqueduc romain** autrefois long de 27 km. Il vous offrira notamment de très belles vues sur les **montagnes Noires**. Le second est un peu plus long (10 km), mais c'est une très belle balade, particulièrement en été, dans les méandres de l'**Hyères** et à travers bois. En automne, cela devient un émerveillement de couleurs, de frondaisons brillantes et d'odeurs de sous-bois.

Raft au moulin du Roy

Club de canoë-kayak
☎ 02 98 93 30 79.
Un après-midi de miniraft sur les eaux vives des rivières qui courent la région. L'activité est parfaitement sécurisée grâce à des moniteurs spécialisés, et cela vous donnera l'occasion de découvrir la rivière d'un autre point de vue. Plus tranquillement, vous pouvez aussi louer des canoës.

Le centre de loisirs de Persivien

☎ 02 98 93 19 99.
Vous ne savez pas quoi faire de vos enfants cet après-midi ? Le centre de Persivien peut s'en

LE JARDIN D'EAU

Maël-Carhaix
10 km à l'E. de Carhaix-Plouguer.
La commune de Maël-Carhaix a su tirer profit, en 1992, d'un marais inutile qui bordait le village. L'endroit insalubre est devenu un superbe jardin d'eau où vous pourrez reconnaître, explications écrites ou orales à l'appui, plus de 300 espèces de plantes aquatiques. Le cadre est agréable et l'initiative intéressante. Maël-Carhaix est ainsi devenue l'un des centres importants de botanique aquatique en Bretagne. Nénuphars, roseaux, plantes et arbrisseaux s'épanouissent dans leur élément.

occuper, dans un cadre agréable, tout en leur faisant découvrir la nature de manière ludique. La formule se rapproche un peu de celle du centre aéré mais toutes les activités sont axées sur la nature et la découverte de l'environnement.

Glomel

Le manoir-auberge de Saint-Péran

20 km au S.-E. de Carhaix
Route de Paule
☎ 02 96 29 60 04.

Une sacrée belle idée pour un week-end. L'endroit est situé dans un joli parc arboré, en bordure du canal de Nantes à Brest. Le manoir vous propose une formule de 3 nuits en demi-pension pour 585 F. De plus, vous aurez la possibilité de vous procurer tous les produits du terroir à la **charcuterie artisanale** de l'auberge. Mais vous n'êtes pas obligé d'être client de l'auberge pour acheter un saucisson ou une savoureuse terrine pour environ 40 F le kg.

Repères

C3

Activités et loisirs

Randonnées
Raft au moulin du Roy
Le jardin d'eau de Maël-Carhaix

Avec les enfants

Le centre de loisirs de Persivien

À proximité

Lac de Guerlédan (env. 30 km S.-E.), p. 160.

Office de tourisme

Carhaix-Plouguer :
☎ 02 98 93 04 42

Callac, l'âne et la petite reine

Naous désigne l'étalon dont la statue orne l'entrée du bourg de Callac, rappelant que le village a compté de nombreux haras. Aujourd'hui, le nom de Callac est plutôt associé à la petite reine puisqu'un critérium cycliste international s'y déroule chaque année à la fin du mois de juillet, quelques jours seulement après l'arrivée du Tour de France. Les meilleurs spécialistes s'y retrouvent et la course attire plusieurs milliers de spectateurs (rens. à l'office de tourisme de Callac, place du 9-Avril-1944, ☎ 02 96 45 59 34).

Une forêt préservée

Les alentours de Callac, surtout vers la commune voisine de **Saint-Servais**, constituent l'un des plus beaux sites forestiers de Bretagne. La **forêt de Duault**, notamment, a été longtemps utilisée comme lieu d'élevage pour les chevaux des ducs de Bretagne. Au cours d'une balade, vous découvrirez forcément un des nombreux mégalithes (dolmens ou menhirs) qui la parsèment. Le plus impressionnant est la Dent de Saint-Servais, près de **Kerbénès**.

Les gorges du Corong

Il faut une heure à pied pour rejoindre le site des gorges à partir du parking réservé aux promeneurs, sur la route de **Saint-Servais à Saint-Nicodème**.
La promenade emprunte un sentier balisé accessible à tous et vous ne le regretterez pas. Quel spectacle !
Un amoncellement de roches rondes, énormes et moussues laisse par endroits s'échapper le torrent qui court en son cœur. La légende veut que les pierres continuent de grossir au fil du temps.
L'endroit est aussi un site écologique préservé qui regroupe quelques-uns des derniers busards de France (rapaces en voie d'extinction).

La Verte Vallée

Au cœur d'un site de collines verdoyantes, un agréable plan d'eau s'offre aux sportifs (VTT, pédalo, baignade...). Une aire de pique-nique est prévue et un sentier botanique fléché, en français et en breton, fait le tour du lac. Si vous tombez amoureux de la région, n'hésitez pas à planter votre tente sur le terrain de camping attenant (camping de la **Verte Vallée**, ☎ 02 96 45 58 50).

Le cuir de poisson

Tannerie de Callac
Z.A. de Kerguiniou
☎ 02 96 45 50 68.
Ouv. 9 h-12 h et 14 h-18 h, sf lun. mat. et dim.
Accès gratuit.

Le cuir de poisson est une spécialité de Callac. À partir de 100 F environ, vous pourrez vous offrir un joli porte-monnaie en peau de saumon. Pour 200 F, une ceinture en cuir de julienne. Il faudra compter un peu plus pour un beau portefeuille ou un sac à main, mais les prix restent abordables. Vous pourrez également assister aux différentes étapes du tannage des peaux et vous rendre compte du sérieux apporté à la confection de la jolie paire de gants en peau de poisson qui étonnera vos amis.

Bulat-Pestivien

L'épagneul breton

Env. 10 km à l'E. de Callac
Élevage de Cornouaille
☎ 02 96 45 75 62.
Visite uniquement sur r.-v. *Accès gratuit.*

Le chien de chasse le plus réputé au monde et le plus apprécié en France est né à Callac, au début du XXe s. Rapidement, la beauté et l'intelligence de l'animal ont séduit une clientèle dépassant le strict cadre de la chasse. L'élevage de Cornouaille est le plus ancien de France et reçoit régulièrement la visite d'amateurs désireux d'en savoir un peu plus sur cet animal qu'Hervé Bourdon, responsable de l'élevage, qualifie de chien « intelligent, agréable et facile ». Le prix d'un chiot ? 4 000 F.

Repères

C2

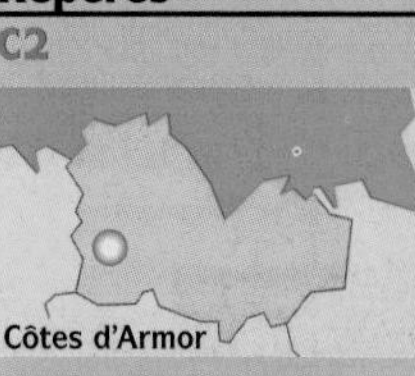

Activités et loisirs

Critérium cycliste international
Balades et activités sportives
Visite de l'asinerie du Crail

À proximité

Lannion (43 km N.), p. 148,
Guingamp (26 km N.-E.), p. 150.

Office de tourisme

Callac : ☎ 02 96 45 59 34

❀ Au pays de l'âne

Asinerie du Crail, Saint-Servais
5 km au S.-E. de Callac
☎ 02 96 45 94 78.
Visite guidée à 10 h 30 ou 14 h 30 ; sur r.-v. hors saison.
Accès payant.

C'est une belle ferme régionale transformée en centre d'élevage et de sauvegarde de l'âne. Le contact avec l'animal est direct puisque les visiteurs entrent dans les champs, sauf ceux réservés aux étalons. En sortant, vous saurez reconnaître un grand noir du Berry d'un baudet du Poitou ou d'un cheval mulassier. Vous pourrez même acquérir un petit ânon, mais on vous mettra alors en garde : il faut avoir de la place, apprendre à s'en occuper et à bien le soigner.

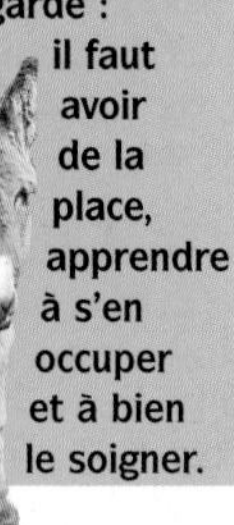

Les montagnes Noires

pas si sombres !

Prolongement naturel des monts d'Arrée, les montagnes Noires sont un peu moins hautes (326 m contre 384 m), mais offrent la même beauté, parfois austère, toujours empreinte de mystère. Les forêts obscures qui donnèrent probablement son nom à cette région ont disparu, même si certains secteurs ont été reboisés. Souffrant d'une insuffisance de ressources économiques, les montagnes Noires, et plus spécialement Gourin, furent, surtout à la fin du XIXe s. et au début du XXe s., une terre de forte émigration, notamment vers New York et les États-Unis.

Spézet

Balades en forêt

Au cœur des Montagnes noires, Spézet est un peu la capitale de la Bretagne bretonnante avec ses enseignes en breton et sa fête de la langue bretonne qui occupe, fin mai-début juin, tout le village. En s'aventurant sur les sentiers et les chemins creux balisés qui sillonnent la campagne alentour, on découvrira fontaines, chapelles, menhirs, ponts gaulois, enfouis dans un cadre naturel préservé où bruissent des ruisseaux et où se succèdent landes, tourbières et bois sauvages. Itinéraires balisés auprès du syndicat d'initiative (☎ 02 98 93 91 18).

Notre-Dame-du-Crann

À 1 km de Spézet

Ouv. tte l'ann., 13 h 30-17 h.

Dans cette chapelle de 1535 perdue au milieu des arbres se trouve un ensemble

exceptionnel de sept vitraux du XVIe s. évoquant de manière très colorée la vie de Jésus et de la Vierge, les légendes des saints, le tout dans des décors foisonnants. Lors du pardon, qui se déroule le dimanche suivant la Pentecôte, on vient y présenter de grosses mottes de beurre habilement sculptées de motifs religieux. Cela mérite le coup d'œil.

Gourin

Le Roc de Toullaëron

À quelques kilomètres au nord de Gourin, le point culminant des Montagnes noires, haut de 326 m, mérite un petit effort largement récompensé par le

splendide panorama que l'on y découvre. La légende raconte que le cheval du roi Arthur y aurait été attaché durant dix-sept ans, expliquant ainsi les 17 traces de sabot ferré gravées dans la roche.

Châteauneuf-du-Faou

Sur les pas de Paul Sérusier

Cette charmante et paisible bourgade s'étend au flanc d'une colline qui domine le solennel panorama des Montagnes noires. Dans l'église, du XIXe s., on ira voir la chapelle des fonts baptismaux décorée en 1919 par le peintre Paul Sérusier (1864-1927), de l'école de Pont-Aven. Celui-ci vécut durant vingt-trois ans à Châteauneuf. Le chemin de halage réserve une belle promenade jusqu'à l'écluse et au hameau du Moustoir, doté d'une jolie chapelle. Un peu plus au nord, vers Pleyben, promenez-vous sur les anciennes voies ferrées réaménagées (rens. : Pays du Centre-Finistère, ☎ 02 98 26 82 02).

Saint-Goazec

❀ Domaine de Trévarez

☎ 02 98 26 82 79.

Ouv. t. l. j. juil.-août., 11 h-18 h 30 ; avr., mai, juin et sept., 13 h-18 h ; ouv. le reste de l'ann., sam.-dim., j. fér. et vac. scol., 14 h-17 h 30. *Accès payant.*

Dans un parc de 85 ha, ordonné autour d'un château construit par le marquis de Kerjégu de 1894 à 1906, de belles allées forestières permettent de découvrir une collection florale unique en Bretagne. Au détour des jardins de camélias, azalées, hortensias, rhododendrons, fuchsias, un étang et une fontaine rafraîchissante agrémentent la promenade.

Repères

C3

Activités et loisirs

Balades en forêt
La fête de la crêpe

À proximité

Guerlédan (env. 40 km O.), p. 160,
Châteaulin (env. 30 km O.), p. 208,
Quimper (env. 35 km S.-O.), p. 220.

Office de tourisme

Spézet : ☎ 02 98 93 91 18

Gourin, capitale de la crêpe

Après avoir été un centre ardoisier très important au XIXe s., la capitale des montagnes Noires s'est aujourd'hui reconvertie dans l'élevage et l'agriculture. Réputée pour ses crêpes, Gourin fête cette spécialité le 3e week-end de juillet, avec pour cadre le château de Tronjolly. Tandis que les anciens battent le seigle au fléau, on déguste des crêpes. On peut aussi s'initier au maniement de la *rozell*, ce petit instrument en forme de raclette permettant, d'un habile tour de poignet, d'étaler la pâte sur la galetière. Musique, danse et jeux bretons sont également de la fête, un bon moyen d'éliminer les calories... Rens. ☎ 02 97 23 66 33.

Perros-Guirec, station branchée

Sa réputation de station balnéaire branchée n'est plus à faire. Perros (ne dites pas « Perros-Guirec », vous auriez l'air d'un touriste) vit au rythme de l'été, du soleil, des terrasses bondées et des boîtes de nuit qui ne se vident qu'au moment des premières baignades. Si vous n'êtes jamais venu, procurez-vous un tee-shirt long, une paire de tennis délacées, des lunettes noires et filez vous attabler à l'une des terrasses qui bordent la plage de Trestraou. Ne faites plus rien, vous êtes en vacances !

Les plages

La plus célèbre est celle de **Trestraou**. Bien qu'exposée au nord, on se bouscule sur son sable blanc, notamment autour du 15 août, lors du tournoi de volley dont la réputation a dépassé le cadre régional (office de tourisme, 21, place de la Mairie).
On lui préfère parfois l'atmosphère plus familiale de la plage de **Trestrignel,** où la baignade est particulièrement accessible aux enfants.
Entre ces deux lieux de farniente se trouve le port de plaisance qui accueille chaque année une étape du Tour de France à la voile.

Plage de sable fin de Trestrignel

Station Voile

Perros est l'une des sept stations de Bretagne à bénéficier de ce label (p. 18 et 19). Le centre nautique est ouvert toute l'année. Optimist, dériveur, catamaran, planche à voile, croisières, voile traditionnelle, sportive ou de compétition : tout est possible (Renseignements : plage de Trestraou, ☎ 02 96 49 81 21).

Les Sept-Îles

C'est l'une des plus belles réserves d'oiseaux de Bretagne. Un véritable sanctuaire ornithologique qui rassemble près de 20 000 couples d'oiseaux, goélands (dont certains atteignent 1,5 m d'envergure et se déplacent à plus de 70 km/h !), fous de Bassan, guillemots de Troil, pingouins tordas et la minuscule océanite tempête, l'un des plus petits oiseaux marins du monde, qu'on ne peut voir qu'à la jumelle, à la nuit tombante. Trois compagnies assurent des balades régulières dans les îles. Les réservations peuvent être faites à la gare maritime et à l'office de tourisme.

Petit parcours branché

Après un après-midi sur la plage de Trestraou, rendez-vous à la terrasse du Britannia (19, bd de la Mer, ☎ 02 96 91 01 10), exposée plein sud : les derniers rayons du soleil seront pour vous. Après le dîner, par exemple aux Vieux gréements, (sur le port, ☎ 02 96 91 14 99), direction le casino le plus célèbre de la côte nord (☎ 02 96 49 80 80) pour laisser quelques francs à la boule, à la roulette (tenue correcte exigée) ou aux machines à sous. Chanceux ou pas, rendez-vous au Clem's, à côté du casino : une ambiance branchée et une spécialité de bières mexicaines (la *Tequilabière* est délicieuse, mais vous avez intérêt à confier vos clés de voiture...). Après 1 h du matin, vous avez le choix des boîtes de nuit, suivez le mouvement, il y en trois sur la plage !

Station de festivals

En avril se tient un festival de B.D. dont l'ambition, en passe d'être réalisée, est de rivaliser avec celui de Saint-Malo. Chaque année l'affluence augmente (20 000 spectateurs en 1996). Trois auteurs à la notoriété grandissante - Loisel, Vicomte et Krahen - sont originaires de Perros. Début août, le **Festival de la cité des hortensias** est l'occasion, dans la ville fleurie, d'un défilé en costumes bretons et de concerts *festou-noz* qui ne se terminent que tôt le matin... Sur ces deux événements, une plaquette est disponible à l'office de tourisme.

Repères

C1

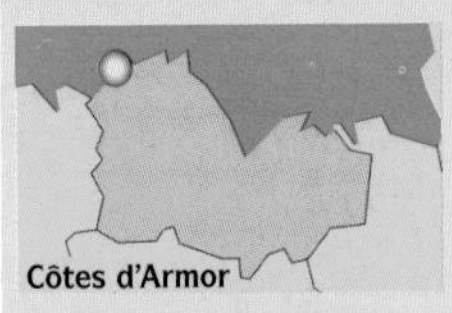

Activités et loisirs

Plages, volley et voile
Réserve ornithologique
Les festivals de Perros

À proximité

Paimpol (35 km E.), p. 156.

Office de tourisme

Perros-Guirec :
☎ 02 96 23 21 15

❀ Musée de Cire

Port de plaisance
☎ 02 96 91 23 45.
Ouv. t. l. j. sf lun. mat., 1er mai-30 oct. et vac. scol. ; fév. et avr., 10 h-18 h 30.
Accès payant.
De nombreuses batailles se sont déroulées dans la région, guerre de la Ligue, guerre de succession de Bretagne, guerres chouannes et révolutionnaires... Le musée vous propose une reconstitution de ces batailles mettant en scène les principaux personnages. Plusieurs tableaux qui paraissent presque vivants vous expliquent grandeur nature ces épisodes de l'histoire bretonne.

La Côte de granit rose

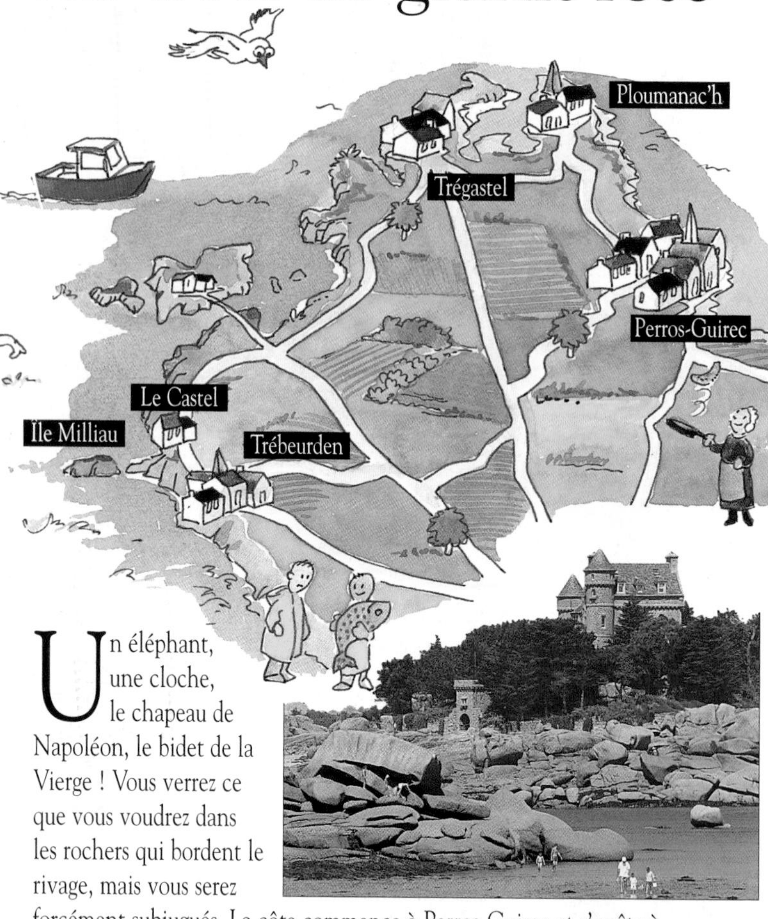

Un éléphant, une cloche, le chapeau de Napoléon, le bidet de la Vierge ! Vous verrez ce que vous voudrez dans les rochers qui bordent le rivage, mais vous serez forcément subjugués. La côte commence à Perros-Guirec et s'arrête à Trébeurden. Elle est rose, mais c'est de l'or. Découvrez-la à pied, flânez, respirez et attendez le coucher du soleil assis sur un rocher rond. Dire que c'est un régal pour les yeux, l'expression est faible. La Côte de granit rose repose l'âme, apaise l'esprit et réchauffe le cœur.

Marche dans la vallée des Traouïéro

Cette vallée est un univers magique, fait de blocs granitiques aux dimensions impressionnantes disposés dans un équilibre surnaturel. Au cours d'une marche de 3 heures au départ du moulin à marée de Ploumanac'h-Trégastel, on vous expliquera ses origines géologiques, et comment le microclimat qui y règne a donné naissance à une flore tout à fait particulière. Et si vous voulez encore savoir pourquoi les rochers sont ronds et roses, on vous donnera des détails lors d'un arrêt à la maison du Littoral (☎ 02 96 91 62 77, t. l. j., juil.-août, 15 h-18 h.).

Trégastel

Station tonique

Très belle étendue de sable là encore avec les plages de Coz-Pors et de la Grève blanche. Et s'il pleut ? Jets d'eau, geysers, toboggans et plongeoirs, le tout dans une eau à 28 °C : c'est le **forum de Trégastel**, qui comporte plusieurs bassins couverts. On y accède directement à pied à partir de la plage de Coz-Pors. Et si vous aimez les sports plus toniques ? Essayez le kayak de mer. Après quelques heures d'initiation, vous serez prêts à partir au ras de l'eau à la suite d'un moniteur qui vous montrera les merveilles de la côte (Base nautique, 39 rue de la Grève-Rose, ☎ 02 96 23 45 05, de mars à nov.).

Trébeurden

À la découverte de la flore

Encore une jolie station, mais il n'y a pas que ça sur la Côte de granit rose. À marée basse, vous pourrez rejoindre à pied l'**île Milliau**, face à la station. Plus de 20 ha de landes, de rochers, de falaises et de sable fin. Plus loin au large, **Molène** est un beau rocher dominé par une grande dune de sable. De Trébeurden, des sorties en mer sont organisées vers Milliau sous la conduite d'un guide spécialisé. Vous découvrirez

ainsi plus de 250 espèces végétales (rens. à l'office de tourisme, ☎ 02 96 23 51 64). L'île Milliau est par ailleurs un site mégalithique de premier ordre. Son **allée couverte**, accessible à tous, est aussi belle que mystérieuse.

Le Castel

Endroit magique

Voilà un but de randonnée sympathique. Un petit sentier fait le tour de cette presqu'île où se succèdent lande sauvage et rochers battus par le vent et la mer. Sans voler la vedette aux rochers sculptés de Rothéneuf, Le Castel possède un très beau **rocher représentant un homme de profil**. Mais contrairement à ceux de Rothéneuf, celui-ci, qu'on appelle le Père, n'a pour auteurs que le temps, le vent et le hasard…

Quellen

Les marais

Des milliers d'années ont été nécessaires pour constituer cette dune qui a laissé derrière elle une lagune marécageuse sur laquelle vase et roseaux se sont vite développés. On y voit très fréquemment des chevaux laissés ici en liberté afin de participer à la « régulation naturelle du site ». Une ambiance qui rappelle un peu la Camargue. Le marais est également habité par de nombreuses espèces d'oiseaux nicheurs, canards, bécassines, fauvettes… Des passerelles basses ont été aménagées pour vous permettre de plonger – sans vous mouiller – en plein cœur d'un site naturel unique en Bretagne.

Repères

C1

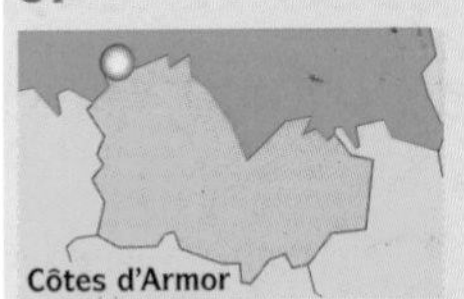

Activités et loisirs

À la découverte du littoral
Initiation au kayak de mer
Promenades en mer

À proximité

Morlaix (env. 45 km S.-O.), p. 132,
Paimpol (env. 45 km E.), p. 156.

Office de tourisme

La maison du Littoral :
☎ 02 96 91 62 77

PLOUMANAC'H, DE SABLE ET DE ROCHE

Des plages de sable fin et blanc qui descendent en contournant d'énormes rochers ronds et roses vers une eau bleue transparente et calme. En toile de fond, le magnifique château de l'îlot Costaérès. Ploumanac'h, c'est du rêve. Mais ça ne nourrit pas, alors voilà une bonne idée : hôtel-restaurant Le Phare (39, rue Saint-Guirec, ☎ 02 96 91 41 19). On vous y servira une vraie cotriade bretonne avec des pommes de terre.

Lannion
le mariage de l'ancien et du moderne

En breton, *Lann* signifie communauté religieuse, monastère. Ion était un moine gallois exilé sur nos côtes. L'association des deux donna naissance à l'une des plus charmantes villes de Bretagne, aux vieilles maisons à colombages. Lannion est aussi une cité à la pointe du progrès, entrée dans la modernité le 11 juillet 1962 à 0 h 47, quand le gigantesque cornet du Radôme capta les premières images retransmises par satellite en direct des États-Unis. C'est aussi – le saviez-vous? – un centre d'entraînement olympique.

❀ Site du Yaudet

☎ 02 96 48 35 98
ou ☎ 02 96 46 41 00.
Visite guidée lun. et ven. à 14 h 30, en saison.
Accès payant.

Ce sont les Vikings qui obligèrent les habitants de Lannion à refluer vers l'intérieur. Mais la première implantation de la ville s'était effectuée sur le site actuel du Yaudet où subsistent encore menhirs et dolmens. D'autres vestiges attestent l'existence d'un centre médiéval de moyenne importance. Enfin, un corps de garde parfaitement conservé, en surplomb du Léguer, rappelle qu'une garnison s'y installa au XVIIIe s.

La vallée du Léguer

Une jolie balade accessible à toute la famille part du quai de la Corderie, à Lannion, pour rejoindre en suivant le Léguer les rives verdoyantes du Yaudet. Le parcours dure un peu plus de 1h. À marée descendante, le Léguer vous livrera les trésors des nombreuses épaves, certaines très anciennes, qui jalonnent son cours. Au détour d'une boucle, vous avez aussi de bonnes chances de troubler la quiétude des nombreux oiseaux venus chercher leur nourriture dans la vasière. Si vous voulez prolonger cet épisode champêtre, partez avec le centre d'initiation à la rivière de Belle-Isle-en-Terre à la découverte de la faune et de la flore des zones humides et des étangs des alentours. Les visites thématiques, sur la loutre ou le saumon, vous emmèneront au cœur de la nature bretonne (☎ 02 96 43 08 39).

Le stade d'eau vive

Saviez-vous que les équipes nationales de canoë, si brillantes aux jeux Olympiques d'Atlanta, sont toutes venues s'entraîner à Lannion sur le splendide stade d'eau vive ? Cette merveille technologique vous est accessible puisqu'un programme d'initiation est

UN WHISKY BRETON...

Warenghem Bretagne, route de Guingamp
☎ 02 96 37 00 08.
Ouv. l'été t. l. j. sf dim. et lun. mat., 8 h-12 h et 13 h 30-18 h.
Accès gratuit.
Les Bretons ont bien des points communs, gastronomiques notamment, avec leurs cousins du pays de Galles ou d'Irlande. Le Warenghem est un vrai whisky de malt, breton, de 3 ans d'âge, dont le goût ravit le palais des connaisseurs. La fameuse étiquette blanche et noire est aux couleurs de la Bretagne et il ne vous en coûtera pas plus que le prix d'une bonne bouteille de whisky (autour de 70 F). Après la visite de la distillerie, une dégustation est offerte et vous pourrez, en plus du whisky, vous procurer du pommeau et de la fine de Bretagne dans le magasin.

Repères

C2

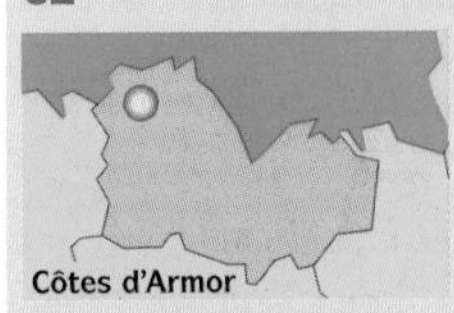

Activités et loisirs

À la découverte de la nature
Initiation au canoë-kayak
Son et lumière au musée des Télécommunications
Visite d'une distillerie de whisky

À proximité

Morlaix (35 km S.-O.), p. 132,
Callac (43 km S.), p. 140,
Paimpol (33 km E.), p. 156.

Office de tourisme

Lannion : ☎ 02 96 46 41 00

prévu pour les amateurs de canoë (gonflable ou non), kayak et même... raft ! Un grand moment en toute

sécurité. La prise de rendez-vous téléphonique est obligatoire au ☎ 02 96 37 43 90 le matin, et au ☎ 02 96 23 54 80 l'après-midi.

Pleumeur-Bodou

❀ Capitale des télécoms

10 km au N.-O. de Lannion
Site de Cosmopolis, musée des Télécommunications et Radôme
☎ 02 96 46 63 80.
Ouv. t. l. j. sf sam. et dim., oct.-mars, 13 h 30-17 h 30 ; avr., mai, juin et sept., t. l. j., 10 h-18 h (sf sam. en avril) ; juil.-août, t. l. j., 10 h-19 h.
Accès payant.
C'est Pierre Marzin, secrétaire d'État à la Recherche, dans les années 1960, et enfant de

Lannion, qui décida d'implanter le Centre national d'études des télécommunications sur le site proche de Pleumeur-Bodou. Cet événement fait aujourd'hui l'objet d'un superbe son et lumière (plusieurs spectacles dans la journée) commenté au musée des Télécommunications. Un véritable voyage à travers le temps et l'espace puisque les technologies du futur sont également présentes : intelligence artificielle, Numéris... Le tout disséminé sur 7 espaces thématiques d'expositions accessibles à tous. Toute l'année, des écoles de la France entière font d'ailleurs le déplacement. De loin, le seul spectacle de l'énorme ballon du Radôme posé sur la lande est magique et attire les photographes du monde entier.

En avant Guingamp !

À quoi tient le charme de cette cité ? À ses ruelles pavées sur lesquelles s'ouvrent de hautes maisons de granit ? À son jardin public aux allées fleuries, qui renferme le dernier kiosque à musique de Bretagne ? À la superbe fontaine de la Plomée qui trône au milieu de la ville ? Aux lourds escaliers Saint-Jacques et Trotrieux qui courent au pied des remparts ? Bien sûr, tout cela est charmant et suffirait à justifier le détour. Mais le charme de Guingamp, celui qui vide la ville chaque samedi pour emplir le stade du Roudourou, est rond, noir et blanc et se nomme ballon de foot.

Fous de foot

Division régionale, puis troisième, puis seconde, puis première division, Guingamp a gravi chaque année un échelon vers les sommets fréquentés par le P.S.G. et Monaco, aux budgets pourtant dix fois supérieurs au sien.

Cette ascension sans équivalent pour une ville de 8 000 habitants est due à un homme, président du club pendant de nombreuses années. Noël Le Graët, Breton de pure souche, a imposé, contre vents et marées, son club à l'élite du football français. Le **stade du Roudourou** contient deux fois plus de spectateurs qu'il n'y a d'habitants dans la ville. En termes d'image, le bénéfice pour Guingamp est inestimable. La ville est célèbre en Italie pour y avoir joué. Qui connaît Loudéac, pourtant plus peuplée ?

La ville au camélia

Association Caméllia, rue Hyacinthe-Cheval ☎ 02 96 43 86 96.
Visite sur appel téléphonique uniquement.
Fanch Le Moal, passionné de fleurs, a créé, voici une dizaine d'années, un plant de «camèllia» (ici on met deux *l*) qu'il a baptisé « Ville de Guingamp » et dont la marraine est l'actrice Marlène Jobert.
Dans le jardin de Fanch, on compte plus de 500 variétés de camélia. Vous ne repartirez pas sans un petit bouquet, sachez alors que vous pourrez faire sécher vos fleurs pour… déguster les feuilles en infusion !

Les rives ombragées du Trieux

La Saint-Loup

La fête la plus célèbre de la ville se déroule chaque année à la mi-août et dure une semaine durant laquelle on assiste aux plus belles danses de toute la région et à des tournois de lutte bretonne. Dès la nuit tombée, le spectacle continue dans la rue avec les animations et les concerts dans les cafés de la place du Centre. À la fin de la semaine, on proclame le vainqueur du concours national de danse et on le fête joyeusement dans une ambiance qui fleure bon la galette-saucisse et le cidre bouché. Attention, cette semaine-là, tout est complet à 20 km à la ronde. Si vous vous y prenez à la dernière minute, allez directement à l'office de tourisme (place du Champ-au-Roy ou à la mairie, ☎ 02 96 40 64 40) consulter la liste des chambres d'hôtes. Elles sont nombreuses et de qualité dans la région.

LE PARDON DES CAVALIERS

Il a lieu tous les ans, à la fin du mois de juin, à Saint-Péver (dizaine de km au S. de Guigamp, rens. à la mairie, 1, rue Lanrodec, ☎ 02 96 21 42 48). Après la messe et la procession, qui mêle piétons et cavaliers, les chevaux sont l'objet d'une bénédiction pour laquelle ils doivent s'immerger dans un petit étang près de la chapelle. Le soir venu, l'ambiance change. Les cavaliers sont pardonnés... jusqu'à l'année prochaine.

Le Trieux

Ses rives offrent quelques-unes des plus belles balades fluviales et citadines de la région. Allez jusqu'aux Ponts-Saint-Michel, puis redescendez en prenant votre temps vers la place du Centre et la rue du Grand-Trotrieux. En parlant avec l'un des nombreux pêcheurs que vous croiserez, vous apprendrez qu'il vous est possible d'obtenir un permis de pêche à la journée pour aller taquiner qui vous voudrez dans l'eau claire du Trieux. Rendez-vous alors à l'armurerie du 25, rue des Ponts-Saint-Michel où vous pourrez louer du matériel et obtenir votre permis. La journée vous reviendra environ à 200 F.

Foie gras et volailles

Ferme Huet, Pabu
☎ 02 96 21 03 13.
La Bretagne est productrice de foie gras et les oies de la région de Guingamp sont réputées pour la qualité de leur foie. Le foie gras est l'une des spécialités de la ferme Huet, de même que les volailles fermières. Si vous repérez le chapon qu'il vous faut pour les prochaines fêtes de fin d'année, réservez-le, on pourra vous l'expédier quand il sera à maturité. Sachez quand même que l'animal revient à 150 F le kg.

Repères

D2

Activités et loisirs

Le jardin de Franch
La fête de la Saint-Loup
Le pardon des cavaliers
Pêche et balades fluviales

À proximité

Paimpol (env. 35 km N.), p. 156,
Saint-Quay (26 km N.-E.), p. 158,
Guerlédan (env. 45 km S.), p. 160,
Saint-Brieuc (28 km S.-E.), p. 164.

Office de tourisme

Guingamp :
☎ 02 96 43 73 89

À Guingamp on danse la dérobée, une danse rapportée d'Italie par les grognards de Napoléon

Tréguier, balade au pays des rias

L'ancienne capitale du Trégor semble comme endormie au fond de sa magnifique ria dont les méandres offrent de nombreuses balades. Partant du port, vous longez le quai, puis prenez la direction de la chapelle Saint-Laurent. Passant la Montagne, puis Kerautret, vous abordez les rives du Jaudy, que vous suivez jusqu'à la Pointe jaune qui s'enfonce dans une boucle de la ria. Un peu plus loin, un belvédère vous offre un superbe panorama sur l'entrée du Jaudy. Si vous revenez par le même chemin, amusez-vous à compter les lavoirs que vous aurez croisés, en venant, il y en a quelques dizaines !

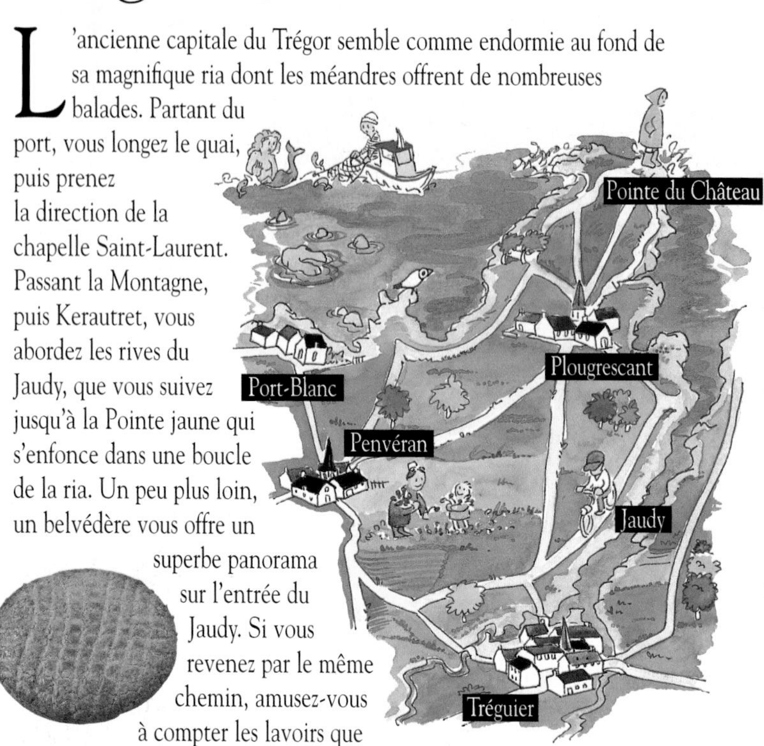

Tugdual et Yves

Tugdual est l'un des sept saints fondateurs de la Bretagne. La ville de Tréguier naquit de sa volonté au VIe s. Bientôt elle s'imposa comme capitale du Trégor, fut envahie par les Normands, persécutée par les révolutionnaires, puis trouva un second souffle au XIXe s. grâce au commerce de primeurs. Saint Yves, quant à lui, est l'objet d'un **pardon** dans la superbe cathédrale qui lui est dédiée, chaque troisième dimanche de mai. La fête chrétienne réunit tous les ans plus de 10 000 personnes. Les plus jeunes s'attardent souvent tard dans la nuit pour continuer une fête qui n'a plus alors de chrétienne que le nom.

Les mercredis de Tréguier

Place des Halles et **place du Martray,** le mercredi soir est l'occasion de nombreuses animations axées sur la découverte de la musique celtique et la gastronomie de foire (galettes-saucisses, gâteaux bretons, cidre bouché…). Et, puisque vous êtes place du Martray et que vous avez sûrement remarqué que la Bretagne en compte presque autant que de villes de plus de 2 000 habitants, sachez que son nom vient de « martyr ». C'était donc là que le bourreau procédait aux exécutions.

Plougrescant

La *Marie-Georgette*

7 km au N.-O. de Tréguier

C'est un ancien bateau qui portait le courrier aux habitants de l'île de Batz. Reconvertie, la *Marie-Georgette* se propose désormais de vous emmener à la découverte des environs, pour taquiner le maquereau et relever les casiers à crabes.

Un premier contact sympathique avec deux pêches bretonnes traditionnelles. Pour prendre votre place, vous pouvez téléphoner au ☎ 02 96 92 51 03, mais le mieux est encore de vous adresser directement, à **Plougrescant**, au patron du bistrot l'**Ar Vag**.

L'enfer de Plougrescant et le paradis du Port-Blanc

Une échancrure de la côte, à la sortie de l'estuaire du Jaudy, porte le nom de baie d'Enfer. La sensibilité bretonne a gardé, en effet, le souvenir des tempêtes qui peuplent la côte de hurlements sinistres. Dans la croyance populaire d'antan, ces mugissements ne sont que les voix des âmes maudites, en proie aux tortures des flammes de l'enfer. Malheur au pêcheur poussant son bateau dans les parages ! Les défunts s'agrippent au bateau tant et si bien qu'ils le font chavirer. Par comparaison à la côte voisine du Port-Blanc, moins tourmentée, les Bretons disaient : « Ifern Plougouskant ha baradoz Porz-Gwen » : « Enfer de Plougrescant et paradis du Port-Blanc. »

Port-Blanc

Vue sur le large

9 km au N.-E. de Tréguier

C'est un tout petit port où il fait bon venir profiter des derniers rayons du soleil et se souvenir que c'est ici qu'arrivaient d'Angleterre les bateaux transportant des trésors de guerre destinés à soutenir la lutte contre la Maison de France, qui tenta au XIIe s. d'asservir la Bretagne. Peu à peu, Port-Blanc est devenue une station très fréquentée par la bourgeoisie guingampaise, briochine, rennaise et parisienne… tout en conservant, blottie autour de sa chapelle, le caractère d'un petit bourg de pêcheurs.

Pleubian

Centre d'études et de valorisation des algues

12 km au N.-E. de Tréguier

Presqu'île de Pen-Lan
☎ 02 96 22 93 50.
Visite guidée, dim.-jeu. à 15 h et 16 h 30, ouv. aux particuliers en juil.-août. *Accès payant.*

Les algues ont de multiples vertus. Elles entrent dans l'élaboration de produits alimentaires, bien sûr, de maquillages et produits de beauté, mais aussi de cirages, pellicules photo, tissus d'ameublement… Étonnant non ? Direction Pleubian, où l'on vous expliquera tout cela, exposition et film vidéo à l'appui. Le **C.E.V.A** est un centre de recherche qui propose aux industriels de nouvelles applications liées au traitement des algues. C'est un organisme unique en Europe.

Repères

D1

Activités et loisirs

Les mercredis de Tréguier
La fête du cerf-volant
Pêche en mer
À la découverte des algues

À proximité

Île de Bréat (21 km N.-E.), p. 154,
Paimpol (15 km E.), p. 156.

Office de tourisme

Tréguier : ☎ 02 96 92 30 19

Les Passagers du vent

14, rue de Bazile
☎ 02 96 22 93 16.
Vous voulez savoir comment faire un cerf-volant, comment le manœuvrer et où il y a toujours du vent pour le faire voler ? Les Passagers du vent se feront un plaisir de vous répondre. Ce club, dont les membres s'adonnent à leur passion sur le sillon de Talbert - langue de terre de 3,5 km où le vent venu du large souffle régulièrement - organise le championnat de France de cerf-volant, le championnat de Bretagne et d'autres compétitions, comme l'Open de Lutèce. La fête du cerf-volant, qui a lieu tous les ans en juillet ou en août, attire les foules : la beauté des voiles volantes et l'habileté des pratiquants sont un vrai plaisir des yeux.

Bréhat
l'île en couleurs

Premier contact avec l'île : vous êtes dans un jardin méditerranéen. Fleurs, plantes piquantes, pins et palmiers, terrasse accueillante et soleil cuisant : il y a peu de vent à cet endroit. L'anse est abritée. L'île de Bréhat semble bénéficier d'un microclimat. Profitez-en pour aller faire une balade en suivant le premier sentier sur votre gauche. Allez jusqu'à Goareva et, si vous êtes courageux, montez sur la hauteur. Au loin, l'immense serpent qui semble bouger dans l'eau, c'est le sillon de Talbert, une formation géologique de galets qui, en roulant sur eux-mêmes, déplacent la masse de cette presqu'île.

Un bourg surchauffé

Un charmant bourg avec une petite place, d'étroites ruelles, une église minuscule et, à travers tout cela, une cohue indescriptible. C'est Bréhat, la plus fréquentée des îles du nord de la Bretagne : 400 000 visiteurs par an, presque tous en été. Si vous avez pris la précaution d'amener un panier pique-nique, vous avez bien fait. Allez quand même jeter un coup d'œil à la collection d'étranges assiettes peintes du **Restaurant des Pêcheurs**.

L'anse de la Corderie

En venant du Bourg, n'hésitez pas à arriver par le fond de l'anse. Le petit pont Vauban qui relie les deux îles possède un cachet extraordinaire, tout comme la cale pavée qui lui fait directement suite à gauche, où viennent s'amarrer, à marée haute, quelques youyous en provenance des bateaux de plaisance ancrés dans l'anse. Particulièrement protégée et difficile d'accès, l'anse de la Corderie a longtemps caché des corsaires.

Le phare du Rosédo

Une fois passés sur l'île Nord, une jolie plage s'offre à votre gauche, c'est le bon endroit pour étaler la nappe. La plage est abritée et orientée plein sud. À votre droite, le phare du Rosédo fait partie d'un système de 12 feux qui signalent le nord de la côte du Goëlo et la pointe de l'Arcouest.

Le Bourg, à Bréhat : un centre-ville très fréquenté

L'archipel en vieux gréement

L'île de Bréhat est entourée d'une multitude de petits îlots. Quoi de plus agréable que de glisser entre les rochers à bord d'un vieux voilier aux cuivres brillants et sentant bon le bois. C'est ce que vous propose le *Vieux-Copain*, thonier classé monument historique. Plusieurs formules sont possibles : une ou plusieurs journées, en participant aux manœuvres ou non, en débarquant sur les îles ou pas… N'hésitez pas à contacter Serge Le Joliff, qui se mettra en quatre pour organiser le séjour de vos rêves (☎ 02 96 20 59 30).

Le nord de l'île

Reprenez la balade en longeant la côte à partir du Rosédo. Les paysages changent. Plus d'hortensias ni d'eucalyptus, mais une lande rase faite d'ajoncs, de genêts et de fougères. Quelques pins viennent donner de la hauteur à un littoral qui semble aplati par les vents et la mer. À cet endroit de l'île, seules quelques maisons tiennent tête au vent. À

droite, vous voyez les ruines de l'ancienne **léproserie de Saint-Riom**. Face à vous, plein nord, le **phare du Paon**, dont la beauté de granit rose semble bien fragile face aux vagues. Ce n'est qu'une illusion.

Port-Clos

Le retour vers l'embarcadère se fait forcément par le petit pont, mais vous pouvez contourner Le Bourg. Si vous arrivez un peu en avance, n'hésitez pas à vous installer à l'une des trois terrasses de l'établissement et sachez que passer une nuit sur l'île est du dernier chic. À l'**hôtel Bellevue**, il vous en coûtera environ 450 F par personne, repas compris (crustacés, fruits de mer). Un dernier coup d'œil aux jolies jetées de Port-Clos, aux oiseaux qui sont ici chez eux, goéland, cormoran, bien sûr, mais aussi merle, corneille, pie.
Vite, le bateau attend !

Repères

D1

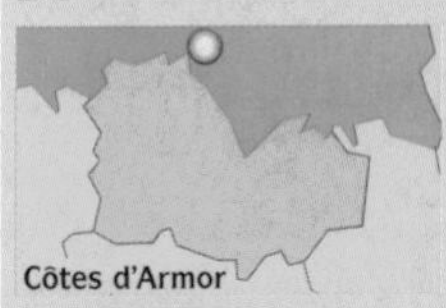

Activités et loisirs

Balades et promenades en mer

À proximité

Tréguier (21 km S.-O.), p. 152.

Office de tourisme

Bréhat : ☎ 02 96 20 04 15

L'île aux fleurs

Le bâteau vous laissera à Port-Clos. Rejoignant Le Bourg, vous continuez à traverser des paysages chauds, d'hortensias, de figuiers et même d'eucalyptus. Bréhat est appelée « l'île aux fleurs » pour deux raisons. La première c'est son microclimat. La seconde tient à ses habitants. Rudes corsaires et marins courageux, les Bréhatins ont rapporté de leurs périples des plantes qui se sont acclimatées ici, au moins dans la partie sud.

Paimpol
patrie des Islandais…

Les Islandais étaient les enfants du pays qui partaient pêcher la morue au large des côtes islandaises. Le long des murs, sur des linteaux de bois noirci, sont gravés les noms des deux mille marins disparus en mer durant les campagnes de pêche à la morue sur les lointains bancs de Terre-Neuve. Plus encore que celles de Saint-Malo, Cancale ou tout autre port breton, l'histoire et la vie de Paimpol sont liées à la « grande pêche » qui fit, au XIXe s., la fortune de quelques-uns et le malheur de beaucoup.

Les falaises de Plouha

Petit tour de rues

La mairie et l'église sont deux éléments révélateurs de la vie d'une petite cité. Celles de Paimpol ont l'avantage d'être dans la même rue (rue Pierre-Feutren), et de mériter le coup d'œil. L'église **Notre-Dame-de-Bonne-Nouvelle**

est encore emplie de la mémoire des nombreux pardons qui y furent célébrés avant chaque départ pour les grands bancs de la mer d'Islande ou de Terre-Neuve.

Stèle de l'autel de l'église Notre-Dame

À l'intérieur, les stèles de l'autel présentent encore des scènes de pêche miraculeuse. À deux pas, la **mairie** est l'une des plus riches bâtisses de la ville, ancienne demeure d'un armateur d'Islande. En descendant vers le port par la rue Labenne, vous découvrirez l'ancienne sécherie de morues, devenue **musée de la Mer** (☎ 02 96 22 02 19, 1er avr.-30 sept. et vac. scol., 10 h 30-13 h et 15 h-19 h. Accès payant), qui retrace la fantastique épopée des Paimpolais.

Le marché au Cadran

C'est un marché « aux enchères dégressives automatisées », ce qui signifie simplement que les prix baissent régulièrement si les producteurs venus proposer leurs marchandises n'écoulent pas tout leur stock. Le meilleur moment pour s'y rendre, c'est donc la fin du marché, vers 10 h 45. Il se tient tous les jours de 9 h à 11 h derrière la gare. Les acheteurs professionnels des coopératives de toute la région s'y retrouvent pour faire leurs emplettes de fruits et légumes, mais ils vous feront bien une petite place… Ne repartez pas sans une petite cargaison de **cocos**, ces petits haricots paimpolais de grande renommée qui se conservent longtemps au sec.

vue sur la **côte du Goëlo**. C'est ici aussi le point de départ des vedettes qui se rendent à Bréhat (départ ttes les heures à partir de 8 h 30). En juillet et en août, on vous proposera également, en fonction de la marée, des **minicroisières** d'une demi-journée à destination de l'estuaire du Trieux (horaires variables, 100 F par personne). **Vedettes de Bréhat**, ☎ 02 96 55 79 50.

Repères

D1

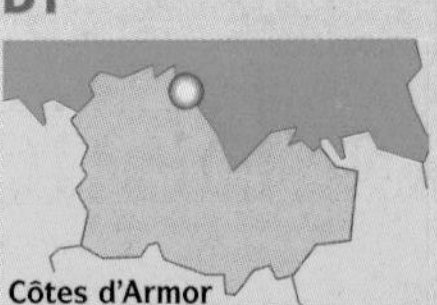

Activités et loisirs

Le musée de la Mer
Le marché au Cadran
Randonnée et minicroisières

À proximité

Lannion (33 km O.), p. 148,
Guingamp (env. 35 km S.), p. 150,
Tréguier (15 km O.), p. 152.

Office de tourisme

Paimpol : ☎ 02 96 20 83 16

L'abbaye de Beauport

C'est une construction normande… en territoire breton. La beauté de ses colonnes gothiques évoque assez la richesse des moines qui habitaient l'abbaye au XIIe s. La splendeur de son architecture dans un cadre naturel sauvage plaira même à ceux qui sont les plus réfractaires aux vieilles pierres.

La pointe de l'Arcouest

Le sentier de randonnée GR 34 passe par la pointe de l'Arcouest, offrant aux promeneurs un joli point de

Plouha

Une vue imprenable

20 km au S.-E. de Paimpol

Dominant la mer de plus de 100 m, ces falaises sont les plus hautes de Bretagne. Le meilleur endroit pour en avoir un panorama général est le sentier pédestre de la pointe du Minard. Une belle balade de trois heures environ conduira les plus courageux jusqu'à la pointe de Plouézec à travers la lande. N'oubliez pas vos jumelles pour admirer les oiseaux qui nichent dans la falaise.

En attelage au pays de Paimpol

Un itinéraire sur mesure vous mènera à travers les landes de Lancerf, le long des rives du Trieux ou du Leff. Pour les amateurs de sensations (attention aux chemins creux et aux passages de gués !). Rens. : ACECA, Claude Hervé, ☎ 02 96 55 90 58.

Entre Saint-Quay et Binic, loisirs jour et nuit

Lorsque le moine Ké débarqua dans l'anse de Kertugal, il fut battu par des femmes de la région, convaincues qu'il était le diable lui-même. Laissé pour mort, il implora la Vierge, qui fit alors jaillir une source grâce à laquelle il se soigna si bien qu'il imposa sa loi aux mégères repenties. La fontaine miraculeuse est toujours visible au cœur de la petite cité devenue l'une des plus sympathiques stations balnéaires de la région, vivant le jour au rythme du soleil et des plages, le soir au son électrique des quatre-vingts machines à sous du casino.

La plage du Casino

Les plages

La station en compte cinq, toutes abritées et sûres pour la baignade. Celle du Casino est la plus proche des terrasses ensoleillées. Pour les enfants, une piscine d'eau de mer est aménagée entre le casino et la **plage du Châtelet**. La **Grève noire**, au sable foncé, la plage de la **Comtesse**, qui offre un beau point de vue sur l'île du même nom, et celle du **Port** complètent le tableau. La longueur des plages et le marnage assez court ici ne vous obligeront pas à aller chercher la mer au diable, même à marée basse.

Binic

Difficile, en hiver, d'y apercevoir un chat. Le quai désert est battu par le vent et la bruine. Le sifflement des drisses et la chaleur des rares bistrots ouverts ont pourtant alors un charme fou. L'été, c'est tout le contraire : les terrasses sont pleines, la musique vient de partout, le soleil brille… Le charme est différent mais il opère toujours dans les ruelles de l'intérieur ou sur le vieux quai de Courcy qui concentre l'activité commerciale. La base nautique départementale (rue de Bellevue, ☎ 02 96 73 76 80), aux activités multiples –

catamaran, planche à voile, plongée, kayak de mer – est le rendez-vous de la jeunesse branchée costarmoricaine.

Le port en eaux profondes

C'est l'un des plus modernes de Bretagne. De conception récente (mis en service en

Au fil du GR 34

Au nouveau port de Saint-Quay, le GR 34 s'enfonce plein ouest vers la pointe du Sémaphore. Là, le superbe édifice, construit en 1860 et toujours en service, domine la mer et le petit bourg d'une centaine de mètres. Tout près, une table d'orientation artistiquement décorée vous permet de vous repérer dans la baie. Le GR pique ensuite au sud, direction Kercadoret, qui offre un autre panorama, rural et champêtre cette fois, très intéressant. Un peu plus loin, vous rejoignez les villages de Keirouet et Saint-Maurice. Le sentier remonte alors doucement vers Étables-sur-Mer, petite station familiale qui compte deux belles plages (les Godelins et le Moulin) et un parc municipal, site naturel classé, particulièrement fleuri.

1991), il peut accueillir plus de 1 000 bateaux de toutes tailles. À la belle saison, c'est un plaisir de se promener sur ses pontons, entre des voiliers qui rivalisent de beauté, de confort et de luxe. Le port est aussi l'attache du ***Rapaz***, une magnifique goélette de 18 m, en bois rares (iroko et acajou), qui organise à la demande des sorties en mer aux alentours du cap Fréhel ou de l'estuaire du Trieux (rens. ☎ 02 96 33 57 61).
Si vous ne vous sentez pas l'âme aventurière, restez donc tranquillement à la terrasse du **Westland** (nouveau port, ☎ 02 96 70 48 81) où l'on vous servira les meilleures glaces de la ville.

Côté nuit

« Abondance de biens ne nuit pas », dit le proverbe. Alors, si vous êtes venu faire la fête, vous n'aurez que l'embarras du choix entre Saint-Quay et Binic (Étables dort après 22 h). Une fin d'après-midi qui s'étire un peu ? Direction le **casino** (6, bd du Général-de-Gaulle, Saint-Quay, ☎ 02 96 70 40 36) ouvert sur la mer avec ses bandits manchots (machines à sous) au bruit racoleur. Vous avez gagné ? Apéro au **Clipperton club** (quai de Courcy, Binic, ☎ 02 96 73 60 45) pour un cocktail maison à 30 F dans une ambiance jazz d'enfer. Envie de changer ? Retour à Saint-Quay, à l'**Espadon** (Chemin des douaniers, ☎ 02 96 70 38 20), où vous vous ferez 10 000 copains en 30 secondes sur fond de musique québécoise et de bières rares. Déjà 2 h ? Les branchés techno choisiront le **Radeau** (5, av. Foch, Binic, ☎ 02 96 73 61 54, 60 F une conso), les autres se dirigeront vers l'**Étrier**, une vraie « boîte de plage » (3 bis, pl. de la Plage, Saint-Quay, ☎ 02 96 70 99 08, 60 F une conso). Pour recommencer, il faut attendre 14 h et la réouverture du casino.

Repères

D2

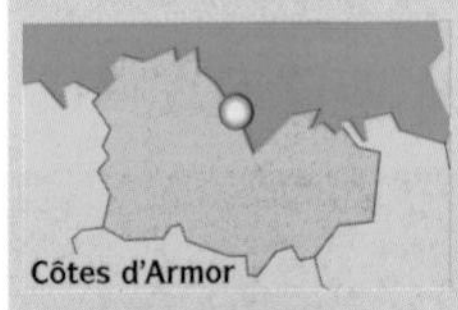

Activités et loisirs

Plages et sports nautiques
En mer à bord d'une goélette
Randonnée

Avec les enfants

Piscine d'eau de mer

À proximité

Guingamp (26 km S.-O.), p. 150,
Saint-Brieuc (20 km S.), p. 164.

Office de tourisme

Saint-Quay :
☎ 02 96 70 40 64

L'Espadon, à Saint-Quay

Le lac de Guerlédan

nautisme au cœur des terres

Plan d'eau, forêt, gorges encaissées, vallons et torrents tumultueux, on se croirait au pied des Pyrénées. C'est dans l'ancien lit du Blavet qu'un ingénieur de Pontivy décida, en 1923, de retenir l'impressionnante masse d'eau qui constitue aujourd'hui le plus grand lac de Bretagne. Noyant 17 écluses, il fit édifier un barrage de 46,50 m de haut et de 201 m de large, sans se douter que le site deviendrait l'une des premières destinations touristiques de la Bretagne intérieure.

Détente autour du lac

☎ 02 96 67 12 22.

La campagne bucolique, les sous-bois et la forêt sont des rendez-vous prisés des promeneurs, des vététistes et des cavaliers. Il existe d'ailleurs de nombreux sentiers balisés. Mais le lac attire aussi les sportifs.
La base nautique fonctionne toute l'année.
On pratique ici aussi bien le dériveur que le pédalo, l'aviron, le ski nautique ou le kayak. Points de vue, panoramas et terrasses tranquilles permettent aux non-sportifs, ou aux parents, de profiter du site sans dépense d'énergie excessive.

Les gorges de la Poulancre

Sous le soleil, on croirait quelque passe aride des Cévennes. Sous une légère bruine grise, le paysage devient carrément irréel dans les gorges de la Poulancre et l'on s'attend à chaque instant à croiser Merlin, Morgane ou Viviane, qui hantèrent les lieux voilà bien longtemps. La variété de la faune et de la flore attire les spécialistes, mais tout le monde vient pour profiter de la beauté sauvage du lieu. Un sentier suit le cours de la Poulancre, qui a creusé son lit perpendiculaire-

La lac artificiel de Guerlédan s'étend sur une douzaine de kilomètres

Forges-des-Salles, un des plus anciens sites métallurgiques de Bretagne

ment aux crêtes, ce qui donne à l'ensemble cet aspect de canyon du Far West.

❀ À plein panier

La **terrine de cerf** est une spécialité peu répandue, au goût puissant de gibier, que vous ne trouverez guère ailleurs qu'à l'**Auberge des cerfs de Kerfulus** (☎ 02 97 39 68 99). Si vous n'arrivez pas à oublier Bambi et son père, rabattez-vous sur les autres produits du terroir disponibles dans la région – veau, pigeon, mais aussi *kig ha farz* ou *laez gwell* à la **ferme-auberge de Cléguerec** (☎ 02 97 38 06 14) – ou sur les **fromages de chèvre** vendus en direct à Lescouet-Gouarec (☎ 02 96 24 86 44).

CYCLOTOURISME À ROSTRENEN

Env. à 20 km à l'O. du lac.
L'ancienne citadelle au réel cachet historique est le point de départ d'un circuit traversant une des plus belles régions de Bretagne. Enfourchez votre vélo : c'est parti. Une route sinueuse vous mènera dans la vallée du Daoulas, aux faux airs de col alpin avec ses hauts escarpements de schiste, ses genêts et ses bruyères ; vous passerez ensuite près de ruines de l'ancienne abbaye cistercienne de Bon-Repos, au confluent du Blavet et du Daoulas, avant de rejoindre les rives du lac. Rens. au Comité départemental de cyclotourisme : ☎ 02 96 43 76 67.

Saint-Aignan

❀ Musée de l'Électricité

À env. 2 km au S.-E. du lac
☎ 02 97 27 51 39.
Ouv. t. l. j. sf mar., 9 h-12 h 30 et 14 h-17 h 30 (le w.-e. sur rés. uniquement) ; juil.-août t.l.j., 10 h-12 h et 14 h-18 h.
Accès payant.

La construction du barrage de Guerlédan, l'histoire des premiers appareils ménagers, la naissance des rayons X… Le musée de l'Électricité est une mine de renseignements sur une matière première que vous utilisez sans arrêt… sans bien savoir d'où elle vient. Cette rencontre avec l'énergie fourmille d'anecdotes, de drôles d'inventions, de géniales et rudimentaires machines du premier âge… Et le site de Guerlédan, qui fournit de l'électricité à toute la région, s'imposait pour l'accueillir. La découverte est passionnante.

Forges-des-Salles

À l'âge du fer

À env. 2 km à l'O. du lac
☎ 02 96 24 90 12.
Ouv. t. l. j., juil.-août, 14 h-18 h. Avr.-juin et sept.-oct., seul. le w-e.

Du lac au superbe complexe architectural des Forges-des-Salles, un sentier court à travers la forêt. Les forges témoignent aujourd'hui de l'âge d'or de la région, quand les mines de fer de la forêt alimentaient les fourneaux du manoir des Rohan, fournissant aussi bien l'armée royale en canons que les paysans du coin en outils divers. Les forges procuraient du travail à toute la région et n'entamèrent leur inéluctable déclin qu'au milieu du XIXe s. avec la découverte des gisements de l'est de la France. L'ancien village reconstitué, avec ses maisons d'ouvriers, le château en arrière-plan et les jardins en espaliers, traduit vraiment ce qu'était la vie quotidienne des forges au XIXe s.

Repères

D3

Activités et loisirs

Randonnée, VTT et équitation
Sports nautiques
Les gorges de la Poulancre
Le musée de l'Électricité

À proximité

Guingamp (env. 45 km N.), p. 150,
Saint-Brieuc (env. 45 km N.-E.), p. 164,
Pontivy (env. 20 km S.), p. 244.

Office de tourisme

Guerlédan :
☎ 02 96 28 51 41

Surprenante Loudéac !

Ville de foires, capitale européenne, animée par la passion des vieux métiers, des courses hippiques, de la pêche à la mouche et… siège européen de l'association qui regroupe les villes représentant la Passion du Christ, le moins qu'on puisse en dire est que Loudéac surprend ! Dans l'histoire, c'est l'un des principaux centres commerciaux de Bretagne. Les paysans des environs venaient y échanger, lors de foires mémorables, les produits de la ferme contre des produits manufacturés. Les foires disparues, la tradition se perpétue dans l'hospitalité que vous témoigneront les Loudéaciens.

Ateliers Michel et René Allot

Fabrique et restauration de meubles, zone des Parpareux
☎ 02 96 28 18 69.
Ouv. t. l. j. sf sam. a.-m et dim. 9 h-12 h et 14 h-19 h.
Visite guidée gratuite.
À l'entrée de l'atelier, plusieurs centaines de meubles d'art vous donneront un avant-goût de la maîtrise artistique de ces deux frères qui manient scie, ciseau et rabot comme d'autres piano ou pinceau. Dans l'atelier, vous suivrez le travail des compagnons usinant de petites pièces qui deviendront de beaux meubles de style. Ce sera ensuite le tour des laqueurs, des vernisseurs puis des tapissiers… Une atmosphère appliquée, chaude, colorée règne dans ce haut lieu de l'artisanat et du travail bien fait.

La fête du cheval

Elle a lieu au mois d'août tous les ans depuis 1936. À Loudéac, le cheval est roi. Pour le grand jour, les éleveurs ont étrillé, brossé, lustré leurs plus belles bêtes qui s'affronteront au saut d'obstacle (Société hippique rurale, ☎ 02 96 28 35 71).

Quand Loudéac parie

Le saviez-vous ? De tout le grand Ouest, Loudéac est la ville qui joue le plus au tiercé ! Elle ne se contente d'ailleurs pas de jouer puisque les courses organisées sur son hippodrome de réputation nationale attirent régulièrement plusieurs milliers de spectateurs passionnés.

Les courses se situent au printemps et un calendrier est disponible au syndicat d'initiative (place du Champ-de-Foire, ☎ 02 96 28 25 17). La plus connue et la plus célèbre est celle du week-end de Pâques qui réunit souvent près de 2 millions de francs de paris. À vos tickets !

La Chèze

Musée régional des Métiers

10 km au S.-E. de Loudéac
Rue du Moulin
☎ 02 96 26 63 16.
Ouv. t. l. j. sf mar. en saison, 10 h-12 h et 14 h-18 h ; hors saison, 14 h-18 h.
C'est tout simplement l'un des plus beaux musées de Bretagne. Entendez par là qu'on y retrace fidèlement, mais d'une façon amusante, la vie quotidienne des artisans d'antan. Les enfants (en groupe) ont même à leur disposition une sorte de jeu de piste qui leur fait découvrir les activités du bourrelier, de l'ardoisier, du menuisier, du charron, de l'imprimeur… d'une drôle de manière ! Le musée s'inscrit aussi dans le présent à travers de fréquentes expositions d'artisanat d'aujourd'hui.

Ploeuc-sur-Lié

Les ailes des Côtes d'Armor

25 km au N. de Loudéac
Avel-Dro, Laurent Rumen
☎ 06 08 67 67 72.
Avel-Dro, à une trentaine de km au nord de Loudéac, est une école de parapente pour tous les niveaux : initiation si vous restez quelques jours dans la région, perfectionnement si le parapente ne vous est pas totalement inconnu. Et si vous ne faites que passer, les vols découverte sont pour vous : partez dans les airs en vol biplace avec un moniteur. Un bon moyen pour découvrir ce sport d'altitude.

Repères

D3

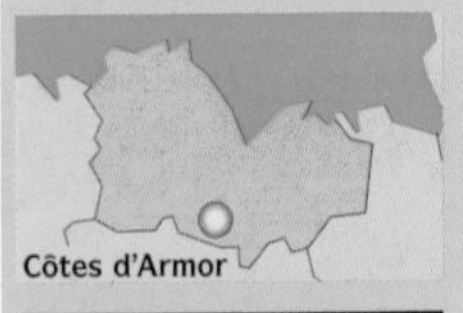

Activités et loisirs

Musée régional des Métiers
Visite d'une biscuiterie
La fête du cheval
Initiation au parapente

À proximité

Saint-Brieuc (40 km N.), p. 164, Lamballe (40 km N.-E.), p. 168, Pontivy (22 km S.-O.), p. 244.

Office de tourisme

Loudéac : ☎ 02 96 28 25 17

Compagnie Biscuitière

Route de Rennes, zone des Parpareux, Loudéac
☎ 02 96 66 00 12.
Ouv. lun.-ven., 9 h-12 h et 13 h 30-18 h.
Accès gratuit.
C'est ici que sont fabriquées les véritables *Punchs*, spécialité locale de galettes bretonnes. À l'intérieur du magasin, une baie vitrée donnant sur l'usine vous permettra de tout savoir sur la fabrication de ces gâteaux. Un prix malin : la boîte en fer de 600 g décorée de paysages ou de personnages bretons vous coûtera 35 F. Autre adresse gourmande, la Biscuiterie de Ker Cadélac (route de Pontivy, rue Enaud, ☎ 02 96 28 66 55) qui vous propose de délicieux palets au beurre.

Saint-Brieuc et sa baie

La ville vaut qu'on lui consacre une journée, bien que sa réputation touristique ne soit pas exceptionnelle. La vieille ville est centrée autour de la cathédrale Saint-Étienne. Mais si vous n'avez qu'un court moment à consacrer à Saint-Brieuc, allez donc « faire la Saint-Gui », comme on dit ici. La rue Saint-Guillaume est une belle rue piétonne pavée qui fourmille de commerces. La parcourir est autrement plus agréable que de faire la queue à Carrefour et vous aurez le loisir de vous reposer à l'une des nombreuses terrasses.

La Maison de la baie

Site de l'Étoile, Hillion
☎ 02 96 32 27 98.
Juil.-août, 9 h-19 h (dim., 14 h-19 h) ; hors saison, 9 h-12 h 30 et 13 h 30-18 h (dim., 14 h-18 h).
Accès payant.
Voilà un intéressant raccourci de la vie maritime et des richesses naturelles de la baie. Le site panoramique est exceptionnel et de nombreuses projections vidéo et expositions présentent faune et flore de la baie de Saint-Brieuc. Au cœur de la Maison de la baie, le marinarium est un véritable livre vivant qui explique le fonctionnement du rivage marin.

Les plages

Les plus proches de Saint-Brieuc se trouvent à Plérin-sur-Mer. Très fréquentées en saison, elles disposent en commun des activités labellisées « **Cap Armor** » (☎ 02 96 74 68 79, en juillet et en août). Au programme, beach volley, tir à l'arc, char à voile, sorties en mer, équitation, escalade… Le joli bourg de Plérin se trouve sur le versant de la colline qui fait face au port de Saint-Brieuc, le Léguer, dominé par un imposant viaduc.

Les salines

Langueux, sortie S.-E. de Saint-Brieuc
☎ 02 96 62 25 50.
La baie de Saint-Brieuc a produit du sel pendant plusieurs siècles. Autour de Langueux, on a compté jusqu'à 47 salines, dont la campagne a gardé les traces. La technique utilisée, par évaporation sous l'action du feu est expliquée dans une exposition permanente.

Yffiniac

La « Bernard Hinault »

7 km à l'E. de Saint-Brieuc

Le plus grand champion cycliste français de ces dernières années est né et réside aujourd'hui à Yffiniac. Tous les ans, un peu avant l'été, une grande course qui porte son nom réunit les meilleurs spécialistes régionaux et nationaux. Mais les mordus de la petite reine sont nombreux, toute l'année, à parcourir le circuit de la compétition, en amateurs ou tout au long d'une randonnée cyclotouristique dont la commune s'est fait une spécialité.

Plédran

En forêt

8 km au S. de Saint-Brieuc

Dominant l'anse d'Yffiniac, à une dizaine de minutes de Saint-Brieuc, le bois de Plédran est propice à toutes sortes de randonnées fléchées, à cheval, en VTT ou tout bonnement à pied. En famille, madame peut tenter le parcours santé, pendant que monsieur joue aux boules, sur terrain damé, et que les enfants s'égaillent dans un espace qui leur est réservé. À la fin de la journée, tout le monde est content !

Quintin

La ville aux deux châteaux

20 km au S.-O. de Saint-Brieuc

☎ 02 96 74 94 79. Ouv. t. l. j. 15 juin-15 sept., 10 h 30-12 h 30 et 13 h 30-18 h 30 ; hors saison, ouv. sam. et dim., 14 h 30-17 h.

Belle performance pour un si joli petit village que de réunir en ses murs deux des plus fiers châteaux de la région à l'intérieur du même parc, en plein centre-ville. Petite cité de caractère, Quintin fait preuve d'un dynamisme culturel dont le point d'orgue se situe à la mi-novembre, lors de la foire Saint-Martin et du Festival des chanteurs de rue.

Repères

D2

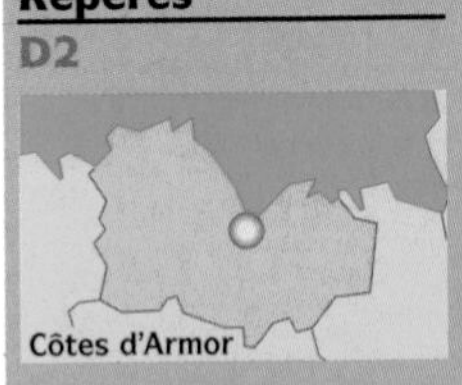

Activités et loisirs

La Maison de la baie
Traversée nocturne de la baie à cheval
Randonnées en forêt de Plédran
Plages, voile et activités sportives

À proximité

Guingamp (28 km N.-O.), p. 150,
Saint-Quay (20 km N.), p. 158,
Guerlédan (env. 45 km S.-O.), p. 160.

Office de tourisme

Saint-Brieuc :
☎ 02 96 33 32 50

Traversée nocturne de la baie à cheval

Une expérience unique et étonnante pour des cavaliers venus parfois de loin. Cette aventure, organisée par l'Association des cavaliers d'extérieur des Côtes d'Armor, n'est possible qu'un jour de pleine Lune où la marée est basse vers minuit. Tentés ? Alors, si vous avez une bonne assiette, appelez le ☎ 02 96 74 68 05 pour connaître la date à laquelle ces conditions seront réunies. Mais si vous êtes tout simplement amoureux du cheval, renseignez-vous également : la nuit, la traversée se fait au pas, mais les Cavaliers d'extérieur prévoient régulièrement une traversée diurne, au galop. Et le spectacle de près de 200 cavaliers lancés dans cette chevauchée fantastique est impressionnant.

Pléneuf-Val-André

une station très courue

C'est l'une des stations les plus courues des Côtes d'Armor. Son immense digue qui borde une plage interminable n'a rien à envier à sa consœur dinardaise. La promenade mène à la pointe de Pléneuf qui ouvre sur la baie de Saint-Brieuc, face à la réserve d'oiseaux de l'île du Verdelet. Fille des villas bourgeoises et des congés payés, Pléneuf est un haut lieu de la nuit costarmoricaine, centrée autour du casino. Fréquentation touristique oblige, Pléneuf est également un centre commercial important de la côte.

Pléneuf-Val-André côté sport

Pléneuf-Val-André possède le label Station Voile. Toutes les activités liées à la voile y sont donc proposées : initiation à la voile et à l'étude du milieu marin pour les enfants (École française de voile, ☎ 02 96 72 95 28), organisation d'entraînements et de régates pour les initiés (Yacht Club du Val-André, ☎ 02 96 72 21 68). Sur terre, mais pas très loin de la mer, les golfeurs pourront pratiquer leur art au long d'un parcours de 6 km longeant les plages (Golf Blue Green, ☎ 02 96 63 01 12).

La malle du capitaine

Rue Winston-Churchill
☎ 02 96 63 09 75.

Située tout près de la belle digue de Pléneuf-Val-André, c'est une malle aux trésors. Tout attire l'œil et la main. Un beau coffre avoisine les 3 000 F. Considérez-le comme un investissement estival !

Le long de la côte

Entre le cap Fréhel et Pléneuf, plusieurs sites méritent une étape, à commencer par la

station de Sables-d'Or-les-Pins, dont le nom si poétique préfigure la douceur de vivre qui y règne. Les inconditionnels disent que l'immense plage de sable fin et… d'or est la plus belle de Bretagne. Elle est pourtant artificielle, œuvre des promoteurs qui lancèrent la station dans les années 1920. Les Sables possèdent aussi un casino à l'image de la station : petit mais charmant. Un peu en retrait, Plurien possède une minuscule chapelle aux poutres gravées de la coquille Saint-Jacques, signe des

anciens pèlerins se rendant à Saint-Jacques-de-Compostelle. Au large, l'îlot Saint-Michel propose une jolie balade à pied, mais faites attention à la marée !

Dahouët

Un petit port tranquille

2 km à l'O. de Pléneuf

C'est un charmant petit port de pêche, niché dans l'estuaire de la Flora que les plaisanciers de la côte Nord fréquentent pour l'abri qu'il fournit autant que pour le caractère pittoresque que lui confèrent ses jetées de granit et les rares chalutiers qui l'animent encore. Un peu plus loin, la station du Val-André a, un jour, tellement séduit une jeune actrice française, qu'elle choisit ensuite de s'appeler à la scène Valandrey, prénom Charlotte…

Saint-Alban

La crêperie

3 km au S. de Pléneuf

Z.A. Le Poirier

☎ 02 96 32 98 06.

Ouv. t. l. j. juil.-août. Sur r.-v., hors saison, le mat.

Visite gratuite.

La Bretagne en compte quelques milliers, pensez-vous. Certes, mais celle-ci n'est pas une crêperie au sens de « restaurant », c'est tout simplement une crêperie… où l'on fabrique des crêpes. **M. et Mme Girardot** ont ouvert leur entreprise au public. Vous pourrez ainsi suivre la chaîne de fabrication des délicieuses crêpes bretonnes, de la conception de la pâte, à la dégustation sans laquelle la visite serait incomplète. Boutique. Crêpes et galettes sont une tradition bretonne ancestrale. Chaque maison possède donc son « petit plus » qui fait la différence, mais c'est toujours un secret ! Le petit village de Saint-Alban est lui aussi sympathique. Ses maisons de granit ont conservé tout le cachet des constructions régionales.

Repères

E2

Côtes d'Armor

Activités et loisirs

Stages de voile et golf
Promenades et plongée
Visite d'une crêperie

À proximité

Cap Fréhel (25 km N.-E.), p. 172,
Saint-Cast (30 km E.), p. 174.

Office de tourisme

Pléneuf-Val-André :
☎ 02 96 72 20 55

COQUILLE ET PLONGÉE

Erquy, 9 km au N.-E. de Pléneuf

La pêche à la coquille Saint-Jacques continue de faire vivre ce village de 3 000 habitants. Cependant, la période faste des années 70 est révolue. Désormais, les chalutiers sortent seulement 2 h par jour, 4 jours par semaine, et uniquement de novembre à mars ! Si vous n'avez pas la chance d'assister au retour des navires avec leur cortège de mouettes piaillantes, rabattez-vous sur une petite excursion le long des impressionnants à-pics du cap d'Erquy et dans la lande environnante qui rappelle celle de Fréhel. Il existe un joli circuit balisé que peuvent emprunter grands et petits. À moins que vous ne préfériez explorer les fonds marins, à la recherche d'épaves en baie de Saint-Brieuc (Histoire d'eau, Label Bretagne Plongée, ☎ 02 96 72 49 67).

Lamballe
cœur du Penthièvre

C'est une femme, Jeanne de Penthièvre, qui est à l'origine de la prospérité de Lamballe. Elle en fit au XVe s. la capitale du pays qui porte son nom. Mais l'ambition d'une autre famille, les Montfort, aura raison de la belle Jeanne. Soumise, Lamballe ne se relèvera que pour mieux subir les guerres de religion, avant de tomber sous les coups des révolutionnaires en 1792. Il ne restait à la cité qu'à se tourner vers le commerce. Ce qu'elle fit avec succès (cuirs et peaux, agroalimentaire…) en profitant de l'arrivée du chemin de fer Paris-Guingamp.

Balade dans Lamballe

La Tête noire
☎ 02 96 50 88 74.
Lamballe a su réussir le mariage de l'ancien et du moderne. La preuve ? À deux pas de la belle place du Martray, **La Tête noire**, un superbe bistrot… du XVe s. avec double entrée, vitraux et taverne attenante, qui réunit la jeunesse des environs dans un cadre chargé d'histoire. Rien que pour la Tête noire, Lamballe vaut le détour. Mais profitez-en pour jeter un coup d'œil, un peu plus haut à la collégiale Notre-Dame-de-la-Grande-Puissance, c'est le départ d'une jolie promenade qui fait le tour du château.

La maison du bourreau… et de Mathurin Méheut

C'est aussi celle de l'office de tourisme. On suppose que le bourreau qui officiait sur la place du Martray (martyr) y résidait, mais nul n'en est certain. Reste que ses splendides colombages et son toit en corniche en font l'une des maisons du XIVe s. les mieux conservées de Bretagne. Au premier étage, le musée Mathurin-Méheut regroupe quelque 5 000 œuvres du peintre (1882-1958). C'est le plus bel ensemble d'aquarelles

et de dessins de l'artiste originaire de Lamballe mais représenté dans les plus grands musées du monde. Mathurin Méheut s'est particulièrement attaché à dépeindre la vie quotidienne à travers les vieux métiers traditionnels bretons.

À la croisée des chemins

Plusieurs circuits de randonnées passent par Lamballe, que ce soit à pied (GR de Pays 086), à vélo (itinéraire auprès du Comité départemental de cyclotourisme, ☎ 02 96 42 98 66, après 18 h 30), à cheval

(Association des cavaliers d'extérieur des Côtes d'Armor, ☎ 02 96 73 12 38).

Moncontour

Cité perchée

10 km au S.-O. de Lamballe

☎ 02 96 73 44 92 ou ☎ 02 96 73 50 50.

Accrochée à son éperon rocheux, Moncontour est l'une des plus belles cités féodales de Bretagne. Les remparts du XIe s., les venelles étroites et les boutiques aux enseignes d'inspiration médiévale sont, chaque année en août, le théâtre d'une superbe reconstitution médiévale qui attire de nombreux visiteurs. La très belle campagne environnante fourmille de chemins de randonnée.

Jugon-les-Lacs

Un moment de détente

16 km au S.-E. de Lamballe

Voilà une cité qui vit autour de son lac. En été, les activités sont celles d'une petite station balnéaire classique (plage, baignade, dériveur, randonnée...) dans un cadre pittoresque puisque Jugon est une ancienne place forte chargée de défendre l'axe Dinan-Lamballe. Ce sont les ruisseaux alentour, canalisés voici 800 ans, qui ont constitué ce vaste

plan d'eau autrefois obstacle à l'invasion, aujourd'hui royaume du pédalo.

Repères

E2

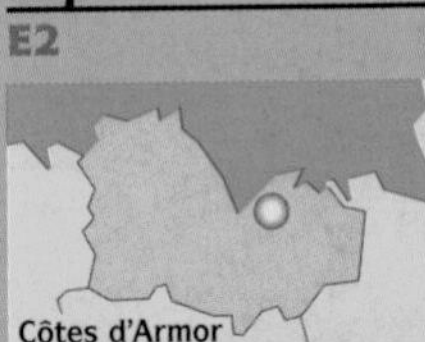

Activités et loisirs

Équitation et visite du haras
Randonnées à pied ou en VTT
Spectacle médiéval à Moncontour

À proximité

Loudéac (40 km S.-O.), p. 162, Saint-Cast (30 km N.-E.), p. 174, Dinan (40 km E.), p. 182.

Office de tourisme

Lamballe : ☎ 02 96 31 05 38

Le haras

Club hippique, Lamballe ☎ 02 96 31 00 40 ou ☎ 02 96 50 06 98. C'est le second haras national de France. Écuries, manège, garage des véhicules hippomobiles, sellerie, forge et salle d'attelage, tout se visite, sur rendez-vous hors saison, avec un guide en été. On y enseigne aussi bien l'équitation (au club hippique) que les soins nécessaires aux quelque 120 animaux qui occupent les lieux en permanence. L'atmosphère cossue, les bâtiments de pierre, la prestance des étalons et la puissance des nombreux chevaux de trait sont les symboles de la richesse de la région. Trois dates importantes : janvier, la présentation des étalons, début août, le concours hippique national dans l'enceinte du haras et, fin septembre, la fête du cheval, qui a lieu en ville et au haras.

La Côte d'Émeraude

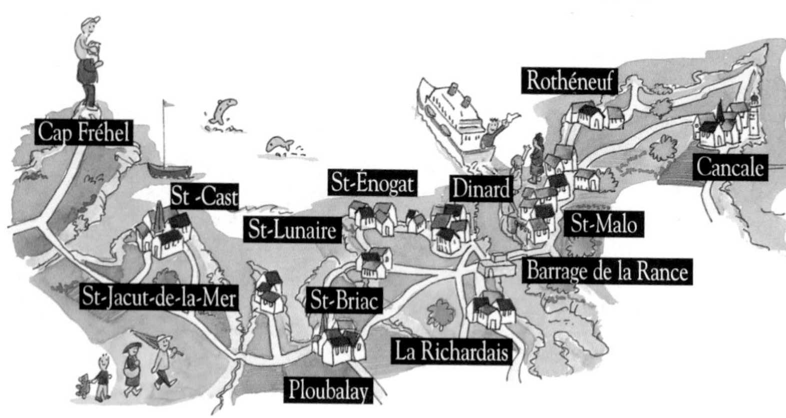

Du rocher de Cancale aux falaises du cap Fréhel, la Côte d'Émeraude est une succession de criques ensoleillées et de pointes rocheuses escarpées. En bordure de ce littoral unique court le GR 34, sur l'ancien tracé du sentier emprunté par les douaniers. Dans tous les offices de tourisme, des topo-guides sont disponibles. Ils sont les meilleurs amis de « ceux qui ne veulent pas marcher idiots », selon l'expression de Maurice Réauté, à l'origine des premiers sentiers balisés en France, que vous croiserez peut-être entre Saint-Malo et Saint-Cast.

Saint-Lunaire

Du sable pour les chars

Légende ou réalité : à vous de juger. C'est à Saint-Lunaire qu'on trouverait les plus belles femmes de Bretagne. Les rencontrerez-vous dans les travées de la superbe petite église romane tournée vers Jérusalem ou au fil des quatre plages de la station ? La Grand-Plage, assez abritée ; la Fosse-aux-Vaults, moins fréquentée pour cause de sentier d'accès plus long ; Port-Blanc, vers Saint-Énogat ; ou Longchamps, assez ouverte au vent ? De septembre à juin, une fois repliés serviettes et parasols, cette dernière se transforme en une merveilleuse piste pour le char à voile. En effet, à partir de la Côte d'Émeraude, le sable a la consistance adéquate pour la pratique de ce sport extraordinaire (Yacht Club de Saint-Lunaire, ☎ 02 99 46 37 91). Plus loin,

Le Montmarin

Le Montmarin, près de La Richardais, est l'une des rares malouinières élevées sur la rive gauche de la Rance. Qualifiée à l'époque de « folie », sa toiture évoque une coque de bateau retournée. Le château ne se visite pas mais le site que l'on aperçoit depuis la promenade de la Vicomté vaut le détour.

Le barrage de la Rance

Il est unique au monde. L'usine produit plus de 600 millions de kWh par an, soit la consommation d'une ville de 250 000 habitants. Elle se visite sur rendez-vous (☎ 02 99 16 37 14). C'est la très forte amplitude des marées dans l'estuaire de la Rance qui décida les ingénieurs français à lancer sa construction au début des années 1960. Inauguré par Charles de Gaulle en 1967, le barrage est aussi le site technologique le plus visité de France. À l'intérieur, les agents chargés de la surveillance des 24 groupes générateurs se déplacent à vélo. Un nouveau circuit de visite mis en place en 1996 intègre l'impressionnante salle des machines. Itinéraire fléché, salle des maquettes, diaporama... En sortant, vous aurez compris que l'usine fonctionne sur le principe antique du moulin à marée, plus quelques menus progrès techniques. En jetant un pont entre Malouins et Dinardais, le barrage a aussi rapproché deux communautés que l'histoire et l'esprit ont longtemps opposées. La circulation sur le barrage est dense et dangereuse, les contrôles y sont donc fréquents.

la **pointe du Décollé** est célèbre pour son panorama qui embrasse toute la côte et... pour **La Chaumière**, discothèque réputée.

Saint-Briac

Le golf de Dinard

Le village est un peu plus petit, mais la station est aussi animée. Les peintres Auguste Renoir, Paul Signac et Henri Rivière contribuèrent, à la fin du siècle dernier, à en faire la station des artistes, lui donnant un faux air de Pont-Aven. Sur les dunes de Saint-Briac s'étend le fameux golf... de Dinard, jalonné de nombreux surplombs en bord de mer. Bien abritée, la plage de la Salinette a ses adeptes, mais la plus belle, pour la vue qu'elle offre sur l'île Agot et la Dame-Jouanne, est la plage de Port-Hue.

Repères

E2-F2

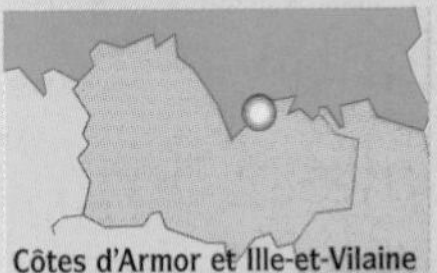

Activités et loisirs

Randonnée sur le littoral
golf et char à voile
Visite du barrage de la Rance

À proximité

Saint-Brieuc, p. 164,
Dinan, p. 182,
La baie du Mont, p. 190.

Office de tourisme

Côte d'Armor Tourisme :
☎ 02 96 62 72 00

Ploubalay

Le château d'eau

Restaurant du Château d'eau

C'est la plus belle vue de la région. Et c'est aussi une bonne adresse puisqu'un restaurant est aménagé au sommet de cet ancien château d'eau. Cuisine traditionnelle à base de produits de la mer. À Ploubalay s'est aussi installé l'un des meilleurs restaurateurs... de vieilles demeures de France. L'entreprise **Josse**, sur la route de Dinard, se visite à la demande. Les ouvriers y travaillent des matériaux anciens (tommettes, grès, bois...). Les malouinières de la région leur doivent beaucoup.

Le cap Fréhel

lande, falaise de grès rose et sable fin

Plus de soixante mètres d'à-pics rocheux dominent une mer toujours remuante. Une lande rouge et jaune et des rochers sombres donnent au cap Fréhel un aspect désertique, presque irréel. Pour la légende, les longues traînées amarante qui irisent le cap sont les traces laissées par le sang d'un évangélisateur irlandais. Au pied du cap, un caillou isolé fut jeté là par Gargantua, c'est l'Amas du cap. Près de la baie des Sévignés, un mégalithe levé, c'est la canne de Gargantua !

Le phare de Fréhel

☎ 02 96 41 40 03.
Ouv. t. l. j., s'adresser au gardien.
Accès gratuit.
Connu de tous les marins du monde, il toise la Manche de plus de 100 m et sa portée maximale est de 110 km, ce qui en fait l'un des plus puissants de France. Le premier phare à éclipses date du milieu du XIXe s. Détruit par les Allemands, il fut reconstruit en 1950. Si vous grimpez les 140 marches à la nuit tombante, par temps clair, vous reconnaîtrez, plein nord, l'éclat du phare de la Corbière, à Jersey.

La baie de la Fresnaye

À marée basse, la baie de la Fresnaye découvre l'une des plus grandes vasières de France. La promenade y est plus sûre qu'en baie du Mont-Saint-Michel et vous aurez là tout loisir d'aller détailler de près les fameux bouchots des producteurs de moules. La pêche à pied y est très répandue et les prairies, notamment, comptent parmi les meilleures de la région. À l'entrée de la baie, une balise marque le naufrage, en 1950, de la frégate *Laplace*, dû à une mine oubliée de la Seconde Guerre mondiale.

Fort La Latte

☎ 02 96 41 40 31.
Ouv. t. l. j. de Pâques à sept., 10 h-12 h 30 et 14 h 30-18 h 30 (l'été, 10 h-19 h). Hors saison, sam., dim. et vac. scol., 14 h 30-17 h 30.
Accès payant.
Kirk Douglas lui-même, venu tourner *Les Vikings* avec Tony Curtis, se déclara impressionné par la sauvage majesté de

l'endroit. Ce sont les fameux Goyon-Matignon qui ont fait édifier la forteresse, il y a 700 ans. Le donjon imprenable et les puissantes fortifications ont résisté à toutes les guerres. Un simple coup d'œil aux à-pics rocheux, en contrebas, et l'on comprend pourquoi.

La promenade du Frémur

Le Frémur est la petite rivière qui s'enfonce dans les prés verts, au fond de la baie. On y accède par le GR 34. Le long de son cours, une jolie promenade digestive à travers campagne et sous-bois permet de rejoindre le château du Vaurouault. Là, méfiance, une légende dit qu'un fantôme rôde autour des vieux murs. Détail rassurant ou inquiétant, il n'apparaît, paraît-il, qu'aux cocus !

Les villages

Fréhel et Plévenon, dans l'intérieur, sont deux petits bourgs pittoresques respectivement très animés au moment du carnaval et de la Fête de la mer (artisanat, dégustation d'huîtres…). Pléhérel, vers Pléneuf, compte l'une des plus belles anses de sable fin de la région. Au fond de la baie de la Fresnaye, Port-à-la-Duc est un petit village de pêcheurs typique dont la magnifique digue de pierre appelle à la flânerie.

De Matignon à Monaco

Caroline, Albert et Stéphanie ne sont jamais venus. Pourtant, c'est un seigneur de Matignon, en épousant une Grimaldi, qui devint prince de Monaco en 1731, liant à jamais le destin du rocher méditerranéen à celui de ce petit village du cap Fréhel. C'est encore à un Goyon-Matignon, qui fit construire l'hôtel parisien qui porte son nom, que la résidence du Premier ministre de la France doit son appellation la plus usuelle. C'est aussi à Matignon qu'est né, en 1926, Claude Casisian, ce mystificateur de génie qui est à côté de Jacques Chirac au défilé du 14 juillet, qui serre la main du prince Charles, bavarde à l'aise avec la famille royale d'Espagne… Les photos de ses exploits inondent les magazines.

Repères

E2

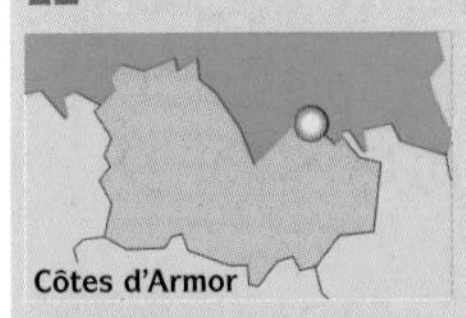

Activités et loisirs

Visite du phare de Fréhel
Balade dans la baie de la Fresnaye
La promenade du Frémur
Réserve ornithologique

À proximité

Pléneuf-Val-André (25 km S.-O.), p. 166.

Office de tourisme

Cap Fréhel :
☎ 02 96 41 53 81

Une réserve ornithologique

Au pied du cap Fréhel, la réserve de la Fauconnière doit son nom au fait que les faucons autrefois nombreux venaient s'y reproduire. Aujourd'hui, la réserve ornithologique compte parmi les plus belles de Bretagne. Par une journée ensoleillée, c'est un régal pour les yeux que de regarder s'ébattre les cormorans huppés, les huîtriers-pies, les goélands dont l'envergure atteint 1,50 m ou les fous de Bassan capables de plonger à plus de 10 m. Un peu plus bas, les guillemots et les pingouins se rafraîchissent au bord de l'eau. Munissez-vous d'une paire de jumelles. Le spectacle est passionnant, spécialement au moment de la ponte, qui varie selon les espèces. Visites guidées t. l. j. de juin à sept. Rens. au syndicat des Caps, ☎ 02 96 41 50 83.

Saint-Cast
aux sept plages

Les plages de Saint-Cast sont branchées. Dans la foulée de Dinard, Saint-Cast a surfé sur la vague du tourisme balnéaire du début du siècle. L'arrivée des congés payés de 1936 modéra un peu l'ardeur élitiste des premiers estivants. Résultat ? Saint-Cast a deux visages, bourgeois et résidentiel à la pointe de la Garde ; bon enfant et plus familial à la pointe de Saint-Cast et dans les mignonnes petites ruelles du quartier de l'Isle. La grande plage centrale des Mielles est une merveille.

Gilles le Débauché

À quelques minutes de Saint-Cast, le petit port du Guildo reçoit encore les caboteurs du Nord chargés de bois de construction. Le déchargement est un spectacle. Sur la hauteur, le **château du Guildo** fut

le théâtre des frasques amoureuses de Gilles de Bretagne et de Françoise de Dinan au XVe s. L'expression « courir le guilledou » date précisément de l'époque des débauches de Gilles au Guildo.

L'île des Ébihens

Promenade en bord de mer

5 km à l'E. de Saint-Cast (à pied)

Entre Saint-Cast et Saint-Jacut, c'est une île privée, mais ses superbes plages de sable blanc sont accessibles à marée basse. Attention seulement de ne pas vous laisser surprendre par la mer qui remonte. Voici à peine dix ans, on a découvert sur l'île les traces d'un ancien village coriosolite (peuple gaulois). Pour le simple plaisir des yeux, l'île des Ébihens est l'une des plus belles balades du coin.

Plancoët

Ville d'eau

17 km au S. de Saint-Cast

L'une des plus célèbres eaux minérales de France trouve sa source ici. À l'heure où les problèmes de l'eau sont

cruciaux en Bretagne (teneur en nitrates, produits phytosanitaires…), l'eau de Plancoët est un gage de fiabilité. Zéro nitrate, mais des vitamines en nombre pour donner les joues roses aux Plancoëtins et aux Plancoëtines, et de l'énergie aux concurrents de l'International Trophy VTT. Cette course de 70 km sur les sentiers tout-terrain entre Plancoët et Saint-Jacut a lieu chaque année en juillet.

Plédéliac

Cervoise et troubadours

25 km au S.-O. de Saint-Cast

Ferme-auberge de Belouze

☎ 02 96 34 14 55.

À l'heure du dîner, enfoncez-vous vers l'intérieur des terres, près des ruines imposantes du château de la Hunaudaye. À la **ferme-auberge de la Belouze**, un jeune couple amoureux de la magnifique bâtisse du XVe s. a ouvert une vraie salle de banquet du Moyen Âge. Pour environ 100 F, vous aurez droit à un repas médiéval, souvent à base de gibier, arrosé de véritable cervoise bretonne. Certains soirs, le spectacle est aussi dans la salle, grâce aux trouvères, troubadours et autres jongleurs qui animent le banquet. La ferme-auberge est aussi maison d'hôtes, vous pourrez donc même abuser de la cervoise et y passer la nuit.

Repères

E2

Activités et loisirs

L'International Trophy VTT
Fête de la mer à Saint-Jacut
Baignade ou balade à marée basse

À proximité

Piéneuf-Val-André (30 km O.), p. 166,
Lamballe (30 km S.-O.), p. 168,
Dinan (35 km S.-E.), p. 182.

Office de tourisme

Saint-Cast :
☎ 02 96 41 81 52

Saint-Jacut, un monde à part

13 km à l'E. de Saint-Cast

Les Jaguins (habitants de Saint-Jacut) sont d'anciens îliens, ce qui explique notamment qu'ils aient parlé « leur langue » jusque dans les années 1960. Au début du mois de juin se déroule ici une grande Fête de la mer qui réunit vieux gréements et chaloupes de pêcheurs, artisans et amateurs de dégustation de fruits de mer, au son d'une musique bretonne et celtique qui revient fort au goût du jour. Rens. : Côtes d'Armor Tourisme, ☎ 02 96 62 72 00. Autour de la presqu'île s'étalent pas moins de 11 plages. À marée basse, le site est propice à la pêche aux coques, beaucoup moins à la baignade, car il faut aller chercher l'eau très loin.

Dinard
la promenade des Anglais

Les soirs d'été à minuit, la ville perd quelque peu le cachet britannique qui a fait le renom de la station. Le périmètre qui englobe le casino, les abords de la plage de l'Écluse et les terrasses de café bruissent d'une ambiance plus bière et musique techno que thé mondain.
La Croisette, Le Newport ou Le Petit *Casino* sont des rendez-vous branchés, points de départ vers les boîtes de Saint-Lunaire, de Pleurtuit ou de Saint-Briac. Le jour levé, ni vu ni connu, la station se rhabille en chic anglais.

Une Anglaise amoureuse du site

Une jolie Anglaise amoureuse du site et du climat a réussi, au siècle dernier, là où ses compatriotes en armes avaient piteusement échoué cent fois en trois siècles. Force, élégance et séduction, Mrs Faber a conquis Dinard, lui imprimant pour toujours la marque d'une aristocratie anglaise qui jusqu'alors fréquentait plutôt la Normandie. Sur ses recommandations, plusieurs familles d'outre-Manche se fixèrent ici. On construisit les belles villas du bord de mer, dont la villa Eugénie, où se trouve le **musée du Site balnéaire**, la maison du Prince noir, prieuré des trinitaires, sur la plage qui porte son nom, ou la villa Monplaisir, actuel hôtel de ville. On ne tarda pas à inaugurer, en 1879, le premier tennis club de France, puis le golf, puis l'église anglicane… Dinard était née.

Les plages

Service des bains
☎ 02 99 46 18 12.
Plage de l'Écluse, le temps est révolu où la baignade était à 1,20 F, tarif réduit pour les enfants et les domestiques. Mais l'endroit reste chic et branché. Ambiance nettement plus familiale sur les plages du Prieuré et de Saint-Énogat mais le sable y est aussi fin. La

plage, à Dinard, c'est aussi la fameuse cabine rayée qui pose son touriste comme le yorkshire sa lady. Vous la trouverez en location pour environ 40 F la demi-journée ou 1 000 F par mois.

Pêche en mer ou balade sur la Rance

Emeraude Lines
☎ 02 23 18 01 80.
Embarquez de bon matin vers les îles Chaussey, la pointe du Grouin ou le cap Fréhel. On vous fournira à bord le matériel pour attraper le poisson géant idéal pour la photo souvenir de vacances. Mais au pays des Anglais, vous préférerez peut-être plus

LE MARCHÉ

Mar., jeu. et sam. mat.

Paradoxe ou clin d'œil de l'ancien village de terre-neuvas, le marché de Dinard est l'un des plus prospères de Bretagne. Côté cuisine, c'est un appétissant étalage de produits régionaux, fruits de mer et poissons, bien sûr, mais aussi andouille, boudin noir, pâté et galettes... Le tout à des prix très abordables. C'est aussi là que se retrouvent les chineurs de tout poil. Soldeurs, colporteurs, fripiers proposent de vraies bonnes affaires. Il n'est pas rare d'y dénicher quelques grands noms du prêt-à-porter à moitié prix.

flegmatiquement flâner sur la Rance. La même compagnie vous en donne la possibilité.

Les promenades

Entre la plage de l'Écluse et le Prieuré, la promenade du Clair-de-lune longe joliment la côte, sous les maisons du quartier Bric-à-Brac, de l'expression d'un acheteur anglais visitant une villa de la pointe du Moulinet. Son ensoleillement est bien meilleur le matin. De l'autre côté, la promenade de la Malouine rejoint la plage de Saint-Énogat, surplombée par les villas les plus baroques de la région. Si vous poussez la balade jusqu'à Port-Blanc, vous emprunterez le chemin des peintres, qui s'étire jusqu'au cap Fréhel. Il est jalonné de reproductions de toiles de Zuber, d'Isabey et de Picasso.

Le Festival du film britannique

☎ 02 99 88 19 04.

Outre le traditionnel et smartissime concours hippique du mois d'août et le golf qui borde les Longchamps dans un cadre somptueux, Dinard renoue chaque année avec ses origines en organisant le Festival du film britannique, début octobre. Sean Connery, Jacqueline Bisset et Hugh Grant sont déjà venus. C'est l'occasion de rencontres, de débats et de séances d'autographes. En ville, on peut aussi voir une statue de Hitchcock, des corbeaux posés sur les bras.

Repères

E2

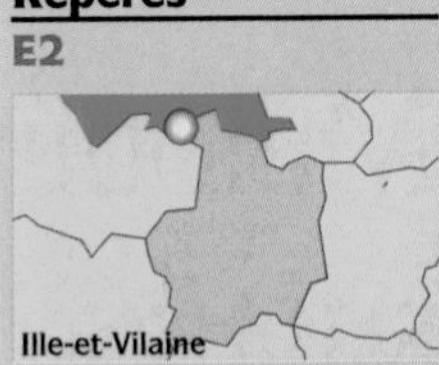

Activités et loisirs

Baignade, balades et golf
Pêche en mer
Le Festival du film britannique
Le marché de Dinard

À proximité

Dinan (23 km S.), p. 182, Cancale (20 km E.), p. 192.

Office de tourisme

Dinard : ☎ 02 99 46 94 12

Ni Français, ni Breton, Malouin suis !

En 1590, Saint-Malo la catholique refuse de voir Henri de Navarre, protestant, monter sur le trône de France. La ville se constitue donc en République et proclame son indépendance. Elle ne réintégrera le giron français qu'en 1594. Tout l'esprit de la cité corsaire tient dans cette anecdote. La ville est fière, libre, farouche, puissante. Ses marins sont enterrés à Valparaiso, Maurice, San Francisco, Maracaï ou Saint-Pierre. Ses enfants ont ramené l'or du Pérou. Duguay-Trouin et Surcouf ont pris Rio et les comptoirs de l'Inde. Les explorateurs Cartier et Charcot ont offert le Canada et l'Antarctique à la France. Chateaubriand et Lamennais ont illuminé la littérature. De passage à Saint-Malo, l'historien du XIXe s., Michelet, nota : « Ces gens-là font tous les jours des choses plus hardies que Colomb. »

Intra-muros

La ville est un monde clos, aux rues pavées presque entièrement dévolues au tourisme. Une foule de petits – et de grands – restaurants, des cafés et, toujours, les hautes demeures qui témoignent de la splendeur passée de la ville. Hôtel White, maison de la Duchesse-Anne, cathédrale Saint-Vincent, rue de la Pie-qui-Boit, le patrimoine historique de la ville est d'une grande richesse malgré les bombardements de la dernière guerre, tout a été reconstruit presque comme avant. Un plan de visite guidée est disponible à l'office de tourisme. La promenade se poursuit avec le tour des remparts (visites commentées par l'office de tourisme, avec départ du Fort national).

La porte Saint-Vincent a été percée dans les remparts en 1709

Les terrasses de la place Chateaubriand

C'est le plus vaste espace de la ville close. D'un côté, les remparts et le château, de l'autre, les maisons de pierre dont les rez-de-chaussée sont tous occupés par de larges terrasses. La plus célèbre est celle de

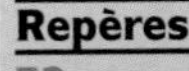

l'**hôtel de l'Univers** (☎ 02 99 40 89 52), mais faites plutôt l'effort de pénétrer dans ce minuscule estaminet, fierté des Malouins. C'est une taverne d'autrefois : le bois chaud, les objets de marine, le bar, les tabourets de cuir, tout évoque les embruns, le sel et les îles. Aux murs, des centaines de gravures, dessins, photos rappellent les événements qui marquèrent la cité. En fin d'après-midi, la terrasse de l'**hôtel de France et de Chateaubriand** (☎ 02 99 56 66 52) est celle qui reste ensoleillée le plus tard.

La librairie du Môle

La cité en fête

Saint-Malo est une terre de B.D. En témoigne le festival Quai des Bulles, qui a lieu tous les ans fin octobre (rens. à l'O.T.). Autre événement, le festival Étonnants Voyageurs : il aurait pu se tenir ailleurs en Bretagne, à Brest, Lorient ou… Gourin tant les Bretons sont tous d'étonnants voyageurs, mais il faut avouer que Saint-Malo lui va comme un gant. La ville est tournée vers la mer, l'avenir, l'ailleurs, l'aventure. Chaque année, entre le Fort national et le quai Duguay-Trouin, le festival réunit plusieurs dizaines de milliers de visiteurs en quête du même Graal : rêve, beauté, voyage, absolu. Les États-Unis, l'Orient, l'Amérique latine… Un thème nouveau préside à chaque édition. Expositions de photos, cultures étrangères, rencontres avec des auteurs concourent à faire de ces trois jours de mai un moment magique.

Saint-Malo *by night*

Direction le **casino** (face à la plage de l'Éventail, ☎ 02 99 40 64 00) pour gagner ou perdre quelques pièces de 10 F dans une ambiance assez chaleureuse. Si vous voulez continuer la discussion, c'est à l'**Angelus bis,** 3, rue des Cordiers (☎ 02 99 40 13 20). L'endroit offre aussi une piste de danse, mais il est tellement grand que vous vous entendrez parler. Au port des Bas-Sablons, le **Cunningham's Bar** (☎ 02 99 81 48 08) possède deux salles superbes, pleines de boiseries dans un décor à la fois marin et anglais.

Le bar de l'Univers

Repères

E2

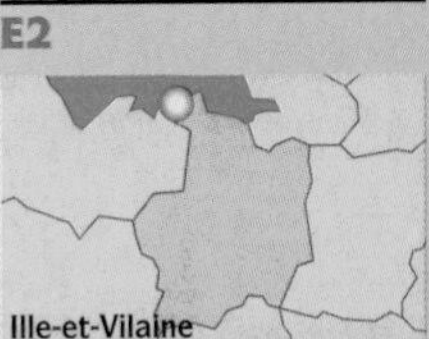

Activités et loisirs

Les festivals
Voile et sports nautiques
Excursions en mer
Le Grand Aquarium
Visite d'un chantier naval

À proximité

Dinan (30 km S.), p. 182, Cancale (10 km E.), p. 192, Dol-de-Bretagne (25 km S.-E.), p. 194.

Office de tourisme

Saint-Malo :
☎ 02 99 56 64 48

Si vous voulez avoir l'air au courant, dites simplement que vous allez au « Cunni ». À Saint-Malo, on danse à **L'Escalier** (La Buzardière, ☎ 02 99 81 65 56), dans l'arrière-pays proche.

Les rochers sculptés de Rothéneuf

Rue des Rochers sculptés
☎ 02 99 56 97 64.

Étonnant exemple d'art naïf : les rochers sculptés de Rothéneuf

C'est l'abbé Fourré, au XIXe s., qui décida de raconter l'histoire de la famille de Rothéneuf en sculptant les rochers d'une petite pointe.

L'hôtel du Centre à Rothéneuf est l'endroit précis où prendre l'apéritif en fin de journée

Aujourd'hui, l'érosion attaque les personnages, mais ils sont encore remarquables et c'est le plus bel exemple au monde de sculpture sur roche. Rothéneuf offre aussi quelques-unes des plus belles plages de la région : Le **Nicet** (il faut descendre 100 marches), le **Val**, et surtout le **havre du Lupin**, petite anse bien protégée, entourée de cinq belles plages. Rothéneuf est aussi l'occasion de rendre hommage à la mémoire de Jacques Cartier, découvreur du Canada en 1435, en visitant le joli **manoir-musée** (☎ 02 99 40 97 73) où il vit le jour et où il mourut.

❀ La grande plage du Sillon

C'est une immense étendue de sable blanc qui rattache Saint-Malo à la terre ferme. À marée haute, les jours de tempête, la mer saute très haut par-dessus la route. En 1987, lors de l'ouragan, elle emporta même une partie de la digue. Celle-ci se prolonge jusqu'à la cale de Rochebonne, bordée par de très belles maisons de pierre qui ont souvent un joli détail d'architecture. C'est l'une des promenades favorites des Malouins. Du 15 septembre au 15 juin, on y pratique le char à voile (Surf School, ☎ 02 99 40 07 47).

La plage de Bon-Secours, au pied des remparts

Le Fort national et les plages

Du fait, peut-être, de son exposition plein ouest, la plage du Môle est la préférée des Malouins, mais la plage de Bon-Secours, juste à droite, n'a rien à lui envier et sa retenue d'eau permet aux enfants de se baigner à marée basse. Sous le Fort national, la grande plage de l'Éventail a aussi ses adeptes. À marée basse, la grève se dégage et livre accès au fort.
Les cailloux alentour sont appréciés des pêcheurs à pied.

Saint-Malo, Station Voile

Vous pourrez pratiquer toutes les activités nautiques à Saint-Malo, de l'optimist au jet-ski en passant par le funboard, le ski nautique, le kayak de mer ou le dériveur. Les clubs sont nombreux. La liste est disponible à l'office de tourisme.

Les Puces marines

Rue Trichet
☎ 02 99 81 37 07.
Un bric-à-brac incroyable. Cordages, cirés, longueurs de chaîne, vêtements, compas de relèvement... Tout est très bon marché. Mais ici, pas de belles boiseries, de malles ouvragées vernies ou de baromètres à flèche...

Les Thermes marins

☎ 02 99 40 75 75.
L'air vivifiant invite à une séance de remise en forme. Le centre de thalassothérapie de Saint-Malo propose un parcours « aquatonic » unique en France, ainsi que des programmes de rééducation plus particulièrement destinés aux sportifs.

Le port des Bas-Sablons

Avec 1 200 bateaux de plaisance amarrés le long de ses pontons, le port des Bas-Sablons est l'occasion d'une belle promenade. Les pontons sont accessibles et vous y verrez tous les types de bateaux, du petit chalutier au yacht de luxe.

La tour Solidor

Elle est située sur la jolie cale de Saint-Servan. Comme le château, elle fut construite à la fin du XIVe s., par Jean IV, non pour protéger les Malouins mais pour les surveiller. Elle abrite le **musée du Long Cours et des Cap-Horniers** (☎ 02 99 40 71 58). Près de la tour, le port de Saint-Servan constitue une jolie promenade, avec ses terrasses de bois.

Le Grand Aquarium

Z. I. La Madeleine
☎ 02 99 21 19 02.

Il est tout neuf. Son ambition avouée est de marcher sur les traces d'Océanopolis à Brest. Dans les salles d'exposition, organisées par thèmes et milieux écologiques, des poissons du monde entier sont offerts à votre émerveillement : monde méditerranéen, monde atlantique, monde tropical… L'espace réservé aux requins est particulièrement impressionnant. Vous traversez la reconstitution d'une épave, comme si vous étiez au fond de l'eau. La séance de cinéma en 3 dimensions incluse dans la visite vous donnera aussi des émotions fortes… Des conférences sur le milieu marin sont régulièrement organisées. L'aquarium possède enfin une boutique où vous pourrez notamment vous fournir en cosmétiques, savons, sels de bains… à base d'algues.

Saint-Malo naval

35, quai Garnier-du-Fougeray
☎ 02 99 40 17 55.
Ouv. lun.-ven.
Accès gratuit, uniq. sur r.-v.

C'est dans ce chantier qu'on a mis au point et construit le fameux navire à grande vitesse (N.G.V.) qui relie la Corse au continent en moins de trois heures. La visite commence au bureau d'études où sont déterminés les plans de construction. Vous verrez ensuite les immenses ateliers d'assemblage et vous suivrez toutes les étapes de la naissance d'un navire, de l'idée en germe à la bouteille de champagne qu'on brise sur ses flancs. C'est passionnant !

EMBARQUEMENT POUR LES ÎLES ANGLO-NORMANDES ET BALADES EN MER

Gare maritime Émeraude Lines ☎ 02 23 18 01 80. Condor, ☎ 02 99 20 03 00. À Saint-Malo, vous êtes à deux pas de Jersey, de Guernesey et de Sercq. L'embarquement se fait à la gare maritime, cale de la Bourse. Les départs sont très fréquents et vous pouvez choisir des formules à la demi-journée, à la journée, au week-end… Jersey est très commerçante avec ses boutiques duty-free. Guernesey est plus pittoresque. Sercq, c'est carrément le dépaysement avec un minuscule port, de hautes falaises et une île d'une incroyable verdeur. *Le Renard* est une réplique du bateau de Surcouf, il organise différents types de croisières, *Le Renard* ☎ 02 99 40 53 10.

Dinan, joyau de la Rance

Ni le temps ni les coups portés par les Anglais n'ont eu raison de la fière cité de Bertrand du Guesclin. Dinan est aujourd'hui la ville médiévale la mieux préservée de Bretagne. Dominant le beau vallon de la Rance, c'est aussi un centre dynamique, comme en témoignent les multiples échoppes d'artisans installées dans des maisons à encorbellements dont les sommets semblent se rejoindre pour former une nef à d'étroites ruelles.

La vieille ville

Elle renferme l'âme de Dinan. Rue de la Poissonnerie ou rue de l'Horloge, les maisons encorbellées avec étages en porte-à-faux sont l'œuvre de charpentiers de marine et rappellent les châteaux arrière des vaisseaux du roi. Un peu plus loin, la place des Cordeliers ouvre sur le plus ancien couvent de la ville, un monastère franciscain fondé en 1241. Place du Champ-clos et place Du-Guesclin se tient le marché, tous les jeudis matin. À ne pas manquer.

Le château et les remparts

☎ 02 96 39 45 20. Ouv. t. l. j., 1er juin-15 oct., 10 h-19 h 15 ; 16 mars-31 mai et 16 oct.-15 nov., 10 h-12 h et 14 h-18 h sf mar. ; 16 nov.-31 déc. et 7 fév.-15 mars, 13 h 30-17 h 30 sf mar. *Accès payant.*

Édifié à la fin du XIVe s. selon les plans d'Estienne Le Fur (architecte de la tour Solidor à Saint-Malo), c'était une forteresse imprenable qui servait également de résidence seigneuriale. Du château part la traditionnelle promenade des remparts dont les premières pierres furent posées au XIIIe s. Il abrite aussi un musée (☎ 02 96 39 45 20, mêmes horaires que le château, accès payant) : à travers les différentes salles, l'histoire de la ville est évoquée, depuis le premier seigneur de Dinan qui s'installa ici vers l'an mil, jusqu'à l'arrivée du chemin de fer à la fin du XIXe s.

Place des Cordeliers

À noter : un espace entier est consacré aux peintres qui ont travaillé dans la région, de Dagnan-Bouveret à Corot, en passant par Méheut…

Shopping

Vous voulez connaître la signification d'une sculpture remarquée sur une maison ? Allez donc poser la question au bouquiniste de la place Saint-Sauveur, dont la caverne regorge de trésors écrits, dessins, peintures, lithographies… **Serge Davy Livres anciens,** 4, place Saint-Sauveur, ☎ 02 96 39 63 00. La rue du Jerzual et celle du Petit-Port sont celles des artistes-artisans. Peinture sur soie, travail du bois, poterie, tissage… Sous les porches à piliers ou derrière les façades à hautes fenêtres, les échoppes rivalisent d'originalité et de caractère. N'hésitez pas à entrer.

SAINT-SULIAC

Rive droite.
20 km au N. de Dinan
Le village préservé est resté ce qu'il était au siècle dernier. Si bien qu'on y a tourné de nombreuses scènes de la saga du *Grand Banc*, contant l'aventure des terre-neuvas. Son petit port, ses maisons hautes de schiste ouvertes sur des rues en pente ont conservé l'atmosphère du petit village qui voyait régulièrement ses hommes partir pour les grands froids du Canada. Le plan d'eau abrité est particulièrement recommandé pour un premier contact avec la voile, École de voile, ☎ 02 99 58 48 80. Dîner d'un homard (abordable) à la terrasse de La Grève, ☎ 02 99 58 33 83, sur le port face au soleil descendant sur la Rance, est un ravissement pour les papilles et pour les yeux.

Le port

En bas du Jerzual, vous êtes au port. L'intense activité qui le caractérisait autrefois était liée à celle de Saint-Malo d'où arrivaient le sel et les épices. De son côté, Dinan s'était faite patrie de la toile et du drap. Le petit pont sur la Rance n'a pas bougé depuis le XVe s. Aujourd'hui, l'endroit est particulièrement animé les soirs d'été. Une bonne occasion de prendre un verre sur les quais, avant d'embarquer pour le canal d'Ille-et-Rance, la Vilaine ou le canal de Nantes à Brest à bord de votre bâteau (location : Crown Blue Line, ☎ 02 99 34 60 11). À moins que vous ne préfériez une petite excursion de 45 à 60 mn sur la Rance (Émeraude Lines, Port de Dinan, ☎ 02 96 39 18 04).

Les bords de la Rance

Succession de vallons encaissés dominés par la forêt d'où émergent les riches demeures des anciens notables de la région, les bords de la Rance recèlent mille idées de randonnées. Les Dinannais affectionnent particulièrement la promenade des prairies de Lehon, vantée par l'écrivain Roger Vercel. En aval, les chemins de halage vous emmèneront jusqu'à la pittoresque écluse de La Hisse.

Repères

E2

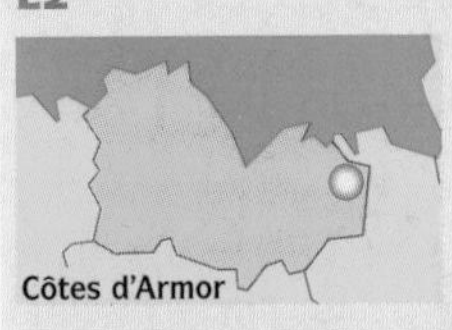

Activités et loisirs

Excursions en bateau
Balades le long de la Rance
La fête des remparts

À proximité

Lamballe (40 km O.), p. 168,
Dinard (23 km N.), p. 176,
Dol-de-Bretagne (25 km N.-E.), p. 194.

Office de tourisme

Dinan : ☎ 02 96 39 75 40

La fête des remparts, le retour *des Visiteurs*

Aujourd'hui, Dinan fait revivre son passé chaque 1er week-end d'août lors de la **fête des remparts**, durant laquelle troubadours, montreurs d'ours ou chevaliers en armes animent les rues. Organisée tous les deux ans, c'est la plus grande fête médiévale d'Europe.

Combourg
dans les pas d'un géant

C'est ici que furent conçues les *Mémoires d'outre-tombe*. L'âme de leur auteur, François-René de Chateaubriand, plane pour toujours sur cette cité médiévale dominée par la majesté d'une lourde demeure où l'écrivain passa le plus clair de sa jeunesse. Le culte que la ville voue à son grand homme, le cachet historique du bourg et la douceur de la campagne environnante font de Combourg le berceau du romantisme.

❀ Le château

☎ 02 99 73 22 95.
Visites t. l. j. sf lun., 1er avr.-30 oct., 14 h-17 h ; juil.-août, t. l. j., 11 h-12 h 30 et 13 h 30-17 h 30.
Accès payant.

Quatre tours cantonnent un gros bâtiment enserrant une cour étroite. Une couronne de mâchicoulis et un chemin de ronde coiffent l'ensemble : pas de doute, Combourg est une véritable place forte. Ses premières pierres furent posées au XIe s., mais ce n'est qu'au XVIIIe s. que le père de François-René de Chateaubriand, le célèbre écrivain, s'en porta acquéreur. À l'intérieur, l'essentiel de la décoration date de la fin du siècle dernier. Seuls quelques meubles sont beaucoup plus anciens (XVIe s.). Le château appartient toujours à ses descendants.

Le parc aux frondaisons romantiques

« Tu devrais peindre tout cela… » : la légende veut que ces mots, s'appliquant au parc du château et prononcés par sa sœur Lucile, aient décidé de la vocation d'écrivain de François-René. Bien sûr, le parc n'a plus ses dimensions du XVIIIe s., mais il a conservé son atmosphère romantique. Une petite balade à travers ses allées bordées de chênes et de châtaigniers suffit à évoquer l'ambiance qui berça l'adolescence du vicomte de Chateaubriand.

La vieille ville

Des maisons basses de granit ouvertes sur un enchevêtrement de rues et de placettes : le bourg articulé autour de l'église a précédé l'implantation du château au XIe s. La **rue de l'Abbaye** est la plus typique. Elle abrite encore les vestiges d'une église prieurale. Quelques belles bâtisses, comme la maison de la Lanterne, rue des Princes, ou celle des Templiers, place du Marché, invitent à la flânerie entre les boutiques de brocante dont la ville s'enorgueillit.

Le restaurant L'Écrivain

Face à l'église
☎ 02 99 73 01 61.
F. le jeu.

Une enseigne traditionnelle en plein cœur de la vieille ville. Ses rougets aux huîtres chaudes et son canard au sel

Une terrasse, rue des Princes

Repères

F2

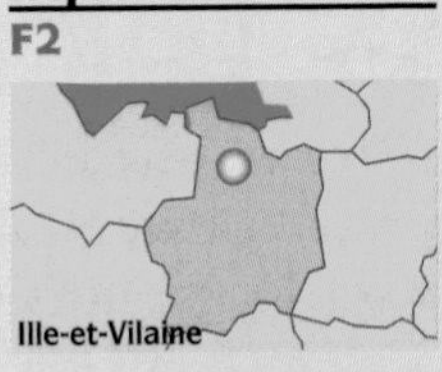

Activités et loisirs

La route des châteaux
Balades et circuit VTT

Avec les enfants

Cobac Parc

À proximité

Baie du Mont (env. 25 km N.), p. 188,
Dol-de-Bretagne (17 km N.), p. 194,
Rennes (38 km S.), p. 196.

Office de tourisme

Combourg :
☎ 02 99 73 13 93

LANHELIN, PARADIS DES ENFANTS

Cobac Parc,
Route de Pleugueneuc
Env. 10 km au N.-O. de Combourg
☎ 02 99 73 80 16.
Comment se distraire après une plongée en outre-tombe ? Direction Lanhelin, où Cobac Parc vous ouvre ses portes : petit train, village miniature, volière, etc., tout est prévu pour distraire vos enfants.

François-René, Vicomte de Chateaubriand

ont valu à la cuisine de M. Menier un label terroir bien mérité. La fraîcheur des produits, le cadre rustique et des prix abordables (1er menu à 78 F) contribuent à maintenir la réputation de l'endroit.

La route des châteaux

Combourg est le plus célèbre, mais la région abrite de nombreuses demeures seigneuriales. À Meillac, par exemple, le manoir de la Hautière et le château du Breil sont ouverts aux visites, mais la palme de l'élégance revient au **château de Lanrigan**, dont la silhouette et le décor Renaissance française évoquent les châteaux de la Loire. Et puisque la route y mène, pourquoi ne pas pousser jusqu'au joli bourg de Saint-Léger-des-Prés, dont l'enclos paroissial et l'église du XVIe s. sont de purs modèles d'art religieux breton ? La journée pourrait même se terminer par la visite d'un **atelier d'ébéniste** spécialisé dans la restauration des belles demeures du coin.
Atelier de Pierre-Yves Lancelot, Saint-Léger-des-Prés,
☎ 02 99 73 65 65.

Sous le signe de l'eau

La région regorge de rigoles, rus et ruisseaux qui agrémentent les nombreuses balades possibles, à **l'étang de Boulet**, par exemple, dont le tour est un circuit VTT de 14 km (itinéraires auprès de la Maison de la randonnée, ☎ 02 99 67 42 21), ou le long des sentiers qui mènent à la petite commune de Dingé pour une **randonnée au fil des ruisseaux et des mares**. Moins courageux ou plus romantique,

vous vous contenterez d'une petite heure de marche autour du lac de Combourg, où vous essaierez de repérer « la caravane emplumée de poules d'eau, sarcelles, martins-pêcheurs et bécassines » qui inspira quelques belles pages à Chateaubriand.

Le château de Lanrigan (XVIe s.)

Le pays de Tinténiac

En plein cœur de l'Ille-et-Vilaine rurale, le pays de Tinténiac est une intéressante succession de bourgs pittoresques dont la vie est rythmée par le cours de la Vilaine, le tourisme et les différentes fêtes ou foires dont la région a su conserver la tradition. C'est aussi une région qui a gardé le goût de la terre dont est issue une gastronomie riche que vous apprécierez dans les fermes-auberges des alentours.

La promenade des onze écluses

Le second barrage de la Rance

Moins impressionnant que celui qui barre l'estuaire de la Rance entre Saint-Malo et Dinard, le barrage de Rophemel constitue pourtant un agréable but de promenade. Coincé entre les parois abruptes d'un canyon de verdure et de roche, le barrage retient, depuis 1937, un petit lac large d'une dizaine de kilomètres qui alimente en électricité toute la région rennaise.

Tinténiac

Au fil du canal

(syndicat d'initiative) Musée de l'Outil et des Métiers, 5, quai de la Donac
☎ 02 99 68 09 62.
Ouv. t. l. j. 1er juil.-30 sept., 10 h-12 h et 14 h 30-18 h 30.
Accès payant.

En bordure du canal d'Ille-et-Rance, la ville a su perpétuer le souvenir des vieux métiers qui animaient autrefois bourgs et campagne. Quai de la Donac, le **musée de l'Outil et des Métiers** est une caverne d'Ali Baba où s'entassent les instruments de travail du cordonnier, du bourrelier, du sabotier, du tonnelier… Installé dans un ancien magasin à grain, le musée est un modèle du genre.

Cyclotourisme le long du canal d'Ille-et-Rance

Pour profiter au mieux de la campagne environnante, faites donc un circuit en vélo. L'un part justement de Tinténiac ; il passe par le château de Montmuran après avoir longé le canal d'Ille-et-Rance. Rens. au comité départemental de cyclotourisme :
☎ 02 99 54 67 54.

Guitté

La foire

Si Tinténiac a gardé la mémoire des vieux métiers dans un musée dynamique, Guitté, petite commune de 500 habitants, fait, elle, la part belle à ceux d'aujourd'hui « qui ont su conserver l'âme d'autrefois ». Tous les ans au début du mois d'août se tiennent ici les **Rencontres des artisans d'art et des produits du terroir.** Tout un programme ! Céramistes, potiers, tisserands à l'ancienne, vanniers..., installent leurs stands sur le grand champ de foire, en alternance avec les producteurs de cochonnailles, céréales, foie gras, éleveurs, pêcheurs... Tous témoins de la persistance d'un art de vivre à la bretonne qui a de beaux jours devant lui.

Hédé

Les écluses

Lorsqu'un petit bateau de croisière se présente à la première écluse d'Hédé, il faut compter l'après-midi entier avant qu'il ne voie la fin de son périple. En effet, il y a onze portes à franchir ! Le long de la Vilaine, sur le chemin de halage aménagé pour la randonnée, de nombreux promeneurs viennent assister à l'étonnant spectacle de ces bateaux qui montent et qui descendent au rythme des lourdes portes qui s'ouvrent, puis se ferment, guidées par un éclusier qui s'active à longueur de journée en été. Hédé est également une petite cité dynamique où se déroule, à la mi-août un **festival de café-théâtre**, théâtre et musique.

Québriac

Zooloisirs

À la sortie de Tinténiac, route de Rennes
☎ 02 99 68 10 22.
Ouv. avr.-sept.
Accès gratuit.

Un immense espace de loisirs pour petits et grands. Des jeux pour enfants, un parc animalier et floral où s'ébattent quelques mammifères de la région et des oiseaux exotiques. Des milliers de roses pour le simple plaisir des yeux. De nombreux services à disposition (boutique, snack froid, bar...). On vient en général pour un pique-nique et on ne ressort qu'à la nuit tombée !

Le charme bien breton d'une rue de Guitté

Repères

F2-F3

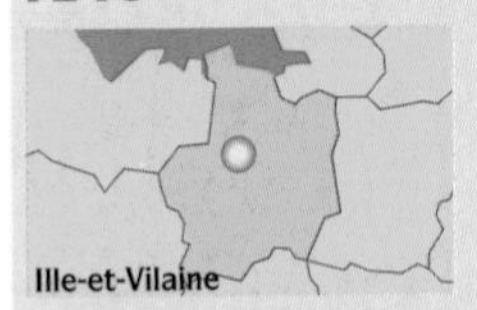

Activités et loisirs

Musée de l'Outil et des Métiers
La foire de Guitté
Cyclotourisme en campagne
Balade aux écluses d'Hédé

Avec les enfants

Zooloisirs de Québriac

À proximité

Dol-de-Bretagne (30 km N.), p. 194,
Rennes (28 km S.), p. 196.

Office de tourisme

Tinténiac : ☎ 02 99 68 09 62

BÉCHEREL, CAPITALE DU LIVRE

☎ 02 99 66 80 55.

Il y a dix ans que quelques doux cinglés ont décidé de faire de Bécherel la cité du livre. Avec douze librairies, un atelier de reliure et trois galeries d'art pour moins de 1 000 habitants, leur pari est aujourd'hui gagné. Chaque premier dimanche du mois s'y tient un marché au livre qui réunit tous les bouquinistes de l'Ouest. Accessoirement, la petite cité de Bécherel est aussi, en toute simplicité, l'une des plus belles de France !

La baie du Mont-Saint-Michel
la perle dans son écrin

À côté de la nef du mont lui-même, resplendissante, couronnée par la dentelle de l'abbaye, la baie est beaucoup trop méconnue. On la dit sans vie et sans âme. Certes elle est plate, mais jamais ennuyeuse. Soleil couchant sur le rocher de Cancale, en face, elle prend relief et couleurs livrant bien des secrets aux rêveurs et aux promeneurs qui arpentent sa grève pour rejoindre, par exemple, le petit village de Saint-Benoît et déguster des huîtres à la terrasse de l'un des deux ou trois petits restaurants. Si vous savez la regarder, la baie vous enchantera. Au fait, saviez-vous que les derniers phoques de nos côtes vivent entre les Hermelles et Tombelaine ?

Le Mont-Saint-Michel

☎ 02 33 60 14 14.
Visite libre ou commentée.
Huitième merveille du monde, inscrit au patrimoine mondial de l'Unesco, 1re destination touristique française en province, le Mont-Saint-Michel est incontournable. Difficile pourtant de retrouver, parmi les hordes de casquettes de touristes, appareils photo en bandoulière, l'âme des moines bâtisseurs qui érigèrent, voici 1 200 ans, la splendide abbaye. Si vous avez le choix, préférez donc y consacrer un beau lundi de septembre plutôt qu'un 15 août. Commencez l'abordage par la Grand-Rue. Cette artère est une succession de commerces de souvenirs, d'échoppes, de cafés et de restaurants, comme le restaurant de **la Mère Poulard** (☎ 02 33 60 14 01) célèbre pour ses omelettes (menu dégustation à partir de 90 F) et pour ses galettes au beurre (49 F la boîte de 350 gr.). L'atmosphère de la Grand-Rue reste très médiévale avec ses toits qui semblent se rejoindre, ses pavés échaussés, ses maisons à tourelles, comme la très belle **maison de la Truie-qui-File**, près de l'abbaye. Construite à

partir du Xe s., cette dernière est le point d'orgue et le point culminant de la visite. Nul doute que vous tomberez en arrêt devant la merveille, splendeur des splendeurs du mont, construite en seize ans seulement et véritable chef-d'œuvre d'art gothique.

Les remparts

En ressortant par le chemin de ronde des remparts, la vue est magnifique. Côté baie, le cours du Couesnon est bien visible à marée basse. À l'est, on aperçoit Granville. À l'ouest, par beau temps, on peut voir la baie de Cancale et la pointe du Grouin. Au nord, le fameux rocher de Tombelaine, où l'on retrouve la même sorte de granit qu'au mont, alors que les sols de la baie sont des schistes plus friables, ce qui explique que ces deux îlots aient résisté à l'érosion. D'un côté comme de l'autre, les remparts rejoignent l'entrée de la Grand-Rue.

L'histoire et la légende

An de grâce 708 : l'archange Michel apparaît en songe à Aubert, évêque d'Avranches. Il lui demande de bâtir une basilique. Devant la lourde tâche à accomplir, Aubert préfère se persuader que le saint n'était pas un saint et que son songe n'était qu'un mauvais rêve. Mais saint Michel revient, chaque nuit, réclamer son mont. Devant tant d'insistance, Aubert finit par reconnaître l'origine divine de son apparition et se met au travail. Peu à peu, ce qui n'était alors que le Mont-Tombe, refuge de quelques ermites, se transforma en Mont-Saint-Michel et commença d'attirer les pèlerins du monde entier.

La plus grande marée d'Europe

Autour du Mont, une forte marée de vive-eau peut atteindre 15 m d'amplitude. Passionnant, mais ça ne vous dit rien ? Alors direction le **Musée maritime** (visite 9 h-17 h en saison, ☎ 02 33 60 14 09), où l'on démontera pour vous les mécanismes de la plus grande marée d'Europe. Même simplicité d'explication en ce qui concerne les travaux de désensablement du Mont qui devraient coûter la bagatelle de 600 millions de francs.

Repères

F2

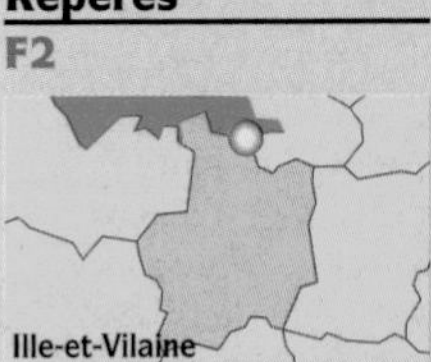

Activités et loisirs

Le Musée maritime
Balade dans la baie
Initiation au char à voile

À proximité

Dinard, p. 176,
Saint-Malo, p. 178,
Dinan, p. 182.

Office de tourisme

Mont-Saint-Michel :
☎ 02 33 60 14 14

L'agneau de pré salé

C'est le meilleur du monde. Son goût inimitable est dû aux pâtures des brebis sur les herbus de la baie, recouverts lors des grandes marées et, donc, salés ! Les petits ruisseaux qui irriguent ces espaces sont appelés des « criches ». Au printemps, il n'est pas rare de voir les brebis dormir sur les polders, en lisière de ces herbus. Les abus concernant la dénomination étaient nombreux et les producteurs se sont associés pour créer un label de qualité. Ce label « grévin », c'est l'assurance que l'agneau a suivi sa mère sur les herbus de pré salé dès l'âge de 3 semaines et cela 230 jours par an. Chaque année, le 1er week-end de juillet, a lieu aux Courtils (9 km du Mont) la fête du Pré salé. Au programme : messe en plein air, balade en petit train et grillades... d'agneau, bien sûr !

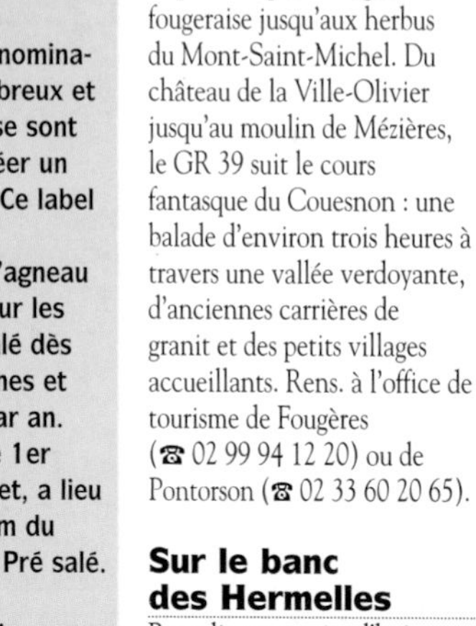

Le Couesnon fou

Limite territoriale entre la Bretagne et la Normandie, c'est lui qui, selon la formule, « par sa folie a mis le Mont en Normandie ». Fou, mais superbe cours d'eau qui serpente depuis la région fougeraise jusqu'aux herbus du Mont-Saint-Michel. Du château de la Ville-Olivier jusqu'au moulin de Mézières, le GR 39 suit le cours fantasque du Couesnon : une balade d'environ trois heures à travers une vallée verdoyante, d'anciennes carrières de granit et des petits villages accueillants. Rens. à l'office de tourisme de Fougères (☎ 02 99 94 12 20) ou de Pontorson (☎ 02 33 60 20 65).

Sur le banc des Hermelles

Remplir son panier d'huîtres, de moules et de coques... C'est possible pour 20 F. À condition, mais c'est un plaisir, d'aller les chercher à pied autour du banc des Hermelles, en plein milieu de la baie. Le banc lui-même est un récif de 100 ha et de 2 m de haut, formé et entretenu par une colonie de vers marins. C'est la plus grande construction animale d'Europe.

Cherrueix et sa plage

C'est l'un des plus jolis petits villages du littoral, avec son église surmontée d'un campanile et ses trois moulins à vent, le long de la digue. La route nationale qui longe la baie ne passe pas à Cherrueix. Il faut y aller exprès. C'est probablement pourquoi le village a gardé un cachet si sympathique. Sur la grève dure, les évolutions des chars à voile sont parfois très impressionnantes. Une compétition internationale s'y tient le 3e week-end d'août. Cherrueix est l'un des rares lieux de Bretagne où ce sport se pratique toute l'année (Noroît Club, ☎ 02 99 48 83 01). Alors, envie de changer d'air, ou plutôt d'en prendre un bon bol ? Partez pour un week-end de char à voile avec Loisirs Accueil (☎ 02 99 78 47 51), qui propose une formule avec hébergement et quatre heures de cours d'initiation.

❀ BALADE
DANS LA BAIE
Le Vivier-sur-Mer
☎ 02 99 48 84 38.
Accès payant.
Tout seul, l'entreprise est délicate et risquée. On dit ici que « la mer monte à la vitesse d'un cheval au galop ». De plus, l'endroit regorge de vasières et de sables mouvants. Le centre d'animation de la baie vous propose des sorties accompagnées de guides animateurs. Les trajets se font à pied. Les guides connaissent parfaitement bien la baie, le milieu maritime, ses richesses et ses dangers. Et, à propos de cheval au galop, plusieurs centres équestres proposent des balades dans ce cadre unique au monde (Ferme équestre de Riskop, ☎ 02 99 80 21 25 ; Aux amis du cheval, ☎ 02 99 66 42 08).

Un mont, mais plus une île

La faute incombe à la nature et aux hommes : le Mont est en train de se rattacher peu à peu au continent. Depuis des siècles, les hommes tentent, alentour, de gagner sur la mer, créant des polders où les moutons viennent paître. Au XIXe s. on décida même qu'il serait plus simple de se rendre au Mont-Saint-Michel… en tramway. Et l'on assécha la langue de terre qui se recouvrait d'eau à marée haute. Le tramway disparut après la guerre, mais pas ses fondations. Aujourd'hui, le Mont n'est plus isolé que lors des très fortes marées.
La nature s'en mêle puisqu'elle ne cesse de déposer limons et sédiments au pied de la digue qui s'ensable. Pour conserver son insularité au Mont, on envisage plusieurs solutions parmi lesquelles la suppression pure et simple de la digue, et son remplacement par une passerelle ou… un souterrain.

Cancale
la perle de l'huître

La *Cancalaise* est un bateau de pêche, une « bisquine » reconstruite en 1986 sur le modèle de ses ancêtres qui draguaient les fonds marins les plus riches de France en huîtres sauvages. *La Cancalaise* est un navire volontaire, portant haut la voile, la fierté et la tradition d'une ville. La Cancalaise, c'est aussi une femme, de celles que les secousses de la vie ou les tempêtes de Terre-Neuve n'abattent pas. La Cancalaise est une femme volontaire, portant haut le verbe, la fierté et la tradition d'une ville. On sait ici qu'on peut apprivoiser la première, pas la seconde. Sorties en mer sur la *Cancalaise*, d'avril à octobre (☎ 02 99 89 77 87).

Cancale

Si vous avez la chance d'arriver à Cancale par la corniche, au soleil couchant et à marée haute, vous comprendrez la magie qu'exerce cet ancien bourg de pêcheurs : vous dominez le petit port qu'on appelle la Houle, la rade où quelques chalutiers sont attardés et les deux jetées qui abritent les bateaux du vent d'Ouest. En bas, l'animation est à son comble, les étals débordent d'huîtres et les terrasses de convives.

Terrasse sur le port de la Houle

Celle qui accueillit François Mitterrand, **l'Armada**, est tout au bout du port.

La ferme marine

Musée de l'Huître et du Coquillage
☎ 02 99 89 69 99.
Accès payant.
Pour tout connaître sur la reine de Cancale : un guide vous accueille et vous explique, entre autres choses, quelles sont les différentes sortes d'huîtres et pourquoi les marées sont si importantes pour leur culture. Une projection audiovisuelle vous permet ensuite de découvrir le métier d'ostréiculteur et de mieux comprendre le développement de l'huître. Vous serez alors fin prêts pour approcher le fameux coquillage lors d'une visite guidée de l'atelier. Avant de partir, allez donc jeter un coup d'œil sur les 1 500 espèces de coquillages qu'abrite le musée (visite libre).

Un chapelet de criques

À quelques encablures de Cancale, Port-Mer, Port-Pican et Port-Briac forment une succession de criques ensoleillées et abritées. Elles font face au fort des Rimains, îlot qui repoussa plusieurs fois les assauts anglais, aujourd'hui propriété du maître du pain Eugène Poilâne. Sur la digue de Port-Mer, plusieurs terrasses sympathiques font salle comble à l'heure de l'apéritif. En allant vers Saint-Malo, les grandes plages du Verger, de la Touesse et l'anse Du-Guesclin sont également très fréquentées en saison.

Une côte qui se découvre à pied

Entre Saint-Malo et Cancale, le GR 34 est accessible à tous. Il longe un littoral magnifique, monte et descend au rythme des pointes, des anses et des dunes. Si vous partez le matin de la pointe du Meinga, vous serez sans peine en fin d'après-midi à Cancale. Un périple à travers la lande, les pins, les plages et les rochers, qui vous emmènera successivement au pied du château de Léo Ferré, à **l'anse Du-Guesclin**, à la mignonne chapelle du Verger et enfin au **sémaphore de la pointe du Grouin**, d'où le panorama sur toute la Côte d'Émeraude vaut bien un petit crochet.

Saint-Coulomb

Plages et malouinières

4 km à l'O. de Cancale

Ce petit bourg est très animé. De là, on peut partir à la découverte des superbes malouinières de la région. La Fosse-Hingant et le Lupin comptent parmi les plus belles. Saint-Coulomb possède aussi l'une des plus belles plages de Bretagne, l'anse des Chevrets. À marée descendante, vous aurez tout loisir d'aller flâner, panier pique-nique au bras, sur le Petit Chevret, dont le dos rond grimpe en pente douce pour vous faire découvrir la multitude des cailloux et des îlots qui parsèment la côte.

Entre Cancale et la pointe du Grouin : l'anse de Port-Mer

Repères

F2

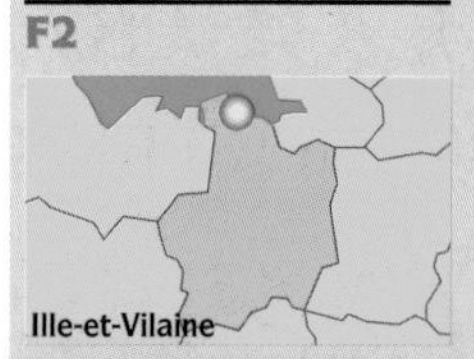

Activités et loisirs

Sorties en mer
Visite d'une ferme marine
Le sentier du littoral

À proximité

Dinard (20 km O.), p. 176, Saint-Malo (10 km O.), p. 178.

Office de tourisme

Cancale : ☎ 02 99 89 63 72

Dégustation d'huîtres

Quai Saint-Thomas, tout au bout du port de la Houle, les ostréiculteurs ont installé de petites guérites aux paniers débordant de creuses ou de plates. On pratique bien sûr la vente directe du producteur au consommateur, à partir de 16 F la douzaine de moyennes. Mais pour que le plaisir soit complet, vous aurez aussi la possibilité de vous installer sur un petit bout de quai, avec une assiette d'huîtres ouvertes devant vous. On fournit le citron !

Dol-de-Bretagne

cœur du marais

Guillaume le Conquérant, Jean sans Terre et, avant eux, les Francs et les Normands, tous ont tenté et souvent réussi la mise à sac de Dol-de-Bretagne. Le statut de riche capitale religieuse que lui avait donné Nominoë, premier roi breton, excitait bien des convoitises. La Révolution, puis les guerres chouannes, qui firent plus de 15 000 morts ici, marquèrent le déclin de la ville. Ce n'est qu'au XIXe s., avec l'arrivée du chemin de fer, que le tourisme redonna du souffle à la cité de saint Samson, l'un des sept saints évangélisateurs de Bretagne.

La grande rue des Stuarts

Pour Victor Hugo, « Dol n'est pas une ville [...], c'est une rue ». Certes, mais quelle rue ! Aux allures de nef gothique, avec ses maisons à colombages ou à piliers, ses pavés disjoints et ses demeures de notables, dont la si belle et si rare **maison des Petits-Palets**, qui date du XIIe s. La rue des Stuarts est le centre commercial et touristique de la ville.

La cathédrale, majestueux pachyderme

L'aspect massif de la cathédrale Saint-Samson est dû autant à la durée de sa construction (cinq siècles à partir du XIIe s.), et donc au mélange des styles roman puis gothique, qu'à la vocation mixte de l'édifice dont la partie sud servait à la défense de la ville. La tour nord, inachevée faute d'argent, ajoute au déséquilibre de l'ensemble. Changement de décor à l'intérieur où les proportions sont plus harmonieuses.

Le mont Dol

Entouré d'eau jusqu'au raz de marée du VIIIe s., le mont Dol domine toute cette région de marais. Du haut de ses 65 m, la **tour Notre-Dame** attire toujours les pèlerins. Elle marque aussi

l'aboutissement du GR 34, qui part des marches de la cathédrale. Deux solutions s'offrent à vous pour rejoindre le sommet : la petite route qui serpente sur ses flancs ou... la ligne droite et verticale, par les falaises sud et ouest, équipées de pitons et fréquentées par les fans d'escalade de la région. Guide disponible au Point 35, ☎ 02 99 79 35 35.

Carfentin

Le menhir du champ dolent

2 km au S. de Dol-de-Bretagne

« La fin du monde arrivera quand le menhir aura fini de s'enfoncer », dit la légende. Malgré le fond de vérité dû à l'affaissement infinitésimal du terrain marécageux, on pourra y pique-niquer encore dans quelques dizaines de milliers

d'années. Avec 9,50 m de haut pour 8,70 m de tour, le tout d'un seul bloc, c'est la plus belle pierre levée encore debout en Bretagne. Le mystère historique est complet quant à son transport et à son élévation, 500 ans av. J.-C.

Landal

Les aigles de Bretagne

12 km au S.-E. de Dol-de-Bretagne

Le château de Landal

Accès gratuit.

Tout de puissance et de charme, le château de Landal (*photo du haut*) n'a plus grand-chose de commun avec la première forteresse qui s'implanta ici au XIIe s. Son allée de chênes, ses douves profondes, son enceinte imposante et ses cinq tours, restaurées au XIXe s., lui conservent pourtant l'aspect qu'il devait avoir au temps de sa splendeur. Dans ce cadre prestigieux évolue le roi des rapaces : l'aigle. Un spectacle dont cet oiseau a la vedette se déroule en effet tous les jours d'avril à novembre, au cœur des remparts (☎ 02 99 80 10 15).

Saint-Méloir

Village artisanal

17 km au N.-O. de Dol-de-Bretagne

Atelier du verrier, ☎ 02 99 89 18 10.
Atelier du potier, ☎ 02 99 89 23 28.

Ce petit village situé dans l'intérieur des terres a décidé de renouer avec la tradition artisanale régionale.
Autour de l'église, un potier, un vannier et un souffleur de verre rivalisent de talent. Attention , chaque pièce est unique parce qu'entièrement réalisée à la main. Partout, les prix commencent autour de 30 F. Il faut compter environ 50 F pour une jolie céramique ou un petit vase de verre, et une centaine de francs pour un beau panier à maquereaux en osier. Autrefois très répandus – Saint-Méloir a accueilli jusqu'à 80 vanniers –, ces métiers trouvent aujourd'hui un nouveau souffle grâce au tourisme.

Repères

F2

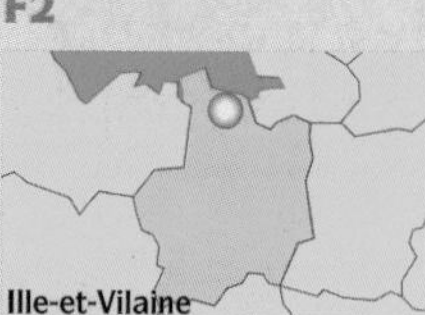

Activités et loisirs

Le spectacle des aigles

Avec les enfants

Visite d'une chèvrerie

À proximité

Saint-Malo (25 km N.-O.), p. 178,
Dinan (25 km S.-O.), p. 182,
Combourg (17 km S.), p. 184.

Office de tourisme

Dol-de-Bretagne : ☎ 02 99 48 15 37

La chèvrerie du désert

Plerguer, 10 km env. de Dol-de-Bretagne ☎ 02 99 58 92 14.

Vos petits citadins n'ont jamais vu de « vraies » chèvres ? Voici une bonne occasion ! Élevées en totale liberté dans cette ferme, elles ne manqueront pas de venir vous lécher les mains.
Les dégustations de produits frais, crêpes, galettes etc., raviront également petits et grands.
Non gourmands s'abstenir !

Rennes
la métropole régionale

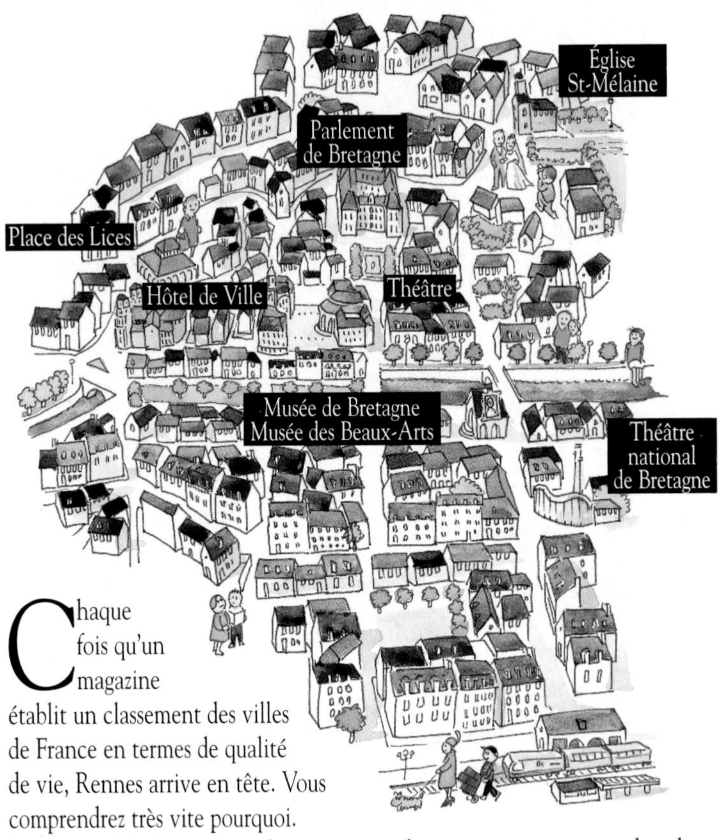

Chaque fois qu'un magazine établit un classement des villes de France en termes de qualité de vie, Rennes arrive en tête. Vous comprendrez très vite pourquoi.
Rennes est à la fois un carrefour commercial important, un centre culturel dynamique, une cité étudiante qui vit presque autant la nuit que le jour, un lieu de création souvent avant-gardiste, une technopole et un chef-d'œuvre d'architecture. Bref, il fait bon y vivre.

Place Sainte-Anne

Par la gauche de la place Hoche, vous débouchez sur la petite place Sainte-Anne. L'attirant brouhaha qui vous vient aux oreilles est celui de la **rue Saint-Michel**, où alternent joyeusement cafés et boutiques de vêtements « branchés ». Sur la place du même nom, ne manquez pas, au numéro 13, une vieille dame : l'**Auberge des Barrilières**. C'est la plus vieille demeure rennaise (1580).

❀ Balade autour du Parlement de Bretagne

Le Parlement de Bretagne, construit au XVIIe s., a longtemps été la mémoire de la région. Incendié en 1994, il a retrouvé fin 1999, grâce à

l'acharnement d'artistes et d'artisans travaillant à sa restauration, son aspect d'origine, mais peut-être pas son âme… La rue Saint-Georges part de cette place. Outre l'animation autour des cafés, c'est l'utilisation du bois dans les anciennes maisons de la rue qui est frappante. Rennes a manqué de pierre durant sa construction et on a donc utilisé le bois car les forêts étaient nombreuses dans les environs. De la place du Parlement, on rejoint également la place Hoche, d'où part la rue Saint-Mélaine, l'une des plus anciennes de Rennes. Si vous avez une petite faim, vous êtes tout près de l'une des meilleures boulangeries de la ville (boulangerie Hoche, 17, rue Hoche, ☎ 02 99 63 61 01).

Le jardin du Thabor

Son entrée principale jouxte l'église Saint-Mélaine. Une cascade, une grotte, des allées

claires et, surtout, des fleurs, des plantes, des arbustes et des arbres harmonieusement agencés pour offrir au promeneur une symphonie douce aux yeux et au nez, et reposante pour l'esprit. Le parc est l'ancien jardin d'une abbaye. Il s'étend sur une dizaine d'hectares au cœur de la ville.

Le musée de Bretagne

20, quai Émile-Zola
☎ 02 99 28 55 84.
T. l. j. sf mar., 10 h-12 h et 14 h-18 h.
Accès payant.

Ce n'est pas seulement un lieu d'exposition. Le musée organise régulièrement des débats et des rencontres sur des thèmes historiques ou sur des thèmes culturels. Un bon moyen de vous familiariser avec la vie quotidienne en Bretagne des premiers peuplements à nos jours. Et puisque vous êtes sur place, pourquoi ne pas enchaîner avec la visite du musée des Beaux-Arts, situé dans les mêmes bâtiments.

Déjà midi !

Les petits restaurants de la ville ont assis les Rennais dans la rue. Les rues Saint-Georges, Saint-Melaine, Vasselot, le haut des Lices, la place Sainte-Anne, débordent de tables où vous pourrez aussi faire une halte dans l'après-midi.

Rennes *by night*

Rue Saint-Michel, le haut des Lices, rue Saint-Georges, rue de Nemours… de jour comme de nuit, Rennes vit. Au mois de mai, les terrasses sont pleines à craquer à 2 h du matin. La tête vous tourne ? Voici quelques pistes. La Banque (5, all. Rallier-du-Baty, ☎ 02 99 78 13 13), décor anglais, et Le Chantier (bas des Lices, ☎ 02 99 31 58 18), décor… chantier, sont des bars à la mode où la clientèle est plutôt jeune. Ambiance garantie. Le Barantic (☎ 02 99 79 29 24), Le Green Pub (☎ 02 99 79 28 85) et le Saint-Michel (☎ 02 99 79 71 25), tous les trois dans la rue Saint-Michel, sont des classiques de la fête rennaise. Pour prolonger la soirée : Café Méliès (13, quai Lamennais, ☎ 02 99 79 26 86), Le Bentley (27, rue de la Monnaie, ☎ 02 99 31 57 64), plus intime, et bien sûr le Bob Pub (12, rue de la Parcheminerie, ☎ 02 99 79 53 05). Amateurs de billard sous toutes ses formes : Le Muséum (12, rue Duhamel, ☎ 02 99 35 14 02). Amateurs de jazz : Le Dejazey (54, rue Saint-Malo, ☎ 02 99 38 70 72). Les discothèques sont moins nombreuses. Depuis des années, L'Espace (45, bd de la

Repères

F3

Activités et loisirs

Le Musée de Bretagne
Les festivals de Rennes
Le marché de la place des Lices

À proximité

Combourg (38 km N.), p. 184,
Tinténiac (28 km N.), p. 186,
Forêt de Paimpon (35 km S.-O.), p. 274.

Office de tourisme

Rennes : ☎ 02 99 67 11 11

Tour-d'Auvergne, ☎ 02 99 30 21 95) et le Pub Satori (3, rue Liothaud, ☎ 02 99 33 90 52) sont des valeurs sûres.

Les Trans

Le festival est devenu mythique : depuis plus de vingt ans maintenant, les **Transmusicales de Rennes,** se sont fait leur place parmi les toutes premières manifestations de ce genre. Étienne Daho, Nirvana, Niagara, Noir Désir

et Stéphane Eicher se sont révélés ici. Début décembre, à Rennes, les rues sont en ébullition, les salles pleines, et les nouveaux talents toujours au rendez-vous (office de tourisme, ☎ 02 99 67 11 11). Il faut le vivre.

« Travelling »

Madrid, Rome et… la banlieue ont déjà servi de thème central à ce festival de cinéma qui ne ressemble à aucun autre mais qui réunit chaque année un public plus nombreux. « **Travelling** » est organisé par des étudiants de l'université Rennes-II (☎ 02 99 14 11 47).

La Foire internationale

Chaque année, à la mi-mars, elle réunit des centaines d'exposants dans tous les domaines, de l'électroménager au voyage en passant par la gastronomie ou l'automobile. C'est la plus importante de l'Ouest (rens. : O.T.).

OUEST-FRANCE : PREMIER QUOTIDIEN DE FRANCE

Z. I. Chantepie
☎ 02 99 32 60 00.
Le soir, sur r.-v. (délais de huit à dix mois).
C'est le plus gros journal quotidien de France (p. 73) et un employeur essentiel de la ville de Rennes. *Ouest-France* a été le premier journal à employer des moyens d'imprimerie intégrés hypersophistiqués. Vous avez la possibilité de visiter les installations. Vous ne manquerez pas d'être impressionné par les énormes rames de papier utilisées.

Le marché de la place des Lices

La place des Lices est le théâtre, chaque samedi matin, de l'un des plus grands marchés de France. Si vous y êtes ce jour-là, ne manquez pas le marché aux fleurs sur le haut des Lices, des couleurs et des senteurs à petit prix. Si c'est un jour de semaine et que vous êtes gourmand, rabattez-vous sur le délicieux chocolatier Kergoff (12, pl. des Lices, ☎ 02 99 78 17 12), c'est une valeur très sûre.

Rennes vous fait une fleur

Voilà une initiative qui a déjà 5 ans, et que la ville reconduit régulièrement. Si vous voulez venir passer un week-end en Bretagne, demandez la liste des hôtels participant à l'opération

La crêperie Au Boulingrain, rue Saint-Mélaine

« Week-end à Rennes ». Vous réservez alors dans l'un de ces hôtels. Une fois sur place, vous remplissez une fiche que vous allez porter à l'office de tourisme (Pont-Nemours, ☎ 02 99 67 11 11), on vous offrira un petit cadeau et… votre seconde nuit d'hôtel. Cela n'est valable que le week-end.

Noyal-sur-Vilaine : un Ricard sinon rien…

Usine Ricard, route de Paris
☎ 02 99 04 16 16.
Mar. et jeu., sur r.-v. uniq.
Accès gratuit.
La région rennaise possède une unité de production décentralisée du célèbre apéritif anisé, le pastis, que l'on ne présente plus. Dans le détail, on vous expliquera quelques secrets de fabrication (pas tous évidemment), la différence entre Ricard et pastis, le conditionnement… Vous pourrez assister aux opérations d'embouteillage et l'on vous proposera un film vidéo retraçant l'épopée du groupe Pernod-Ricard. À la sortie, traditionnelle dégustation gratuite.

LES TOMBÉES DE LA NUIT

La ville met son habit de lumière pour accueillir, chaque début juillet, créateurs, artistes, comédiens, clowns, conteurs, chansonniers, poètes, mimes et troubadours qui envahissent les rues et les salles de spectacle (office de tourisme, ☎ 02 99 67 11 11).

Les usines Citroën de Chartres-de-Bretagne

☎ 02 99 86 31 31.
Ouv. lun.-ven., f. en août.
Accès gratuit.
Implanté le long de la rocade en direction de Nantes, le site industriel des usines Citroën est ouvert au public. Chaînes de montage, d'assemblage des pièces, ateliers de peinture et exposition de photos sont à votre disposition.

Le pays de Rennes

Les environs de Rennes sont surtout occupés par la forêt. Une petite balade en forêt de Saint-Sulpice, c'est un dimanche après-midi qui s'écoule tranquillement. Prenez la direction de Fougères. Au lieu-dit Mi-Forêt, tournez à gauche et suivez la route jusqu'à Saint-Sulpice. Allez à l'abbaye. Elle ne se visite pas, mais ses ruines témoignent d'un riche passé. À partir de là, de nombreux sentiers de randonnée sont balisés et accessibles à toute la famille. Des topo-guides et des fascicules sont disponibles à l'office de tourisme de Rennes afin de vous guider et de vous aider à reconnaître les espèces que vous rencontrerez : hêtres, bouleaux, chênes.

PETITS CAFÉS SYMPAS DU MATIN

Premier café du matin ? Avant 7 h, c'est dans le quartier de la gare. Sinon, la jolie terrasse du café de la Place (pl. Sainte-Anne, ☎ 02 99 78 31 03) vous mettra de bonne humeur. Tout près, le pittoresque Café breton (14, rue Nantaise, ☎ 02 99 30 74 95) se laisse découvrir avec curiosité. Après 9 h, toutes les terrasses du haut des Lices se mettent en place. Mais si vous aimez les grands espaces, le Piccadilly (pl. de la Mairie, ☎ 02 99 78 17 17) est le plus grand et le plus célèbre café de Rennes.

Café de la place Sainte-Anne

Fougères
sentinelle d'un passé glorieux

Perchée sur un promontoire rocheux que borde une vallée verdoyante, Fougères a gardé la majesté d'un passé glorieux marqué par de hauts faits d'armes et la fréquentation d'illustres écrivains. Après avoir été l'un des grands repaires de la chouannerie, le site inspira Victor Hugo, Honoré de Balzac ou encore Gustave Flaubert. Capitale de l'industrie de la chaussure au début du siècle, Fougères tire aujourd'hui une grande part de sa fierté d'une immense forteresse médiévale, et l'essentiel de ses ressources de l'agriculture et de l'élevage.

Le château

☎ 02 99 99 79 59.
Ouv. t. l. j. 15 juin-15 sept., 9 h-19 h ; 1er avr.-15 juin, 9 h 30-12 h et 14 h-18 h ; le reste de l'ann. 10 h-12 h et 14 h-17 h. F. en janv.
Accès payant.

Poste avancé de la Bretagne médiévale, le château de Fougères est l'une des places fortes les plus vastes et les mieux conservées d'Europe. Édifié du XIIe s. au XVe s., il se présente comme une imposante succession d'enceintes fortifiées flanquées de treize tours. On y accède par un petit pont jeté sur le Nançon, dont les marais protégeaient l'édifice.

Les vieux quartiers

Après la visite du château, rejoindre l'église Saint-Sulpice, fondée au XIe s. et reconstruite au XVe s., avant de gagner la place du Marchix où sont blotties de charmantes demeures à pans de bois datant du XVIe s. Au Moyen Âge, cet ancien marché aux bestiaux, lové sur les bords du Nançon, fut aussi le quartier des teinturiers et des tanneurs. En remontant la rue Nationale, ne pas manquer le musée **Emmanuel de la Villéon** (1858-1944), qui montre de beaux tableaux de la campagne bretonne réalisés par cet impressionniste local.

Le château de Fougères

L'art de la chaussure

Au début du siècle, l'industrie de la chaussure comptait à Fougères près d'une centaine d'usines et des milliers d'ouvriers. Cette activité a peu à peu périclité et se résume aujourd'hui à deux entreprises principales essentiellement spécialisées dans la chaussure féminine haut de gamme : **J. B. Martin,** qui produit 600 000 paires par an, et **Minelli** (C.P.C.O.). Il est possible de visiter (toute l'année) ces deux maisons en téléphonant à l'office du tourisme, 1, place Aristide Briand, ☎ 02 99 94 12 20. Celui-ci organise également des visites de plus de 37 sites industriels (carrières de granit, élevage de canards…).

Parc floral de haute Bretagne

Le Chatellier
10 km au N.-O. de Fougères
Ouv. du 20 mars au 11 nov., dim. et j. fér. ; du 10 juil. au 21 août, de 10 h à 18 h, les autres jours de 14 h à 18 h.
☎ 02 99 95 48 32.
Le parc renferme 10 jardins somptueux. Au jardin perse succèdent la cité antique, avec ses plantes méditerranéennes, et la cité de Cnossos envahie de camélias. Et les sept autres ? À vous de les découvrir… et de prendre des idées : des petits arbustes sont proposés à la vente, et la jardinerie est ouverte toute l'année.

Le marché de l'Aumaillerie

Route d'Alençon
☎ 02 99 99 25 50.
Ouv. au public le ven. mat.
Accès payant.
Aux portes de Fougères, veaux, vaches, taureaux se négocient selon des rites immuables et parfaitement réglés depuis des décennies. Pour voir à l'œuvre les maquignons en blouse grise et badine au poing, il faut se lever tôt (5 h environ) et ne pas craindre le tumulte de milliers de bestiaux parqués sur l'un des plus vastes marchés aux bovins de France. Si l'informatique a fait valoir ses droits, gesticulations et conciliabules y sont toujours aussi fascinants. On trouvera aussi sur place de quoi se restaurer.

La forêt de Fougères

À quelques kilomètres de Fougères, un vaste massif offre la possibilité de promenades qui combleront aussi bien les amateurs d'équitation ou de V.T.T. que les simples marcheurs à pied. Croisant ici et là dolmens et mégalithes, les sentiers s'y multiplient, plongeant sous les arbres ou le long d'une rivière, pour rejoindre le gîte d'étape ou un lac argenté. Les randonnées les plus prisées sont celle de la **Pierre Courcoulée**, balisée en jaune, et celle des **Vieux Châteaux**, balisée en bleu.

Repères

G2

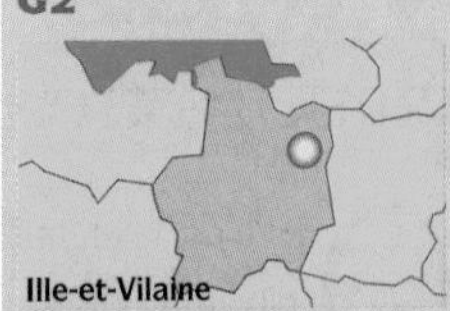

Activités et loisirs

Visite d'une fabrique de chaussures
Parc floral de haute Bretagne
Randonnées en forêt de Fougères

À proximité

Combourg (50 km O.), 184,
Dol-de-Bretagne (50 km N.-O.), p. 194.

Office de tourisme

Fougères : ☎ 02 99 94 12 20

Vitré
étape gastronomique

Quelle est la première chose à faire en arrivant à Vitré ? Le château ? Vous avez le temps. La vieille ville ? Même chose. Les artisans ? Les promenades ? Plus tard ! La première chose à faire en arrivant à Vitré est de vous asseoir à une table du *Pichet* (☎ 02 99 75 24 09) ou du *Petit Pressoir* (☎ 02 99 74 79 79) et de commander une roulade Sévigné. C'est un ravissement pour les papilles. La roulade est née voici une quinzaine d'années de l'imagination fertile de quatre cuisiniers vitréens talentueux. Depuis, elle est devenue le symbole gastronomique de la ville. Rien de moins ! La recette est disponible à l'office de tourisme (pl. Saint-Yves, ☎ 02 99 75 04 46), mais sachez que l'ensemble marie avec délices pintade, noix, jambonneau, œuf, pomme reinette et petits légumes. C'est fin, léger, harmonieux, savoureux et très abordable.

Le château

C'est l'une des plus belles citadelles destinées à la défense des Marches, c'est-à-dire de l'entrée de la Bretagne. Trois tours pointent audacieusement vers le ciel, composant un ensemble harmonieux que l'on commença d'édifier dès le XIe s. À l'intérieur, le musée (☎ 02 99 75 04 54) est d'un intérêt réel, notamment grâce au fameux cabinet de curiosités, créé par un enfant du pays, Arthur de la Borderie, au XIXe s.

Petite balade en ville

Vitré est une ville médiévale aux rues pavées, où les maisons à colombages alternent avec les belles demeures des marchands d'outre-mer qui firent sa richesse à partir du XVIIe s. Parcourir la **rue de la Beaudraie**, par exemple, est une très jolie promenade, tant s'imposent le charme, l'élégance, la majesté même, de certaines demeures. Tous les styles sont représentés, du roman premier âge au gothique flamboyant, en passant par les petites maisons baroques des artisans de la **rue de la Poterie**. Des visites guidées de la ville sont disponibles, mais la bonne idée, c'est de prendre part à l'une des visites nocturnes organisées par l'office de tourisme. Les façades éclairées vous livreront des secrets mystérieux que le jour et le soleil vous cachent.

Le circuit du pays de Mme de Sévigné

L'auteur des fameuses *Lettres* s'appelait… Marie de Rabutin-Chantal, du moins jusqu'à ce qu'elle épouse le sieur Henri de Sévigné, propriétaire du **château des Rochers-Sévigné**.
Le circuit qui évoque sa mémoire fait presque une

Château des Rochers-Sévigné

centaine de kilomètres et vous conduit de belle demeure en château, des Rochers-Sévigné à **Bel-Air** ou à **Bois-Cornillé**.
Autour des Rochers-Sévigné, l'étang de la Valière propose une **magnifique promenade** entre le moulin de la Haie et La Ferronnière.

Partez du bon pied

Noël France, 6, avenue d'Helmstedt ☎ 02 99 75 70 36.
Vente au détail du lun. au ven., de 9 h à 12 h et de 13 h 15 à 18 h 15. Le sam. sans interruption de 9 h à 18 h 15.

Grand fabricant régional de chaussures et de vêtements de sportswear, les établissements Noël ont une boutique où vous pourrez faire des affaires, non seulement avec les chaussures, mais également avec les produits des marques *Sledgers*, *Impertinente*, *Line 7*. Un grand choix vous est aussi proposé pour les sweats et survêtements de la marque *Umbro*, très branchée en ce moment…

LE GR 34

Vitré est le point de départ de ce célèbre chemin de grande randonnée. Il passe ensuite non loin de Fougères avant de gagner la côte au niveau de la baie du Mont-Saint-Michel… pour ne plus la quitter ou presque.

Repères

G3

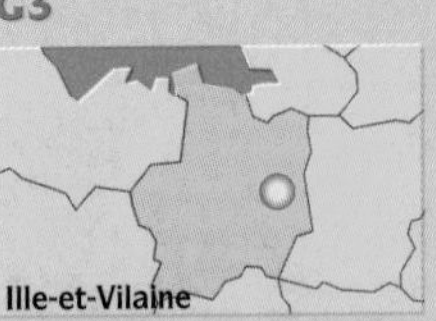

Activités et loisirs

Visite guidée de la ville
Le circuit Mme de Sévigné
Au départ du GR 34

À proximité

Combourg (56 km N.-O.), p. 184,
Châteaubriant (50 km S.-O.), p. 304.

Office de tourisme

Vitré : ☎ 02 99 75 04 46

Et fondez de plaisir…

Chocolaterie Bernard Jossit Route des Eaux, La Haie Robert ☎ 02 99 74 27 88.
Visites possibles les mer., ven. et sam. de 9 h 30 à 13 h et de 14 h 30 à 19 h.
Accès gratuit.
Une adresse incontournable, dans la région de Vitré, qui mérite bien une halte gourmande. Dans la chocolaterie, vous pourrez à la fois regarder cet artisan-chocolatier donner vie à ses succulentes spécialités, et tester par vous-même les délices qu'il fabrique. On vous conseille les rochers ou les tuiles aux amandes caramélisées. N'ayez aucun scrupule, votre régime attendra bien jusqu'à demain !

Musée du château des Rochers-Sévigné

Crozon
presqu'île de rêve

Bout de monde isolé entre Brest et Douarnenez, la presqu'île de Crozon est aride, déserte en hiver, très courue dès que reviennent les beaux jours. Entaillant le schiste et dénudant le grès, la mer lui a donné la forme déchiquetée qui fait son charme, ouvrant des criques, érigeant des caps. Ceci en fait aujourd'hui à la fois le paradis des sportifs venus chercher le vent ou les murs d'escalade, et des autres, en quête de soleil, d'eau transparente et de farniente.

Petit village

C'est l'âme de la presqu'île. Deux idées de visite à Crozon? d'abord la jolie petite **église Saint-Pierre** ; ensuite, vous serez sûrement attirés par l'atelier de création d'objets et de bijoux **Grains de couleurs** (face au panneau Morgat, ☎ 02 98 26 20 50). Le domaine d'Yves-Marie, c'est la peinture, très colorée. Celui de Myriam, ce sont les miroirs, vénitiens, baroques, à facettes. Chaque pièce est originale et les deux créateurs sont en train de se forger une belle notoriété. Il est encore temps d'y aller.

Lanvéoc

Joli bourg

4 km au N. de Crozon

Il fera bon s'arrêter à la mi-journée à la terrasse de l'hôtel-restaurant de la Rade, au milieu du bourg de Lanvéoc. Pour 100 F, on vous servira un menu complet avec fruits de mer. C'est assez rare pour être signalé. Lanvéoc offre également une petite plage abritée, donnant sur la rade et où la baignade est possible.

Camaret

Petit port de pêche

10 km à l'O. de Crozon

Si vous n'avez que quelques heures devant vous, faites un tour sur le port. Ses sympathiques bistrots sont particulièrement actifs le soir venu, mais les terrasses d'après-midi, et surtout du matin, vous livreront une jolie vue sur l'activité de cet ancien port langoustier aujourd'hui largement reconverti et sur la tour Vauban, le mieux conservé et le plus beau des petits forts côtiers dont l'urbaniste militaire de Louis XIV avait le secret. Poussez jusqu'à la pointe de Camaret : un charpentier de marine y a son chantier à ciel ouvert. Vous voulez en savoir plus ? N'hésitez pas à vous renseigner : il est habitué à répondre aux questions des plus curieux sur son art.

Le cap de la Chèvre

Difficile de dire ce que vous aurez vu de plus beau dans la région. Mais là vraiment ! le cap de la Chèvre, au soleil couchant, est époustouflant. Arrêtez-vous, asseyez-vous, et regardez le disque rouge flottant dans son halo jaune, orange, indigo, s'en aller doucement éclairer l'Amérique. Vous êtes au bout du monde. Le cap de la Chèvre compte, bien sûr, de nombreux sentiers de randonnée accessibles à toute la famille. Point de navigation bien connu des marins pour les dangers qu'il recèle, il est aujourd'hui le paradis des surfeurs les jours de gros.

Morgat

Front de mer branché

4 km au S.-O. de Crozon

Morgat est un vaste front de mer. Tourisme familial et tourisme sportif, jeunes et moins jeunes se mêlent en une joyeuse ébullition autour des nombreuses terrasses où l'on vient déjeuner entre deux séances de bronzage ou de funboard. Si vous êtes du genre « je-voudrais-bien-mais-j'ose-pas », rendez-vous au **Point Passion**, plage de Morgat (☎ 02 98 26 24 90) : on vous initiera sans risque et avec gentillesse au catamaran ou à la planche à voile. Morgat possède aussi quelques-unes des plus belles grottes de Bretagne, la plus belle étant la **grotte de l'Autel**, accessible par bateau (office de tourisme, ☎ 02 98 27 07 92). C'est superbe.

Repères

B3

Activités et loisirs

Randonnée
Initiation à la voile

À proximité

Douarnenez (46 km S.-E.), p. 214.

Office de tourisme

Crozon : ☎ 02 98 27 07 92

Aux alentours

La pointe des Espagnols

Il vous faudra repasser par Crozon pour rejoindre l'autre bras de la croix formée par la presqu'île : la pointe des Espagnols. À la fin du XVIe s., les Espagnols, venus soutenir les ligueurs, opposés à Henri IV, obligèrent les habitants de la région à édifier le fortin quasi imprenable qui trône au bout de la pointe. Vous êtes sur l'un des verrous qui ferment la rade de Brest. Si vous jetez un coup d'œil à droite, vous apercevez l'île Longue. C'est un des centres névralgiques de la Défense nationale française, sa base de sous-marins atomiques. Vous pouvez toujours demander à visiter…

Landévennec
et le Ménez-Hom

Le nouveau pont de Térénez enjambe l'Aulne depuis 1952

Voilà une très jolie petite cité paisible, abritée par quelques collines, ouvrant sur le dernier méandre de l'Aulne avant la rade de Brest. Il règne sur le village un climat doux et serein, propice au repos de l'âme. C'est sans doute ce que s'est dit saint Guénolé qui y fonda, au Ve s., l'une des plus anciennes abbayes de Bretagne. La partie restaurée abrite encore une congrégation religieuse qui vous invite… à venir participer à ses prières quotidiennes dont les horaires sont affichés à l'entrée de l'église. Ces moines-là sont malgré tout bien intégrés au monde moderne puisqu'ils tiennent un camping, autour des ruines. Dans la boutique, vous pourrez vous procurer des pâtes de fruits, de leur fabrication, au goût savoureux.

Le jardin de Landévennec

On se croirait dans un jardin mexicain. La douceur climatique extraordinaire de Landévennec a permis à nombre de **plantes exotiques** de s'épanouir un peu partout dans le bourg, dans le jardin de l'abbaye (*photo p. 207 en haut*), où prospèrent notamment quelques palmiers et des bois de lauriers, quasi introuvables ailleurs en Bretagne.
Au nord du bourg, au **Poullier du Loch**, certaines silènes rares ont même pris racine. Rien que pour le parfum, aventurez-vous au fond de l'anse…
C'est la myrte des marais, qu'il est interdit de cueillir.

En remontant le cours de l'Aulne

À partir de Landévennec, vous opérerez une large boucle entre rivière et forêt avant de rejoindre le **pont de Térénez**. Ce pont jeté sur l'Aulne permit, en 1927, d'abréger les temps de transport entre la presqu'île de Crozon et Brest. Il fallait auparavant remonter jusqu'à Châteaulin. La guerre le détruisit, il fut reconstruit en 1952. Il vous faudra le

La ferme de Kermarzin

☎ 02 98 27 35 85.
T. l. j. avr.-oct., 10 h-19 h ; hors saison, 10 h-12 h et 14 h-19 h.
Sur la petite route qui va de Landévennec à Argol, en bordure de la forêt domaniale, dans un très joli cadre rustique de pierre et de bois, l'endroit abrite un véritable musée à la gloire de la boisson traditionnelle des Bretons. Ici vous saurez tout sur le cidre : variétés des pommes, récolte, pression, fermentation, mise en tonneaux... Et quand le cidre est tiré... il faut le boire, en dégustant quelques crêpes puisqu'une crêperie complète le domaine, où l'on vous propose aussi, sur réservation, un plantureux repas du terroir, avec notamment le *kig ha farz*. En été, n'hésitez pas à demander la visite des vergers, elle se fait en calèche et c'est d'un romantisme !

traverser avant de découvrir le cimetière de bateaux de Landévennec. Ces majestueux pachydermes, immobiles au milieu d'une eau bleue, ont un air irréel. Le **panorama** est réellement insolite au soleil couchant sur l'îlot rond de Tibidy.

Randonnée au Ménez-Hom

C'est l'un des sommets du Massif armoricain : 330 m. Mais son aspect désolé, la force qui s'en dégage vous donneront l'impression d'être sur une autre planète. L'endroit fut autrefois une enclave sacrée des Celtes. De là, vous dominez, à l'ouest, toute la presqu'île de Crozon et la baie de Douarnenez, au nord, l'Aulne qui s'écoule en de majestueuses boucles et les monts d'Arrée ; entre les deux, la rade et la ville de Brest. Au S., la vue porte jusqu'à **Locronan**, justement reconnu comme **l'un des plus jolis villages de France**. Les guides de randonnée sont disponibles dans les offices de tourisme de Crozon (☎ 02 98 27 07 92) et de Châteaulin (☎ 02 98 86 02 11), et la balade se fait très facilement en famille.

Repères

B3

Activités et loisirs

Le jardin de Landévennec
Randonnée au Ménez-Hom
Visite de la ferme de Kermazin

À proximité

Brest (50 km), p. 120, Monts d'Arrée (env. 50 km E.), p. 134.

Offices de tourisme

Crozon : ☎ 02 98 27 07 92
Châteaulin : ☎ 02 98 86 02 11

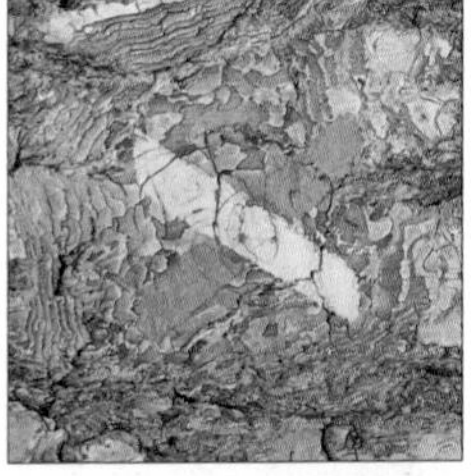

Châteaulin
et la vallée de l'Aulne

Blottie au fond d'une boucle de l'Aulne, Châteaulin, au premier abord, ne paie pas de mine. Cette paisible bourgade qui s'étire le long de ses deux quais ombragés ne manque pourtant pas d'atouts. À commencer par la vallée encaissée et très verdoyante qui lui sert d'écrin. Bien connue des amateurs de pêche au saumon et des cyclistes, pour son grand prix, la ville a su également attirer quelques petites entreprises agroalimentaires, dont le groupe Doux, premier exportateur européen de volailles.

Balade en ville

Avec peu de monuments notables, la balade dans les rues de Châteaulin vaut surtout pour le calme qui s'en dégage. Le jeudi, jour de marché, le **quartier des Halles** est tout de même assez animé. Après avoir flâné le long des rives de l'Aulne, enserrées dans leur gangue de pierre, on peut remonter, sur la rive gauche, vers la **chapelle Notre-Dame**, datant des XVe et XVIe s. Elle est dressée, à flanc de colline, dans un cadre très poétique, entourée de maisons anciennes s'étageant jusqu'aux ruines du château.

À bord du *Rumengol*

Descendre l'Aulne de Châteaulin à Brest à bord d'une ancienne gabarre-sablière (bateau de commerce à voile) longue de 22 m, c'est possible ! Restauré dans ses caractéristiques d'origine en 1990, le *Notre-Dame-Rumengol* propose cette croisière fluviale originale au départ de

La chapelle Notre-Dame à Châteaulin

Châteaulin entre la mi-juin et la fin août, à plusieurs reprises et à des horaires variables selon les marées. La remontée de l'Aulne dure 4 h 30. Rens. ☎ 02 98 86 02 11.

Port-Launay
Escale pittoresque

Dans un méandre de l'Aulne, le village de Port-Launay, ancien port de Châteaulin, offre une image typique de la Bretagne, avec ses maisons basses épousant parfaitement la courbe du cours d'eau sur

fond de verdure foisonnante. À quelques kilomètres au nord-ouest, la chapelle Saint-Sébastien, édifice relativement discret mais néanmoins très intéressant, fut érigée au XVIe s. en pleine campagne dans l'espoir de conjurer les ravages de la peste.

Pont-Coblant

Promenade au bord de l'Aulne

Les plus courageux des randonneurs n'hésiteront pas à quitter Châteaulin en empruntant le chemin de halage qui longe l'Aulne pour rejoindre Pont-Coblant. La balade, sur une vingtaine de kilomètres et une dizaine d'écluses, est idéale pour découvrir cette belle et très verdoyante vallée. Petit hameau touristique, Pont-Coblant est, quant à lui, entouré d'anciennes carrières d'ardoise dont l'une a été reconvertie et fermée d'une grille pour servir d'abri et de refuge aux chauves-souris.

Pleyben

Le calvaire

À 4 km au N. de Pont-Coblant

Pleyben est surtout célèbre pour ses galettes et son calvaire, sans doute l'un des plus imposants et majestueux de Bretagne. Construit en 1555 près du porche latéral de l'église, il montre, sur un énorme piédestal aux portes triomphales, les différentes scènes de la vie de Jésus peuplées de personnages aux détails étonnants, comme des costumes bretons du XVIe s.

L'écluse de Pont-Coblant

Repères

B3

Activités et loisirs

Descente de l'Aulne en gabare
Randonnée le long de l'Aulne

À proximité

Brest (46 km N.-O.), p. 120,
Monts d'Arrée (env. 25 km N.-E.), p 134,
Quimper (30 km S.), p. 220,
Locronan (19 km S.-O.), p. 218.

Office de tourisme

Châteaulin :
☎ 02 98 86 02 11

LA PÊCHE AU SAUMON

Châteaulin est depuis toujours la capitale de la pêche au saumon, dont la silhouette occupe une place de choix dans les armes de la ville. Après avoir été mise à mal par un développement peu respectueux de la qualité des eaux, la population des salmonidés, aidée par les associations écologiques, connaît aujourd'hui une seconde jeunesse et remonte à nouveau la rivière pour frayer, en mars et en avril principalement. La pêche, au lancer, à la cuiller, à la mouche ou au devon (leurre en plastique), se pratique en aval des écluses, sur 100 m environ, là où les poissons franchissent les chutes d'eau d'un saut prodigieux.

L'île de Sein

comme « une assiette plate au ras des eaux »…

… Avec le poivre nécessaire à faire éternuer le soleil… » C'est ainsi que le poète Georges Perros décrivait l'île de Sein. Il est vrai que cette île ne ressemble à aucune autre et que l'on craint presque d'y aller, de peur de déranger. Tout au long de l'histoire, les habitants, environ 350 hors saison, se sont pourtant distingués par leur courage. Vivant du produit de leur pêche et de pommes de terre du jardin, ils font preuve d'une grande ténacité, ne serait-ce que pour résister aux éléments. Les conditions difficiles expliquent leur légitime fierté d'être Sénans.

Comment y accéder ?

D'Audierne, la compagnie **Penn Ar Bed** assure un départ quotidien toute l'année (9 h 30) et 3 départs par jour en juillet et en août (9 h, 11 h 30, 16 h 50). Tarifs : 124 F pour un adulte, 75 F pour un enfant. La traversée dure environ une heure. ☎ 02 98 70 70 70. En saison, les vedettes **Biniou** font également quotidiennement le trajet : 8, rue Racine, Audierne, ☎ 02 98 70 21 15. Des possibilités de traversée existent aussi au départ de Douarnenez.

Le port et le bourg

Dans l'unique village de l'île, aux petites maisons blotties les unes contre les autres comme pour mieux se protéger des tempêtes, on ne trouve ni voitures, ni feux rouges, seulement, à la rigueur, quelques triporteurs dans des rues étroites, conçues pour permettre le passage des tonneaux. Quelques crêperies, quelques commerces, un hôtel-restaurant, un centre médical et une école sont les lieux publics qui satisfont les besoins quotidiens de la population. Sein ne disposant d'aucune source, l'eau est

parfois ici, comme dans beaucoup d'îles, un vrai problème, alors faites-y attention !

Physionomie de l'île

Vue d'avion, l'île de Sein n'est qu'une grande pince de crabe balayée par la houle. Ses dimensions se réduisent à 2 km de long sur 800 m de large, le sommet de l'île culminant à 6 m au-dessus du niveau de la mer, ce qui explique pourquoi Sein fut engloutie à plusieurs reprises par l'Océan, obligeant ses habitants à se réfugier sur les toits des maisons ou dans le clocher. Ici, rien ne pousse, ou presque. Ni arbres, ni buissons, seulement quelques légumes derrière les petits murets de pierres, battus par les vents. Et pourtant ce paysage de bout du monde possède un charme fou.

Le « quart de la France »

La phrase historique du général de Gaulle est restée dans toutes les mémoires. Ce jour-là, le 6 juillet 1940, à Londres, le général avait fait rassembler les 600 premiers volontaires de la France libre ayant traversé la Manche. Il s'avéra que pas moins de 150 d'entre eux venaient de l'île de Sein. En réalité, ils étaient tous venus. « L'île de Sein est donc le quart de la France », s'exclama alors le général de Gaulle. En 1960, il ira lui-même inaugurer sur l'île le monument aux Sénans libres, frappé de l'inscription *Kentoc'h mervel*, « plutôt mourir ».

L'église Saint-Gwénolé

Chaque pierre de l'édifice, construit entre 1898 et 1901, fut transportée du port, après déchargement, sur la tête des femmes. Une à une. Ce qui justifie pleinement l'inscription en latin ornant le portail, « par la force de Dieu et la sueur du peuple ». À l'intérieur de l'église se trouve un ex-voto, don de marins anglais sauvés d'un naufrage en 1918 par une noce dont les participants, mariés en tête, n'hésitèrent pas à affronter les rouleaux pour leur porter secours.

Repères

A3

Activités et loisirs

Balade au bout du monde

Office de tourisme

Audierne : ☎ 02 98 70 12 20

La chapelle Saint-Corentin

Située dans la partie occidentale de l'île, cette chapelle fut restaurée par le recteur lui-même qui récupéra des pierres sur d'autres ruines. La vieille statue du saint patron de la chapelle, aujourd'hui disparue, avait la réputation de pouvoir influer sur la météo pour obtenir des vents favorables. Il suffisait pour cela de tourner sa crosse dans la direction des vents souhaités. Quand cela ne marchait pas, l'évêque était couvert de goémon !

La pointe du Raz et le cap Sizun

le Far West de la Bretagne

Des rochers qui portent chacun un nom, une lande couvrant les hautes falaises balayées par les vents, on vient de toute l'Europe pour admirer ce bout du monde sauvage et mythique à l'extrême ouest de la Bretagne. Par beau temps, de la statue de Notre-Dame-des-Trépassés, qui domine l'Océan, on aperçoit l'île de Sein. Classée grand site national dans le cadre d'un vaste projet de réhabilitation, la pointe du Raz a aujourd'hui été entièrement rendue aux éléments.

Retour à la nature

Piétinée par les visiteurs et ravinée par les tempêtes, la pointe du Raz était victime de son succès. Dans le cadre de sa réhabilitation, menée par le Conservatoire du littoral, un vaste parking a été détruit ainsi que l'ancienne cité commerciale. Une expérience unique de replantation de landes a également été engagée sur plusieurs années. Comme rien n'est parfait, le charmant petit hôtel de l'Iroise, dressé comme une sentinelle sur la lande, a lui aussi fait les frais de cette opération : il a été rasé.

La maison du Site

☎ **02 98 70 67 18.**
Ouv. 9 h 30-19 h 30, en saison.
Tarifs : forfait de 100 F pour 1 à 4 pers., puis 25 F par pers. suppl.
À l'entrée de la pointe, la **maison du Site**, située au cœur de la nouvelle cité commerciale, propose des visites guidées qui font le tour complet de la pointe du Raz. La très belle balade est précédée d'un diaporama présentant la région et dure au total deux heures environ. Pour escalader les rochers, mieux vaut

Le phare de la Vieille au large de la pointe du Raz

avoir de bonnes chaussures et ne pas être trop sujet au vertige !

Plogoff

Bien connu pour son opposition farouche, de 1976 à 1981, à un projet de centrale nucléaire, Plogoff est aujourd'hui un petit bourg paisible et typique qui s'étire à l'entrée de la pointe du Raz.

La réserve du cap Sizun

☎ 02 98 70 13 53.
Ouv. 1er avr.-30 juin et sept.-oct., 10 h-12 h et 14 h-18 h ; juil.-août, 10 h-18 h. Et randonnées pédestres organisées lun. et jeu. pour découvrir le site (9 h-12 h).
C'est l'une des plus célèbres réserves naturelles d'Europe. Elle abrite d'importantes colonies d'oiseaux migrateurs et nicheurs. L'observation s'effectue à partir de chemins balisés sur une falaise de 70 m de haut et un espace de 40 ha environ. Meilleure période pour les visites : entre le 15 avril et le 15 juin.

Remarquez les murets de pierres qui entourent les petites parcelles. Ce sont ces mêmes pierres qui servirent de projectiles à la population opposée aux forces de l'ordre.

La pointe du Van et la baie des Trépassés

Moins courue que sa voisine mais tout aussi saisissante, la pointe du Van est dotée d'une jolie chapelle, la chapelle Saint-They, datant du XVIIe s., qui semble miraculeusement accrochée à son flanc. Entre la pointe du Van et la pointe du Raz, la baie des Trépassés, au large de laquelle certains localisent la légendaire cité d'Ys, offre une très belle plage incurvée mélangeant sable fin et galets. À marée basse, on peut visiter les grottes qui s'ouvrent dans la roche.

Pont-Croix

Une petite halte architecturale à Pont-Croix, classée cité de caractère, s'impose. Notamment pour la collégiale Notre-Dame-de-Roscudon, édifiée au XIIIe s. Sa tour-clocher a servi de modèle pour les flèches de la cathédrale de Quimper. Autour de l'église, quelques pittoresques ruelles anciennes montrent de belles maisons médiévales. Agréable balade jusqu'à la rivière en descendant les escaliers de la Grand-Rue.

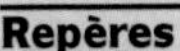

Repères

A3

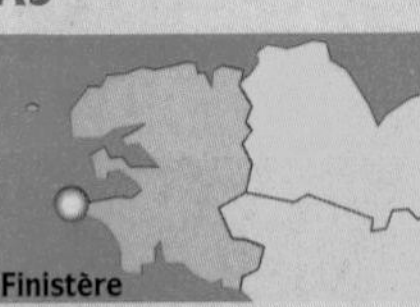

Activités et loisirs

Balade et visites guidées
La réserve du cap Sizun
Visite d'une biscuiterie

Office de tourisme

La maison du Site :
☎ 02 98 70 67 18

❀ La biscuiterie de la pointe du Raz

Route de la pointe du Raz, Plogoff
☎ 02 98 70 37 48.

Ouv. juil.-août, 8 h-19 h ; le reste de l'ann., 9 h-12 h et 14 h-17 h ; sam.-dim., 15 h-18 h.
Accès gratuit.
La Bretagne évoque pour vous une galette pur beurre bien dorée au goût inimitable ? Alors, direction la biscuiterie artisanale de la pointe du Raz. Vous y assisterez à la fabrication de délicieuses galettes au beurre de baratte et autres succulentes madeleines.
La visite se termine par une dégustation, et une vente en direct est prévue pour les plus gourmands qui souhaiteront faire quelques provisions.

Douarnenez

de la pêche à la plaisance

Vieux gréements et anciens bateaux de travail au coude à coude dans le port-musée du Port-Rhu

Niché tout au fond de la baie qui porte son nom, Douarnenez et ses ruelles bruissent encore du passé prestigieux des pêcheurs de sardines qui firent sa fortune au début du siècle. Cette ville aux trois ports – plaisance, musée et pêche – était encore il n'y a pas si longtemps le sixième port de pêche en France. Après de sérieuses difficultés dans ce secteur, elle s'est concentrée sur sa seconde vocation, la conserverie.

Le port de pêche

Le port de pêche de Douarnenez offre une occasion unique de vivre de l'intérieur l'univers quotidien des pêcheurs.
Le débarquement du poisson s'y effectue à partir de 23 h et dure toute la nuit. Dès 6 h du matin, les ventes de maquereau, lotte, cabillaud, merlan, débutent à la criée toute proche. Pour assister à la vente, s'adresser à l'office de tourisme, 2, rue du Docteur-Mével, ☎ 02 98 92 13 35. Celui-ci organise également des visites guidées du port, tous les lundis et mercredis, du 1er juillet au 31 août.

Les conserveries Cobreco

Office de tourisme de Douarnenez
☎ 02 98 92 12 35.
Sam. seul., 10 h-12 h (après inscription auprès de l'office de tourisme).
Accès gratuit.

C'est l'une des plus importantes conserveries de Douarnenez, spécialisée dans les produits haut de gamme à base de thon et de coquilles Saint-Jacques, et disposant d'installations ultra-modernes. Les visites de ces installations se déroulent en juin et en juillet, et c'est le patron lui-même qui assure les commentaires. En fin de visite, une boutique (ouv. toute la semaine) permet de faire des achats malins.

Tréboul

Désormais rattaché, avec Ploaré, à Douarnenez, Tréboul est relié à la ville par un grand pont métallique permettant aux automobilistes de franchir l'estuaire du Port-Rhu et par une passerelle piétonne qui offre l'occasion d'une jolie balade. Petite station balnéaire entièrement concentrée le long de la belle plage des

La chapelle Sainte-Hélène

Sables-Blancs, l'anse de Tréboul abrite aussi le port de plaisance et un centre nautique ouvert à tous, de 4 à 77 ans.

Le *Chasse-Marée*

L'Abri du marin, rue Henri-Barbusse
☎ 02 98 92 09 19.
Ouv., lun.-ven., 9 h-12 h et 13 h 30-18 h.
Revue pionnière dans la reconquête du patrimoine maritime breton, le *Chasse-Marée*, ouvre sa librairie spécialisée juste au-dessus du port. On peut y feuilleter de passionnants ouvrages et de nombreuses revues traitant des métiers traditionnels et des coutumes bretonnes. Il est également à l'origine des rassemblements de vieux gréements en août ; régates, musique celtique et chants sont au programme.
Rens. : ☎ 02 98 92 29 29.

Le port-musée

Place de l'Enfer
☎ 02 98 92 65 20.
Ouv. 15 juin-30 sept., 10 h-19 h ; 10 h-12 h 30 et 14 h-18 h, hors sais. sf lun. F. jan.-mars.
Accès payant.
À voir absolument pour ses quelque 60 bateaux traditionnels – grandeur nature, s'il vous plaît ! – installés à l'intérieur d'une ancienne conserverie, sur deux étages. Une vingtaine de bateaux de pêche traditionnels sont également amarrés aux quais d'un ancien port réaménagé dont les accès sont restés libres. L'ensemble est complété par la présence de quelques artisans, comme un forgeron de marine, et des animations sur les métiers marins.

La thalasso classique, Tréboul-Douarnenez

BP 4, Tréboul, 29 175 Douarnenez Cedex
☎ 02 98 74 47 47.
Le centre de Douarnenez est agréé et conventionné pour recevoir les malades ayant subi des traumatismes accidentels. Son unité de rééducation fonctionnelle est spécialisée en orthopédie et en rééducation sportive. C'est un centre hospitalier qui reçoit des patients porteurs de séquelles. Tous les autres centres de Bretagne sont agréés mais non-conventionnés. Cela ne signifie pas qu'ils sont moins performants mais tout simplement qu'ils ne reçoivent pas de malades ayant subi de graves traumatismes.

Repères

B3

Activités et loisirs

Visite d'une conserverie
Centre nautique de Tréboul
Le port-musée
Les sentiers côtiers

À proximité

Quimper (23 km S.-E.), p. 220,
Pont-l'Abbé (33 km S.-E.), p. 224
Locronan (10 km E.), p. 218.

Office de tourisme

Douarnenez :
☎ 02 98 92 13 35

LES SENTIERS CÔTIERS

Plusieurs balades faciles et très agréables sont possibles en partant de Douarnenez. Par le sentier des Plomac'hs, qui démarre à l'est du vieux port de Rosmeur, on rejoint en un peu plus d'une heure, à flanc de colline, la plage du Ris. Vues imprenables sur Douarnenez. De Tréboul, le sentier côtier des Roches blanches (balise orange) offre aussi des panoramas magnifiques sur la baie en longeant la mer sur 6 km avant de gagner la pointe du Leydé.

Audierne et sa baie

dunes, oiseaux et planche à voile

Petit port actif, aux maisons traditionnelles et aux bateaux colorés tanguant au rythme des marées dans l'estuaire du Goyen, Audierne cache des charmes encore épargnés par le tourisme de masse. Dans le haut de la ville, il faut prendre le temps de se balader, à la découverte des ruelles étroites, des petites échoppes et des maisons anciennes. Audierne est également le point d'ancrage idéal pour rayonner le long de la baie voisine.

Embarquement pour l'île de Sein

À 2,5 km vers l'ouest, la grande plage d'Audierne, orientée plein sud, est complétée par un port de plaisance, un club nautique et l'embarcadère de Sainte-Evette, d'où l'on embarque pour l'île de Sein. La compagnie **Penn Ar Bed** (☎ 02 98 70 70 70) assure un départ quotidien de septembre à juin (9 h 30) et trois départs par jour en juillet et en août. La traversée dure environ une heure.

La maison de la Baie

Saint-Vio, 29720 Tréguennec
☎ 02 98 82 61 76.
Ouv. 14 h-18 h hors saison ; juil.-août, 11 h-19 h.
Accès payant.
La maison de la Baie d'Audierne se propose de faire découvrir les nombreuses richesses naturelles des 625 ha de dunes, plages et marais, appartenant au Conservatoire du littoral. Découvertes ornithologiques (plus de 285 espèces d'oiseaux migrateurs recensées), baguage des volatiles, soirées au marais, location de jumelles (5 F), la maison de la Baie organise également des visites guidées sur inscription.

La Chaumière

Rue de l'Amiral-Guépratte
☎ 02 98 70 13 20.
Ouv. juil.-août, 10 h-13 h et 14 h-19 h.
Accès payant.
Sur la route de la plage, André Kersaudy ouvre les portes de sa grande maison où sont restés intacts l'ameublement breton et les objets usuels traditionnels des XVIIe et XVIIIe s. Il vous explique la

différence entre le *penty* et le *ty braz* ou la fonction d'un *druestill*, meuble servant de séparation entre cuisine et séjour.

Les viviers d'Audierne

1, rue du Môle, en direction de la plage
☎ 02 98 70 10 04.
Sept.-juin., 15 h-17 h ; juil-août, 9 h-12 h et 15 h-18 h, sf w.-e et j. fér.
Accès gratuit, boutique.

LES FRÈRES DOUIRIN

Impasse de la Poste, 29710 Plozévet
☎ 02 98 91 42 04.
Voilà une référence. Si l'objet de marine que vous envisagez d'acquérir est signé Douirin Frères, sachez que sa qualité sera irréprochable. Une pièce n'est jamais fabriquée à plus de 1 000 exemplaires et le soin apporté aux finitions est remarquable. Le bois utilisé est souvent du hêtre, parfois du cyprès ou du pin. Les frères Douirin fabriquent des demi-coques, des phares, mais aussi des personnages, des reconstitutions d'intérieur et même des ateliers et des outils de travail évoquant d'anciens métiers. On peut acheter sur place.

C'est l'un des rares viviers couverts en Europe ; il comprend une vingtaine de grands bassins en bordure de mer, où l'on peut admirer d'impressionnants spécimens de crustacés et de crabes – langoustes, homards, tourteaux, araignées, etc –, tous bien vivants. L'occasion idéale pour se préparer un plateau de fruits de mer d'une fraîcheur absolue.

❀ La pointe de la Torche, épicentre de la glisse bretonne

La pointe vaut à elle seule la visite ; un chemin permet d'en faire le tour. Au centre de cette presqu'île qui se termine par le rocher de la Torche se déploie un dolmen monumental avec des galeries et des chambres latérales qui en font un modèle du genre. Mais surtout, la pointe est internationalement connue pour ses déferlantes impressionnantes – attention aux consignes de baignade – et ses compétitions de surf et de funboard. Ce n'est donc pas un hasard si l'École de surf de Bretagne, qui propose stages et initiation (☎ 02 98 58 53 80), y a élu domicile, et si c'est là que se retrouvent adeptes de la planche à voile ou du char (Speed évasion, ☎ 02 98 58 56 20).

Le calvaire de Notre-Dame-de-Tronoën

Perdu sur une butte dominant un paysage austère, au sud de la baie, c'est l'un des plus anciens calvaires de Bretagne : il fut érigé entre 1450 et 1470.

Repères

B3

Activités et loisirs

Embarquement pour l'île de Sein
Promenades guidées dans la baie
Surf, planche à voile, funboard et char à voile

À proximité

Quimper (36 km E.), p. 220,
Pont-l'Abbé (32 km S.-E.), p. 224,
Locronan (32 km N.-E.), p. 218.

Office de tourisme

Audierne : ☎ 02 98 70 12 20

Locronan

600 000 visiteurs par an

Cette petite cité construite sur les hauteurs de la baie de Douarnenez a été remarquablement préservée des outrages du temps et présente encore aujourd'hui une cohérence et une unité architecturales peu communes. Autour de la place principale et de son vieux puits, les hôtels particuliers et les demeures de granit des XVIIe et XVIIIe s. témoignent de la prospérité passée de Locronan, ancienne et riche bourgade de tisserands qui tire désormais l'essentiel de ses ressources du tourisme.

La place de l'église

Classée monument historique, la place centrale de Locronan est devenue un lieu de pèlerinage très fréquenté et par là même un centre commercial actif tout au long de l'année. Plusieurs petites rues, où l'on retrouve les marques de l'opulence du XVIIe s. à travers inscriptions et enseignes d'artisans, rayonnent de la place. La **rue Moal**, qui fut autrefois celle des tisserands et la plus animée, a gardé tout son charme et vous entraîne irrésistiblement vers la chapelle Notre-Dame-de-Bonne-Nouvelle, située 200 m plus bas.

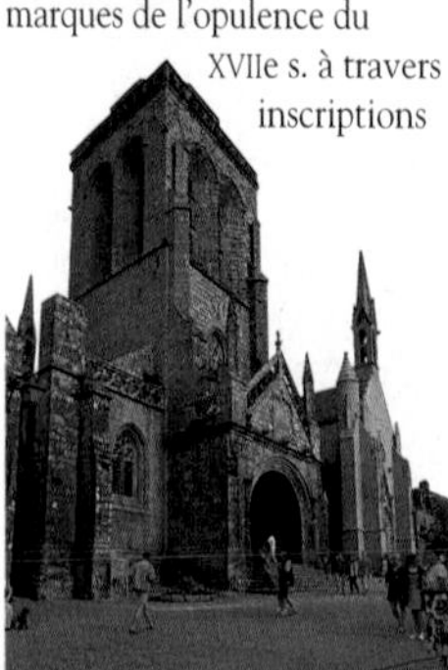

L'église Saint-Ronan

Édifiée de 1420 à 1444, grâce aux donations des ducs de Bretagne, c'est l'un des chefs-d'œuvre de l'art flamboyant. Le duc Jean V voulait une église qui ressemblât à une cathédrale. C'est sans doute pourquoi le porche est inspiré de l'un de ceux de la cathédrale de Quimper. Sa tour à deux étages perdit cependant définitivement sa flèche, victime de la foudre en 1808. À sa droite se trouve la chapelle du Pénity, qui forme avec l'église un ensemble imposant mais harmonieux. À l'intérieur, statues anciennes, retables, vitraux sont de pures merveilles de l'art religieux.

À La galette Saint-Ronan

Place de l'Église
☎ 02 98 91 70 24.
Ouv. t. l. j., 7 h 30-19 h 30.
Cette boulangerie-pâtisserie fondée depuis plus d'un demi-siècle s'est fait une spécialité des gâteaux bretons : far, palets et autres *kouign aman* délicieux. Toutes les pâtisseries

sont faites maison avec du beurre frais de baratte. La part individuelle de *kouign aman*, copieuse, est à 11 F, la boîte de palets à 52 F.

La maison des Artisans

Place de l'église
☎ 02 98 91 70 11.
Ouv. t. l. j. tte l'ann., 10 h-12 h 30 et 14 h 30-17 h 30.

Quatre authentiques artisans se sont regroupés dans ce bâtiment ouvert sur trois niveaux. Au rez-de-chaussée, on trouve toute une gamme de linge de table en pur lin, très résistant, tissé à l'aide d'un métier semi-automatique, ainsi que du linge de toilette à des prix démarrant à 60 F. De très belles céramiques décorées d'émaux sont également exposées. À l'étage, l'atelier d'un sculpteur sur bois traditionnel est ouvert au public de juin à septembre. Quant au dernier niveau, il est occupé par une intéressante librairie celtique.

La montagne de Locronan

En direction de Châteaulin, la montagne de Locronan, qui culmine à 289 m; est à 2 km environ du bourg. À défaut de troménie, la balade vaut quand même le coup pour le **spectaculaire panorama** qui embrasse tout à la fois les montagnes Noires, les monts d'Arrée, la baie de Douarnenez et la presqu'île de Crozon. Le sommet est coiffé d'une petite chapelle récente (1977) ayant remplacé un édifice datant de 1912.

Repères

B3

Activités et loisirs

La maison des Artisans
La montagne de Locronan

À proximité

Châteaulin (19 km N.-E.), p 208,
Douarnenez (10 km O.), p. 214,
Audierne (32 km S.-O.), p. 216.

Office de tourisme

Locronan : ☎ 02 98 91 70 14

LES TROMÉNIES

Ces pèlerinages, propres à Locronan, drainent une foule de plus en plus nombreuse de pèlerins et de curieux. La petite troménie a lieu le 2e dimanche de juillet. La procession avec bannières et reliques des saints se déroule alors sur 4 km avec trois stations. La grande troménie, un parcours de 12 km avec autant de stations dans la campagne de Locronan, ne se déroule toutefois que tous les six ans. La prochaine est programmée pour 2001, retenez la date dans votre agenda !

Quimper
une ville à la forte personnalité

D'emblée, Quimper affirme son rôle de capitale historique et économique de la Cornouaille : au confluent du Steir et de l'Odet, dont les quais traversent la ville, sa majestueuse cathédrale, ses rues étroites parfaitement conservées, ses maisons à pans de bois plongent le visiteur dans une machine à remonter le temps, tandis que, préfecture du Finistère concentrant les principales administrations du département, elle dispose d'entreprises de pointe et d'une industrie agro-alimentaire performante. Sans oublier la faïence, qui continue de ravir les touristes !

La cathédrale Saint-Corentin

C'est l'une des trois plus anciennes cathédrales gothiques de Bretagne. Sa construction, entreprise en 1239, ne s'est achevée que sous Napoléon III. Toute son élégance semble se résumer dans ses deux flèches culminant à 7 m, de chaque côté d'un porche unique aux lignes épurées. À l'intérieur, on admire une dizaine de vitraux flamboyants du XVe s. et un chœur curieusement décalé de 15° par rapport à l'axe de la nef.

Le vieux Quimper

Place au Beurre, venelle du Pain-Cuit, rue des Boucheries : ne soyez pas étonné de ressentir une petite fringale en vous baladant dans le vieux Quimper, où les commerces d'alimentation ont donné leur nom à de nombreuses rues. Au fil de ces rues étroites, on découvre de

Repères

B3

Finistère

Activités et loisirs

Le festival de Cornouaille
Le Musée départemental breton
Visite guidée d'une faïencerie

À proximité

Montagnes Noires (env. 35 km N.-O.), p. 192, Châteaulin (30 km N.), p 208, Douarnenez (23 km N.-O.), p. 214, Pont-Aven (env. 30 km S.-E.), p. 232.

Office de tourisme

Quimper : ☎ 02 98 53 04 05

belles demeures à pignons et à encorbellement, dont certaines remontent au XVIe s. Ne manquez pas l'une des plus belles, à l'angle de la rue Kéréon (en breton, « les cordonniers ») et de la rue des Boucheries. À découvrir aussi, de nombreuses placettes, ruelles et passages secrets où se penchent de pittoresques façades à colombages ou couvertes d'ardoises.

Les halles

Tour à tour couvent de cordeliers, fabrique de salpêtre puis de sabots, l'édifice moderne qui abrite aujourd'hui les halles de Quimper date de 1979 et occupe une place centrale dans l'activité de la ville. Ici et dans les commerces alentour, les Quimpérois viennent se ravitailler en produits frais. Pour les petites faims, profitez notamment des excellentes charcuteries du **Buffet campagnard** ou de la **Charcuterie artisanale** (☎ 02 98 64 32 14). Tout près, au 29, rue Saint-Mathieu, la **pâtisserie Legrand** (☎ 02 98 55 41 79) est également particulièrement recommandée pour toutes les douceurs régionales.

LE FESTIVAL DE CORNOUAILLE

Cette fête très populaire dure sept jours, jusqu'au 4e dimanche de juillet. Avec ses milliers de participants en costumes traditionnels, près de 150 concerts, expositions et animations, mais aussi un feu d'artifice nocturne au-dessus du vieux Quimper, c'est l'un des grands rendez-vous annuels de la ville. Les festivités se terminent le dimanche par un grand défilé des groupes folkloriques de Bretagne et d'autres pays celtiques. Rens. : office de tourisme de Quimper, ☎ 02 98 53 04 05.

Les quais

Lieu d'animation perpétuelle, où alternent administrations et terrasses de cafés, les quais de l'Odet, avec leurs passerelles fleuries enjambant la rivière, donnent véritablement le pouls de la ville. Le long du boulevard de Kerguelen, les anciens remparts sont toujours debout. Sur la rive gauche, la colline du mont Frugy, culminant à 71 m, et au pied de laquelle se trouve l'office de tourisme, permettra également aux promeneurs de profiter d'une belle vue sur la vieille ville.

Le musée des Beaux-Arts

40, place Saint-Corentin
☎ 02 98 95 45 20.
Ouv. t. l. j. sf mar., juil.-août, 10 h-19 h ; le reste de l'ann., 10 h-12 h et 14 h-18 h.
Accès payant.

Ce musée entièrement rénové est l'un des plus importants de province par la qualité et le nombre de ses œuvres. On peut ainsi contempler, en passant du rez-de-chaussée au 1er étage, aussi bien la peinture bretonne du XIXe s. que des tableaux flamands et hollandais, des peintures italiennes et des œuvres de l'école de Pont-Aven. Une salle a également été dédiée à la vie et aux œuvres du poète et peintre quimpérois Max Jacob (1876-1944).

Le musée départemental breton

1, rue du Roi-Gradlon
☎ 02 98 95 21 60.
Ouv. t. l. j. sf lun. et dim. mat., 9 h-12 h et 14 h-17 h ; 9 h-18 h l'été.

Principal musée historique et ethnographique du Finistère, il expose ses collections dans l'ancien palais épiscopal (datant du XVIe s.) sur trois niveaux. Au rez-de-chaussée se trouvent divers objets préhistoriques et des reliques médiévales. Le 1er étage est consacré aux broderies, aux costumes et aux meubles traditionnels, tandis que le second étage abrite une très belle collection de faïences et de grès quimpérois.

La faïence

Pour tout savoir sur cette spécialité locale, commencez par un petit tour au musée de la Faïence (14, rue Jean-Baptiste-Bousquet, ☎ 02 98 90 12 72, ouv. mi-avril-fin oct., lun-sam., 10 h-18 h. F. dim. et j. fér. Visites guidées le sam. Accès payant). Y sont présentées la technologie, l'évolution des styles, les œuvres des différents artistes ayant composé des motifs, et des expositions temporaires. Les groupes de 10 personnes peuvent obtenir une visite hors saison sur réservation. Après la théorie, la pratique : la plus célèbre faïencerie, H. B. Henriot, située rue Haute dans le quartier de Locmaria, où prit naissance la vocation quimpéroise, propose des visites guidées et payantes de ses ateliers du lundi au vendredi (à 9 h, 10 h 15, 11 h 15, 14 h, 14 h 45, 15 h 45 et 16 h 15). Sur rendez-vous pour les groupes : ☎ 02 98 90 09 36.

Keltia Musique

1, place au Beurre
☎ 02 98 95 45 82.
Ouv. t. l. j. sf dim. et lun. 10 h-12 h et 14 h-19 h.
C'est la meilleure adresse de Bretagne pour tout ce qui concerne les musiques celte, bretonne, irlandaise ou galloise. On y trouve un grand choix de disques et de cassettes, des livres, des enregistrements de *bagadou* (groupes de musiciens traditionnels), ainsi que des méthodes pour jouer des différents instruments celtiques.
Allez jeter un œil.

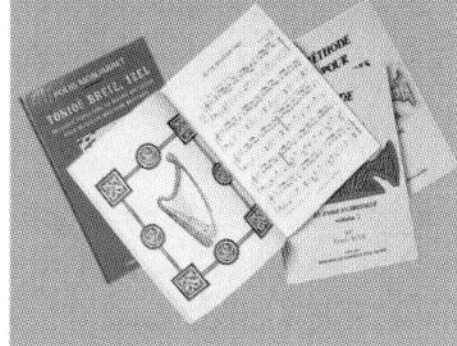

Les biscuits

Filet bleu
rue Nicolas Sadi-Carnot, Saint-Evarzec
☎ 02 98 52 87 30.
La biscuiterie Filet bleu existe depuis 1920, produisant des galettes bretonnes et des palets pur beurre.
Des visites de la fabrique sont organisées, pour les groupes uniquement, sur r.-v.
Bonne dégustation !

Le kabig

Novy Nick,
9, rue du 19-mars-1962
☎ 02 98 52 29 28.
Vous craignez le vent et les embruns ? Achetez-vous un kabig. Ce manteau en drap lourd inspiré des capes des goémonniers est en plus du dernier chic, avec ses crantages extérieurs pour la décoration, intérieurs pour empêcher l'effilochage.
À partir de 450 F pour les enfants, de 1 100 F pour les femmes, il existe en marine, rouge, bleu et écru.

À 7 km de Quimper, l'Odet traverse les gorges du Stangola

Pont-l'Abbé
et le Pays bigouden

Au-delà des hautes coiffes et de l'accent qui ont fait sa popularité, le Pays bigouden, qui s'étend de Plozevet, à l'ouest, aux rives de l'Odet, à l'est, se caractérise par une grande diversité de paysages et un fort sentiment identitaire. Avant la venue du tourisme, les habitants, au tempérament bien trempé, y vivaient exclusivement de la pêche.

Pont-l'Abbé et sa rivière

La capitale du Pays bigouden est un gros bourg de 8 000 habitants sommeillant au fond de son estuaire. Il doit son nom au pont construit par les abbés de Loctudy entre le port et l'étang. Longtemps spécialisée dans la broderie – fête des brodeuses la 2e semaine de juillet – et la fabrication de poupées, la ville profite désormais d'importants chantiers navals. Le chemin de halage, qui longe sur 2 km la rive droite de la rivière, réjouira ornithologues, promeneurs et pêcheurs à pied. L'île Tudy (en fait une presqu'île) abrite un village de pêcheurs très typique.

Le Minor, broderie d'art

5, quai Saint-Laurent
☎ 02 98 87 07 22.
Ouv. lun.-sam., 9 h-12 h et 14 h-19 h.

Tout en développant des collections brodées à la machine, la broderie Le Minor est restée la seule à réaliser des pièces entièrement brodées à la main. Dans la boutique: nappes, sets de table tissés (155 F le set et sa serviette), cabans, kabigs et pulls marins.

Musée et maison du Pays bigouden

Rue du Château
☎ 02 98 66 09 09.
Ouv. t. l. j. sf dim. et j. fér., juin-sept., 10 h-12 h et 14 h-18 h ; hors saison, f. à 17 h.
Accès payant.

Situé dans un château du XVIIIe s., le musée est dévolu au patrimoine breton – mobilier, costumes, objets domestiques, etc. Complément idéal, la **maison du Pays bigouden**, installée dans la ferme de Kervazegan (☎ 02 98 87 35 63), est située à 2 km de Pont-l'Abbé sur la route de Loctudy. On y retrouve tout ce qui fait la spécificité bigouden : lits clos, horloges en pied, barattes, broyeurs à pommes, etc.

Loctudy

Pêche et nautisme

6 km au S.-E. de Pont-l'Abbé
Loc. pêche promenades, port de plaisance
☎ 02 98 87 40 14.
Tarifs de groupes intéressants.

Premier port de pêche à la langoustine, Loctudy est aussi une petite station balnéaire privilégiée grâce à ses nombreuses plages à l'abri du vent du large. De mai à septembre, il est possible de s'embarquer à bord de petits bateaux de pêche: pose de filets ou de casiers, pêche au maquereau, la sortie est active et on conserve ses prises !

Le Guilvinec

Au cœur d'un chantier naval

11 km au S. de Pont-l'Abbé

Rue Saint-Jacques-de-Thézac, Le Guilvinec

☎ 02 98 58 11 38.

Ouv. mer. et ven., à 11 h, 1er juil.-31 août.

Accès payant.

Le Guilvinec, qui connut la fortune grâce à la langoustine et à la langouste, est resté un authentique port de pêche, le 4e de France. Commerces, conserveries, chantiers navals, toute l'économie du pays est liée à la mer et il ne faut surtout pas manquer le retour des chalutiers, vers 16 h chaque jour.

Jacques Henaff – à ne pas confondre avec Jean – ouvre son chantier naval au public. Un bon moyen pour tout savoir sur l'histoire des chalutiers, leur construction, les méthodes de pêche ou les rituels qui accompagnent le lancement d'un bateau.

Penmarc'h

Penmarc'h et le phare d'Eckmühl

17 km au S.-O. de Pont-l'Abbé

Le territoire de Penmarc'h, cerné par les récifs, comprend **Penmarc'h bourg**, **Kerity**, petit port de plaisance, et **Saint-Guénolé**, important port de pêche artisanale. Vous pouvez y assister à la vente à la criée (rens. à l'O.T. ☎ 02 98 58 81 44, 15 juin-15 sept., accès payant). La visite, en soirée, vous fera monter à bord d'un chalutier et assister au débarquement, au triage et à la vente. Sur ce bout du monde déchiqueté par les marées que constituent les rochers noirs de la pointe de Penmarc'h se dresse l'impressionnant **phare d'Eckmühl**, 65 m de haut (visite tte l'ann., accès gratuit, pourboire bienvenu, rés. ☎ 02 98 58 61 17).

Saint-Guénolé

La coopérative de Penmarc'h

17, 5 km au S.-O. de Pont-l'Abbé

☎ 02 98 58 66 24.

Ouv. lun.-ven., 8 h-12 h, 14 h-18 h 30 ; sam., 8 h-12 h.

Dans ce vaste magasin, destiné à fournir tout le matériel nécessaire aux marins pêcheurs, du plus petit accastillage aux plus gros chaluts, on trouve absolument de tout, y compris d'intéressants souvenirs, une large gamme de vêtements marins, mais aussi baromètres, hublots, pendules,lampes et peintures marines. Authentique et intéressant.

Repères

B3

Activités et loisirs

Visite d'un chantier naval
Initiation à la pêche en mer

À proximité

Audierne (32 km N.-O.), p. 216.

Office de tourisme

Pont-l'Abbé :
☎ 02 98 82 37 99

JEAN HÉNAFF, LE ROI DU PÂTÉ

Pouldreuzic
22 km au N.-O. de Pont-l'Abbé
☎ 02 98 51 53 53.

Ouv. 15 juin-15 sept., lun.-ven., 9 h sur r.-v.

Accès gratuit.

Le « pâté du mataf », comme on le surnommait à l'origine, car pas un bateau breton ne partait en mer sans sa réserve de petites boîtes bleues, date de 1914. Depuis, ce pâté pur porc est devenu une vedette internationale. Composé de jambons, rôtis et filets provenant exclusivement des 250 porcs abattus chaque jour à Pouldreuzic, le secret de sa recette est jalousement gardé.

Bénodet et les rives de l'Odet

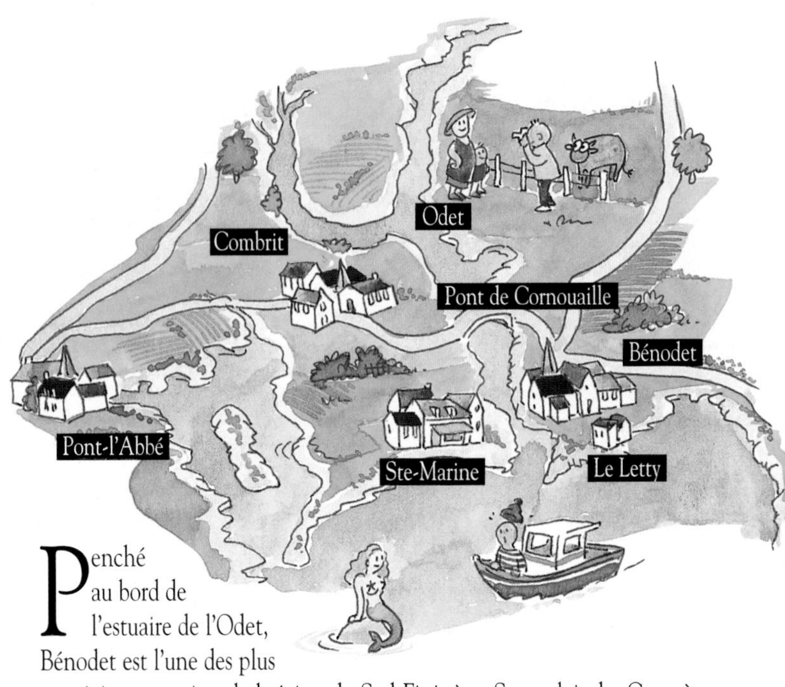

Penché au bord de l'estuaire de l'Odet, Bénodet est l'une des plus prestigieuses stations balnéaires du Sud-Finistère. Son palais des Congrès, son port de plaisance et surtout ses trois corniches – corniche de la Mer, corniche de la Plage et corniche de l'Estuaire – lui ont assuré une solide réputation. Les plaisirs de la mer sont en outre favorisés ici par une grande plage de sable fin bordée de jolies dunes boisées. N'oubliez pas également d'aller faire un petit tour au casino où se concentre une bonne partie de l'animation nocturne.

La tranquille beauté de l'Odet

L'Odet est une ria très encaissée, envahie par la mer il y a quelques milliers d'années à la suite de plissements de terrain granitique. Ses coteaux raides ponctués de plantureux manoirs et de nombreux châteaux sont très boisés. Soumis aux marées, l'Odet sert de zone d'hivernage aux oiseaux limicoles – bécasseaux, chevaliers, courlis et canards. C'est un des rares endroits du littoral où l'on trouve encore le fameux cranson des estuaires, plante mi-terrestre mi-aquatique, désormais protégée. Des croisières remontant de l'Odet sont quotidiennement organisées en saison : à partir de Bénodet, sur le vieux port, de mai à septembre, la compagnie **Vedettes de l'Odet** (☎ 02 98 57 00 58) assure de 2 à 5 départs quotidiens. La croisière aller-retour dure environ 2 h 15. Autre possibilité : louer la réplique d'une gabarre, voilier qui servait autrefois au transport de sable, avec son équipage (Société Gouelia, ☎ 02 98 65 10 00). Mais vous pouvez parcourir à pied, côté Bénodet, seulement munis de bonnes chaussures et des topo-guides disponibles à l'office de tourisme, plus de 15 km de sentiers côtiers, ☎ 02 98 57 00 14.

Le casino

☎ 02 98 66 27 27.
Entrée gratuite.

Sur l'avenue de la plage, le casino de Bénodet est une institution. Il est tout à fait possible de s'y amuser sans se ruiner, la mise minimale étant de 2 F, qu'il s'agisse de la boule ou des machines à sous et le personnel n'étant pas d'une exigence draconienne sur la tenue vestimentaire.
Le casino est ouvert tous les jours, toute l'année, de 11 h à 3 h du matin. La boule commence à 21 h. Une salle est réservée aux 66 machines à sous dont les vidéo-pokers. Sur place se trouvent un bar, un restaurant et même un cinéma.

La mer blanche

Cette vaste lagune séparée de l'océan par une longue langue de sable où poussent quelques touffes d'oyats vous promet un dépaysement total. Elle s'étend

sur 4 km de la pointe de Bénodet à la pointe de Mousterlin et ne connaît pas d'équivalent en Bretagne. Le petit hameau du **Letty** abrite un centre nautique, tandis qu'une lunette astronomique et une table d'orientation ont été dressées à la pointe Saint-Gilles, qui marque l'entrée de la lagune.

❀ Musée du cidre

☎ 02 98 57 05 79.
Ouv. t. l. j. sf dim., 15 mai-15 sept., 10 h-12 h et 14 h 30-19 h.
Accès payant.
Ce musée retrace l'histoire de la pomme dans la région à travers le travail du verger, la présentation d'anciens pressoirs, la transformation du jus de pomme en cidre avec, pour terminer, la découverte de l'atelier où le cidre est distillé en eau-de-vie. La visite, guidée et commentée, est suivie d'une dégustation…

Sainte-Marine

À 800 m de Bénodet
De l'autre côté de l'estuaire, qu'enjambe depuis 1970 le pont de Cornouaille, long de 610 m et perché à 70 m de hauteur, Sainte-Marine est le **royaume de la plaisance** avec son port où s'alignent d'innombrables pontons flottants pour accueillir voiliers et yachts de toutes dimensions. Près du port de plaisance, le port de pêche offre la possibilité d'un délicieux moment de repos à l'une ou l'autre de ses terrasses de cafés, qui voisinent avec une petite chapelle et un ancien « abri du marin » bien restauré.

Repères

B3

Activités et loisirs

Croisière sur l'Odet
Randonnée sur le littoral
Le musée du cidre
Le Parc botanique de Cornouaille

À proximité

Pont-Aven (35 km E.), p. 232.

Office de tourisme

Bénodet : ☎ 02 98 57 00 14

Parc botanique de Cornouaille

Combrit
4 km au N.-O. de Bénodet
☎ 02 98 56 44 93.
Petite commune verdoyante côtoyant les bois du Cosquer et se mirant dans un bras de mer qui s'enfonce sur 3 km dans la campagne, Combrit ne manque pas de charme. On retrouve ici les belles plages de sable de l'anse de Bénodet, peut-être un peu moins fréquentées toutefois. C'est également à Combrit, qui bénéficie d'un microclimat exceptionnel, qu'est installé le Parc botanique de Cornouaille. Il abrite, entre autres merveilles, pas moins de 550 variétés de camélias, 85 sortes de magnolias et, surtout, un étonnant jardin aquatique de 6 000 m². Des plantes sont proposées à la vente. Et si on vous parlait de la roseraie, de la rocaille, des hortensias grimpant dans les arbres ?

Concarneau

la plus jolie ville close du sud de la Bretagne

Son architecture, son port de pêche industrieux, sa corniche battue par les vagues font de Concarneau l'une des villes les plus attachantes du littoral breton. Située au fond d'une baie comptant parmi les mieux abritées de la côte atlantique, c'est aujourd'hui le troisième port français pour les apports en poisson frais et le premier pour le thon tropical, avec toutes les activités induites, conserveries en tête. La halle à marée, monumentale, représente à elle seule une surface de 14 000 m².

La ville close

Petit îlot ceinturé de remparts élevés au XIVe s., auquel on accède par un pont-levis, la ville close est une véritable merveille où se succèdent ruelles pavées et placettes que le temps semble avoir figées. Les remparts de cette citadelle sont accessibles. (10 h-19 h 30 en été. Accès payant).

❀ Le musée de la Pêche

3, rue Vauban, dans la ville close
☎ 02 98 97 10 20.
Ouv. 10 h-12 h et 14 h-18 h hors saison ; 15 juin-15 sept., 9 h-20 h. F. en janv. *Accès payant.*
Présentation de bateaux, histoire de la ville et du port, techniques de pêche à la morue, au thon, ou au chalut, aquariums remplis de poissons aux formes bizarres :
voici l'un des musées les plus complets sur la pêche dans toute la région.
Une heure de visite n'est pas de trop pour faire le tour de ses nombreuses salles et pénétrer dans ses deux chalutiers à flot.

À l'assaut des remparts

5, impasse de Verdun
☎ 02 98 50 56 55.
Ouv. 10 h-17 h.
Une association organise des visites guidées de la ville tous les jours de l'année pour les groupes et du 15 juin au 15 septembre pour les individuels. Visite d'un chalutier semi-industriel, du port, d'une conserverie artisanale, découverte de la criée : rien de ce qui fait la richesse de Concarneau n'est laissé de côté. Les visites commencent généralement à 10 h le matin ou à 22 h le soir, le débarquement du poisson s'effectuant de minuit à 7 h du matin. Tarifs très abordables.

Repères

C3

Activités et loisirs

Le musée de la pêche
Visites guidées à thèmes
Le circuit de la corniche
Embarquement pour les Glénan
La fête des filets bleus

À proximité

Pont-Aven (15 km E.), p. 232.

Office de tourisme

Concarneau :
☎ 02 98 97 01 44

Circuit de la corniche

Une bien jolie promenade, balisée en vert, vous emmène du **Marinarium**, à l'entrée du port, aux plages de Cornouaille et des Sables-Blancs, orientée plein ouest. Après avoir longé le quai Nul, formé par un entassement de fûts de ciment récupérés du naufrage d'un bateau russe en 1904, vous serez sans doute tenté par les petites plages entourées de rochers. Un autre chemin côtier rejoint la Forêt-Fouesnant par les anses de Saint-Jean et de Saint-Laurent avec vue splendide sur la baie.

Rosporden, capitale de l'arrière-pays

En bordure de l'axe Brest-Nantes, Rosporden est aujourd'hui une petite ville paisible qui vit surtout de l'industrie agroalimentaire. Elle n'en a pas moins attiré par le passé de nombreux peintres, tel Adolphe Leleux (1812-1891), qui y a réalisé une série intitulée *Femmes de Rosporden*.

La ville est également connue pour son hydromel et ses étangs, qui font le bonheur des pêcheurs. Parmi ses autres spécialités gastronomiques : les algues ! Globe Export (Z.I. de Dioulan, ☎ 02 98 66 90 84, ouv. lun.-ven., 14 h-18 h sur r.-v. Accès payant.) commercialise des algues fraîches en conserve, sous vide, et des condiments aromatisés. On vous y expliquera les différentes techniques de culture, de conditionnement, et les bienfaits de l'algue comme aliment.

Embarquement pour les Glénan

À bord des **vedettes Glenn** ou des **vedettes de l'Odet** (☎ 02 98 57 00 58), du 1er mai à la mi-sept., 2 départs par jour. Tous les bateaux quittent les îles des Glénan entre 17 h et 18 h. Connu pour sa célèbre école de voile, l'archipel et ses sept îles, aux plages immaculées et aux eaux transparentes, forment un petit paradis irréel posé sur l'eau comme par enchantement.

La fête des filets bleus

L'une des plus importantes manifestations populaires de Bretagne trouve son origine dans un élan de solidarité pour les familles de pêcheurs ruinées par la disparition des bancs de sardines au début du siècle. Elle a lieu l'avant-dernier dimanche d'août offrant de multiples concerts de musique bretonne et un grand déploiement de costumes régionaux (rens. : ☎ 02 98 50 59 10).

Fouesnant et sa région

cidreries, ports de pêche et plages de sable

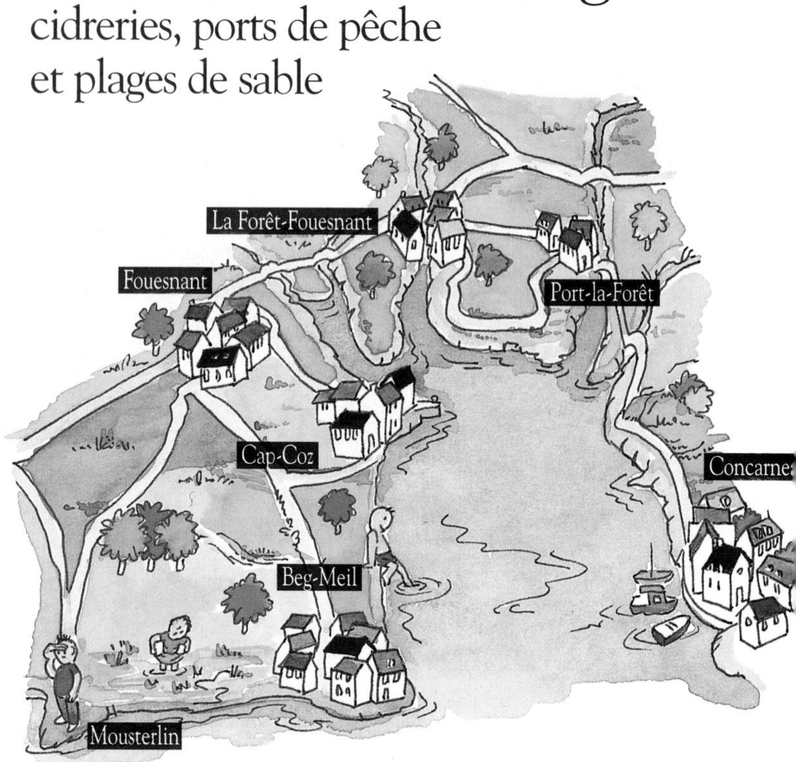

Au bout des bois et des prairies, la plage. À l'abri des vents et des tempêtes, Fouesnant est un petit havre de paix et de douceur mêlant les joies du littoral aux plaisirs de la campagne, la mer et la terre. Capitale du cidre, Fouesnant est aussi connu pour sa coiffe, qui serait l'une des plus délicates de Bretagne. Depuis longtemps tourné vers le tourisme, Fouesnant a également développé une industrie agroalimentaire importante et conservé une population d'environ cent cinquante pêcheurs qui débarquent leur poisson dans l'un des trois petits ports du pays.

L'église Saint-Pierre

Même le visiteur le moins porté sur l'art religieux ne peut rester insensible à cet édifice, pur chef-d'œuvre de l'art roman, construit à la fin du XIe s. et au début du XIIe s. On remarquera notamment le toit à double pente et, à l'intérieur, de hautes arcades en plein cintre, des fenêtres à meurtrières et surtout les chapiteaux des piliers du transept.

La cidrerie Menez-Brug

56, Hent-Carbon, sur la route de Beg-Meil

☎ 02 98 94 94 50.
Visites organisées 1er juil.-31 août, lun. mat. 10 h-12 h 30 et mer. 9 h 30-17 h.
Accès gratuit.
Parmi des dizaines et des dizaines de pommiers, la cidrerie

Menez-Brug propose tous les jours de la semaine dégustation et vente de toute la gamme de produits dérivés de la pomme : cidre d'appella-

tion contrôlée, eau-de-vie de pommes, jus de pommes ou pommeau. Bref, tout pour découvrir caves, cuves, pressoirs, etc., et comprendre comment est fabriqué le cidre.

Cap-Coz

Station balnéaire et port de pêche

L'un des trois petits ports de pêche de Fouesnant, avec **Beg-Meil** et **Mousterlin**, doublé d'une station balnéaire, le Cap-Coz est un long cordon sableux étendu au ras des flots. À partir du Cap-Coz, un sentier côtier, bordé de camélias, d'azalées et de rhododendrons, longe la baie de la Forêt jusqu'à la **Roche-Percée**. De là, belle vue panoramique sur Concarneau et la pointe de Trévignon.

Beg-Meil

La « pointe du moulin »

Connue pour sa belle plage de sable fin bordée de pins et de cyprès, Beg-Meil est une jolie station balnéaire qui n'a pas trop subi l'urbanisation dont ont souffert la plupart de ses consœurs. En s'éloignant vers la pointe du Mousterlin, les vastes étendues de sable blanc sont assez peu fréquentées et donc plus particulièrement propices au naturisme.

Mousterlin

Le marais

Non loin de l'église, la descente du Dourig conduit aux étangs marins de Penfoulic et à la maison du Marais. Après avoir suivi des sentiers boisés, on rejoint un paysage d'étangs et de bois s'étendant à perte de vue sur plus de 150 ha. À Penfoulic, la

maison du Marais présente la flore et la faune (juil.-août, entrée gratuite) de ces étendues à la beauté fascinante et insolite. L'office de tourisme de Beg-Meil (☎ 02 98 94 97 47) organise des promenades-découvertes dans les marais. L'office de tourisme de Fouesnant-les-Glénan propose également des sorties nature pour découvrir tous ces sites encore préservés et observer les oiseaux (☎ 02 98 56 00 93).

La Forêt-Fouesnant

Un charmant village

Perdu au beau milieu de la verdure, au fond d'une anse qui porte son nom, le village de La Forêt-Fouesnant est un havre de paix, et l'occasion d'une halte rafraîchissante loin de la foule des touristes qui envahissent toute la côte. On pourra ainsi profiter au passage d'un petit port de plaisance en voie d'urbanisation, aller jeter un coup d'œil au calvaire et à son église, au porche orné de vieilles statues, ou encore, pour les plus aventureux, partir en excursion sur la rivière de l'Odet ou même vers les îles de Glénan.

Repères

B3

Finistère

Activités et loisirs

Visite d'une cidrerie
Promenades dans les marais

À proximité

Pont-Aven (27 km E.), p. 232.

Office de tourisme

Fouesnant :
☎ 02 98 56 00 93

Toutes voiles dehors

Port-la-Forêt.
Dans ce sport, qui compte plus de 700 mouillages réservés à la plaisance, CDK Technologie est une petite entreprise spécialisée dans la construction de prototypes de bateaux de course en matériaux composites. Parmi ses clients les plus illustres, citons Olivier de Kersauson ou Loïc Peyron (☎ 02 98 51 41 00).

Pont-Aven et ses environs

des peintres et des galettes

Pays de meuniers – « 14 moulins, 15 maisons » dit l'adage –, ancien carrefour commercial, terre des peintres par la célèbre école qui porte son nom, Pont-Aven est une petite cité nichée au creux d'un estuaire verdoyant, qui aura été particulièrement gâtée par la nature et par l'histoire. Aujourd'hui petit royaume des galeries d'art, elle a su parfaitement tirer parti de ses charmes, tout en gardant comme principale activité économique la biscuiterie, avec près de deux millions de boîtes de galettes de Pont-Aven produites par an.

Le musée de Pont-Aven

Place de l'Hôtel-de-Ville
☎ 02 98 06 14 43.
Ouv. t. l. j., fin mars-début janv., 10 h-12 h 30 et 14 h-18 h 30 ; juil.-août, 10 h-19 h.
Accès payant. Gratuit jusqu'à 12 ans.
Ne cherchez pas les tableaux de Gauguin dans ce musée. Leur cote est trop élevée. En revanche, l'école de Pont-Aven y est bien représentée à travers des expositions temporaires et une collection permanente présentant des gravures et des dessins de Maurice Denis et d'Émile Jourdan. D'anciens et passionnants documents photographiques retracent également l'histoire de Pont-Aven.

La route des peintres

Groupement touristique de Cornouaille, 145, avenue de Kéradennec, Quimper
☎ 02 98 90 75 05.
De Pont-Aven part l'un des sept itinéraires qui permettent de découvrir la région à travers ses peintres. L'observation des tableaux invite à celle de la nature et des traditions qu'ils ont immortalisées, d'une société, d'une manière de vivre. Parcourir la route des peintres, c'est un peu se promener entre le passé et le présent.

La balade du bois d'Amour

Après avoir jeté un œil à la pension de Marie-Jeanne Gloanec, où séjournait Gauguin, aujourd'hui

transformée en maison de la presse, empruntez la promenade Xavier-Grall qui serpente le long de l'Aven et de ses chaos rocheux, dont l'impressionnant Soulier de Gargantua. Ce parcours, agrémenté de nombreuses passerelles conduit vers les **hauteurs du bois d'Amour** où les peintres symbolistes

allaient chercher l'inspiration à la fin du XIXe s. La promenade permet aussi de découvrir le port de plaisance, autrefois réservé au commerce, et quelques vestiges plus ou moins bien conservés des moulins du pays.

Port-Manech

À l'embouchure de l'Aven

Ce centre balnéaire, blotti en bordure des estuaires de l'Aven et du Belon, profite d'une jolie **plage de sable fin**, déjà très fréquentée à la Belle Époque. Aujourd'hui, les cabines de bain n'ont pas disparu et, en rejoignant la pointe de Beg ar Vechen, on découvre des vues magnifiques sur les îles et les deux rias voisines de l'Aven et du Belon.

Grand-Poulguen

Le moulin

2, quai Théodore-Botherel

☎ 02 98 06 02 67.

Ouv. 1er avr.-30 nov., 11 h-23 h.

Le moulin du Grand-Poulguen, vieux de cinq siècles, est le dernier témoin encore en état de marche du passé de Pont-Aven. Aujourd'hui transformé en bar-crêperie, il laisse admirer tous ses mécanismes – roues, meules, potences – aux mangeurs de crêpes et aux buveurs de cidre. Le maître des lieux organise également à la demande des visites gratuites et commentées, voire des démonstrations inopinées lorsqu'il n'y a pas trop de monde.

Nizon

Des habitants artistes

À 3 km au N.-O. de Pont-Aven

Nizon est surtout célèbre pour sa petite église, datant du XVe s., et son calvaire roman qui a inspiré l'une des toiles de Gauguin. Beaucoup plus discret et modeste que son illustre voisin, le bourg de Nizon montre dans ses estaminets d'amusants tableaux réalisés par les habitants eux-mêmes, tous milieux confondus, selon les techniques du peintre new-yorkais Andy Warhol.

Repères

C4

Activités et loisirs

La route des peintres
Visite d'une biscuiterie
La balade du bois d'Amour

À proximité

Quimper (30 km N.-O.), p. 220,
Concarneau (15 km O.), p. 228.

Office de tourisme

Pont-Aven :
☎ 02 98 06 04 70

LES DÉLICES DE PONT-AVEN

Z. A. de Kergazuel

☎ 02 98 06 05 87.

Ouv. juil.-août, mar.-jeu. à 10 h 30, sur r.-v. Le reste de l'année, téléphoner.

À l'issue de la visite, guidée, vous saurez tout ou presque sur la fabrication des fameuses galettes de Pont-Aven, celles de cette biscuiterie ayant laparticularité d'être préparées avec du beurre de baratte typiquement breton. Apprenez encore que les dizaines de milliers de galettes produites chaque jour sont aussi bien acheminées vers les pâtisseries de l'Hexagone qu'exportées vers le Japon, Hong Kong, ou la Suisse. Dégustation et boutique.

Quimperlé et sa région

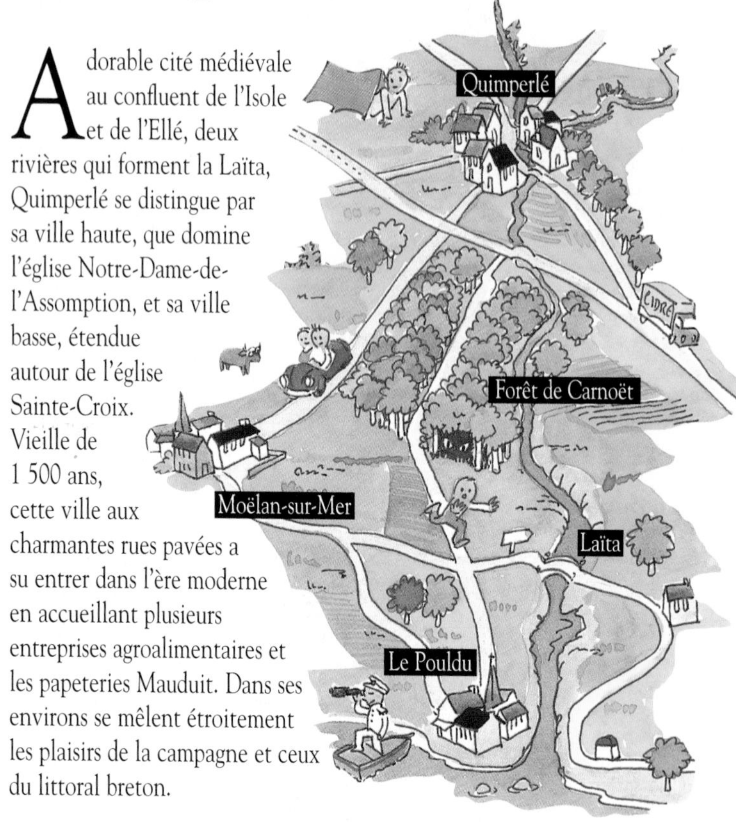

Adorable cité médiévale au confluent de l'Isole et de l'Ellé, deux rivières qui forment la Laïta, Quimperlé se distingue par sa ville haute, que domine l'église Notre-Dame-de-l'Assomption, et sa ville basse, étendue autour de l'église Sainte-Croix. Vieille de 1 500 ans, cette ville aux charmantes rues pavées a su entrer dans l'ère moderne en accueillant plusieurs entreprises agroalimentaires et les papeteries Mauduit. Dans ses environs se mêlent étroitement les plaisirs de la campagne et ceux du littoral breton.

La rue de Brémond-d'Ars

L'ancienne rue des notables et des officiers de la royale a gardé ses somptueuses demeures à colombages et pans de bois. Au numéro 15 se trouve un double escalier à balustre, ornement du présidial, l'ancien tribunal, édifié en 1680, qui fait aujourd'hui office de salle d'exposition municipale. Un peu plus loin, rue Audran, l'hôtel Cosquer est, quant à lui, un édifice caractéristique de l'architecture de la ville basse aux XVIIe et XVIIIe s.

L'église Sainte-Croix

Seule église romane bretonne de plan circulaire, avec le temple de Lanleff dans les Côtes-d'Armor, c'est la copie conforme de l'église du Saint-Sépulcre à Jérusalem.
À l'intérieur, on remarquera

l'étonnant retable Renaissance ciselé en dentelle dans du calcaire de Taillebourg (près de Saintes). Autour de la rotonde, haute de 18 m, sont disposés sur deux niveaux le chœur et la crypte qui abrite trois petites nefs et deux gisants dont l'un est réputé pour soigner les maux de tête.

L'église Saint-Michel

On y accède de préférence par la rue Savary, rue piétonne, commerçante et très escarpée.

De loin, l'église gothique du XIIIe s., remaniée aux XVe et XVIe s., est très repérable avec sa grosse tour carrée. Son entrée est marquée par un linteau ouvragé et deux portes en arcades magnifiquement sculptées. Le porche nord, datant de 1450, est également pourvu d'une décoration foisonnante.

Le Pouldu

Une maison décorée par Gauguin

16 km au S. de Quimperlé

Maison Marie-Henry, 10, rue des Grands-Sables ☎ 02 98 39 98 51.

Ouvert t. l. j., juil.-août, de 10 h 30 à 12 h 30 et de 15 h à 19 h ; hors saison,w.-e. et j. fér. de 15 h à 19 h.

D'année en année, les belles plages du Pouldu gagnent en notoriété et en fréquentation. De 1889 à 1893, Paul Gauguin ne se trompa pas en séjournant dans cette charmante station balnéaire. On peut d'ailleurs toujours visiter la maison Marie-Henry, entièrement décorée du plancher au plafond par le peintre et ses amis lors de leur séjour.

Moëlan

Balades côtières

10 km au S.-O. de Quimperlé

Gros bourg commerçant doté d'une élégante chapelle du XVIe s., Moëlan est l'une des communes les plus étendues du Finistère. Sur son territoire se trouvent aussi bien la charmante petite station balnéaire de Kerfany-les-Pins, qui a malheureusement perdu ses pins lors de l'ouragan de 1987, que le port miniature de Brigneau auquel on accède par un entrelacs de petites routes sinueuses et très pittoresques. Plusieurs chemins côtiers longeant criques et parcs à huîtres invitent à la marche, meilleur moyen de visiter ce pays très vallonné.

La plage du Pouldu, fréquentée autrefois par Gauguin

Repères

C3

Activités et loisirs

Balades sur les bords de l'Ellé
Les plages du Pouldu

À proximité

Hennebont (23 km S.-E.), p. 240.

Office de tourisme

Quimperlé : ☎ 02 98 96 04 32

Balades sur les bords de l'Ellé

Le syndicat d'initiative et le club de randonnée organisent tous les mercredis en juin, juillet et août, à partir de 14 h, des randonnées à la découverte de la région : les bords de l'Ellé, ou la belle forêt domaniale de Carnoët. Plantée de chênes et de vieux hêtres, elle est traversée par la Laïta. Cette rivière est connue des pêcheurs de truites et de saumons. Les randonneurs pourront suivre son cours à l'ombre des frondaisons en empruntant le GR 342. Des sorties à thèmes sont aussi prévues. Toutes sont gratuites et accompagnées par des guides bénévoles. Elles durent généralement de deux à trois heures sur des parcours allant de 6 à 8 km. Rens. à l'office de tourisme, rue Bourgneuf, ☎ 02 98 96 04 32.

Lorient, la ville aux cinq ports

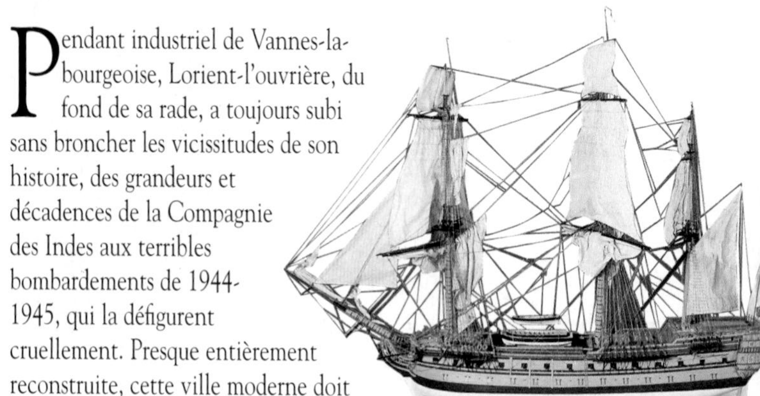

Pendant industriel de Vannes-la-bourgeoise, Lorient-l'ouvrière, du fond de sa rade, a toujours subi sans broncher les vicissitudes de son histoire, des grandeurs et décadences de la Compagnie des Indes aux terribles bombardements de 1944-1945, qui la défigurent cruellement. Presque entièrement reconstruite, cette ville moderne doit aujourd'hui faire face aux difficultés de son arsenal, frappé par les restructurations. Avec le port de pêche et le port de commerce, l'arsenal a toujours été l'une des principales ressources de la ville aux « cinq ports ».

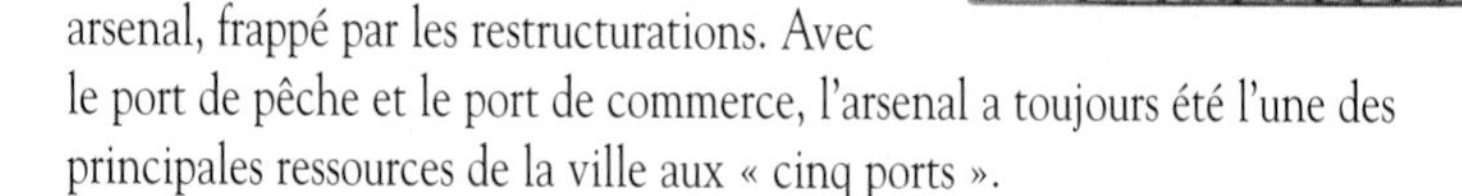

Le port de pêche

L'impressionnant complexe de Lorient-Keroman construit en 1927 a considérablement modernisé ses installations ces dernières années. Premier port de pêche français par la valeur et la diversité de ses apports, il mêle à la fois pêches industrielle, semi-industrielle et artisanale, qui font vivre plusieurs milliers de personnes. Tous les mercredis, à 8 h, la visite guidée organisée par l'office de tourisme (☎ 02 97 21 07 84) vous fera découvrir la vente du poisson sur les 2 ha de la criée couverte. Le samedi, à 4 h 30 du matin, la vente se fait directement sur les quais entre marins pêcheurs et mareyeurs.

Visite de la rade

En juil. et août, t. l. j., départ 15 h 30 et 16 h 30.

Cette visite guidée du centre-ville, organisée par l'office de tourisme, s'avère passionnante, vous plongeant dans la période de la reconstruction de Lorient après-guerre.

Guérande à Lorient

Où peut-on trouver un vrai beurre de crémier au sel de Guérande ? Réponse : à Lorient, par exemple, à la boutique de la Laiterie Kerguilett, (30, halle Chanzy-Merville, ☎ 02 97 64 39 16).

Larmor-Plage

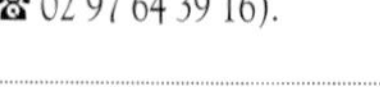

Sports nautiques

6 km au S. de Lorient

Comme son nom l'indique, cette station balnéaire se concentre surtout le long d'une longue plage de sable fin où quelques champions de la voile, comme Jean-Luc Van den Heede ou Alain Gautier, tirèrent leurs premier bords. Disposant d'un centre nautique très dynamique, Larmor-Plage se distingue également par ses nombreuses terrasses qui, à quelques dizaines de mètres du bourg, longent la plage.

Port-Louis

Bains de mer

6 km au S. de Lorient
À l'entrée de la rade de Lorient, cette ancienne place forte, marquée par les années fastes de la Compagnie des Indes, a beaucoup d'allure. La promenade du Lohic, sur les remparts du XVIIe s., offre des vues pittoresques sur le petit village de Gâvres et les bateaux qui viennent

s'échouer sur le rivage à marée basse. Face à l'Océan, la plage des Grands-Sables est un rendez-vous privilégié des Lorientais amateurs de bains de mer et de sports nautiques.

Souvenirs de la Compagnie des Indes

☎ 02 97 82 19 13.
Ouv. t. l. j., juin-sept., 10 h-18 h 30 ; 1er oct.-30 mars, 14 h-18 h ; f. 1er déc.-1er janv.
Accès payant.
L'entrée de cette citadelle achevée sous Louis XIII donne accès au chemin de ronde, au grand pavillon de la porte royale, au musée de l'Arsenal (avec des maquettes de navires de la Compagnie des Indes), au musée de bateaux et surtout aux 15 salles du musée de la Compagnie des Indes.

Pont-Scorff

Village d'artisans

7 km à l'O. de Lorient
Ouv. juil.-août t. l. j. de 10 h à 12 h et de 14 h à 19 h ; du 1er sept. au 30 juin, t. l. j. sf dim. mat. et lun.
À 10 minutes de Lorient, ce village aux rues pittoresques abrite de nombreux ateliers d'artisans d'art (cuir, lutherie, ébénisterie, bijouterie, etc.). Dans un îlot de demeures du XVIIe et du XVIIIe s. se cache la Cour des Métiers d'art (☎ 02 97 32 55 74).
Elle comprend 5 ateliers principaux : souffleur de verre, créateurs de vitraux, tapissier, décorateur sur céramique et céramiste. Vous y trouverez bien votre bonheur.

Repères

C4

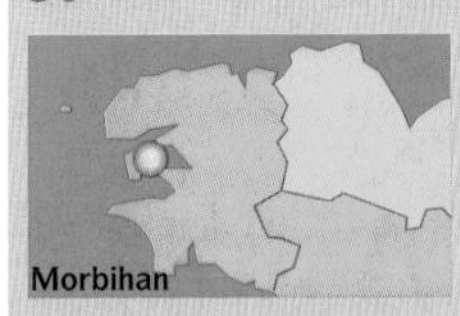

Activités et loisirs

Visite du port de pêche
Centre nautique de Larmor-Plage
La citadelle de Port-Louis
Le Festival interceltique

À proximité

Hennebont (12 km N.-E.), p. 240,
Auray (env. 30 km E.), p. 252.

Office de tourisme

Lorient : ☎ 02 97 21 07 84

Le Festival interceltique

Du 1er au 15 août, les Celtes de tous pays se rassemblent à Lorient à l'occasion de ce festival qui enflamme la ville. Envahie par les joueurs de cornemuse et de bombarde, et les danseurs traditionnels, celle-ci est le théâtre de festivités très variées mêlant spectacles son et lumière, feux d'artifice, défilés, concours de bagadou, concerts prestigieux et bien sûr d'incontournables festou-noz se terminant tard dans la nuit. Par sa fréquentation (plusieurs centaines de milliers de personnes), c'est le premier festival en France et le moment fort de la vie lorientaise. Rens. ☎ 02 97 21 24 29.

L'île de Groix
miraculeusement préservée

À une demi-douzaine de kilomètres au large de Lorient, entre falaises abruptes et plages de sable fin, l'île des « Greks », comme on appelait les grandes cafetières dont se servaient les habitants, est terre de contrastes. Premier port thonier de France au début du siècle, l'île mise désormais beaucoup sur son patrimoine naturel et scientifique, le tourisme n'ayant toutefois pas fait disparaître les activités plus traditionnelles. Groix, ses rochers géants, ses champs, ses vallons, ses hameaux dispersés, est restée ainsi d'une rare et précieuse authenticité.

Comment y aller ?

Les départs, à raison de 4 à 8 par jour en fonction de la saison, se font de Lorient avec la **Compagnie morbihanaise et nantaise de navigation** (☎ 02 97 64 77 64). Il faut compter 45 minutes de traversée.

Des balades à foison

Sur cette île aux dimensions relativement modestes (8 km sur 3 km), les possibilités de randonnées sont légion. De **Port-Tudy**, où se trouvent les ports de pêche et de plaisance, 25 km de chemins balisés font ainsi le tour de l'île. Mais on pourra se contenter de rejoindre la **plage des Grands-Sables** en passant par le hameau du Mené. Ou de gagner **Locmaria**, charmant petit village de pêcheurs aux ruelles tout enchevêtrées. À moins qu'on ne préfère se donner des sensations auprès du **Trou de l'enfer**.

Le roi Thon

Si la pêche au thon, qui a fait travailler et prospérer les Groisillons pendant près d'un siècle, n'est plus ce qu'elle était, ce poisson, comme beaucoup d'autres, est toujours omniprésent sur l'île, ne serait-ce qu'au sommet du clocher de l'église Saint-Tudy où il remplace le coq traditionnel. En été, l'arrivée des quelques thoniers en escale à Port-Tudy est également une grande fête au cours de laquelle une vente de thon frais est organisée sur les quais. Le thon est vendu entier pour être grillé, cuit en matelote ou mis en bocaux pour l'hiver.

La plage des Grands-Sables

C'est sans conteste l'une des plus magnifiques plages de Bretagne et l'unique exemple de plage convexe en Europe. On se croirait sous les tropiques, tant l'eau y est limpide et le sable fin. Ce n'est d'ailleurs pas un hasard si ce secteur est très prisé pour la plongée sous-marine. On trouve également sur cette plage quelques traces de grenats, caractéristiques de l'île. En se dirigeant le long de la côte vers la pointe des Chats, la plage des Sables-Rouges, qui tire son nom de ces fameux grenats, vaut aussi le détour.

L'écomusée

Port-Tudy

☎ **02 97 86 84 60.**

Ouv. t. l. j. sf lun., 1er oct.-14 avr., 10 h-12 h 30 et 14 h-17 h ; ouv. t. l. j., 15 avr.-31 mai, mêmes horaires ; 1er juin-30 sept., 9 h 30-12 h 30 et 15 h-19 h.

Accès payant.

Passionnant musée installé dans une ancienne conserverie et présentant une approche concrète du patrimoine naturel, historique et ethnographique de l'île, l'écomusée propose également une découverte guidée de Groix par les sentiers balisés qui s'ouvrent à proximité.

❀ La réserve de Pen Men

La maison de la Réserve

☎ **02 97 86 55 97.**

Ouv. t. l. j. sf dim. a.-m., juil.-août, 9 h 30-12 h 30 et 17 h 30-19 h ; juin et sept., t.l.j., 10 h 30-12 h. Hors saison, sam., 16 h-18 h 30.

Accès gratuit.

À la pointe N.-O. de l'île, la réserve naturelle de Pen Men, créée en 1982 sur 47 ha, auxquels s'ajoute le domaine maritime de la pointe des Chats, à l'autre extrémité, regorge de richesses ornithologiques mais aussi minéralogiques et botaniques. La **maison de la Réserve** propose plusieurs formules pour faire connaissance avec le cormoran huppé ou s'initier aux secrets du glaucophane bleu, un minéral qui a fait la renommée du site.

Les maisons de Kerlard

En longeant Port-Saint-Nicolas, jolie petite crique coincée au milieu des falaises, on rejoint le village de Kerlard dont les maisons basses construites en schiste sont tout à fait représentatives de l'habitat traditionnel des « pêcheurs paysans » de l'île au début du siècle. L'une d'elles, de la fin du XVIIIe s., au mobilier d'époque, dépend de l'écomusée et est ouverte au public en juillet et en août, du mercredi au dimanche compris, de 14 h à 18 h.

Repères

C4

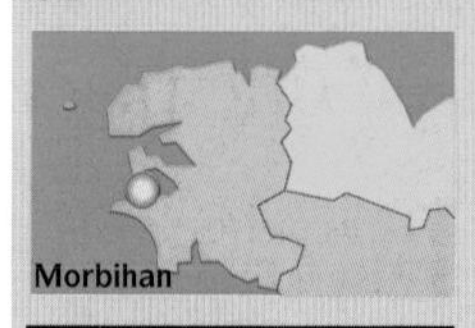

Activités et loisirs

Balades insulaires
L'écomusée
La réserve de Pen Men
La plage des Grands-Sables

Office de tourisme

Île de Groix :
☎ **02 97 86 53 08**

Hennebont
une place forte dominant le Blavet

Les pierres d'Hennebont, petite ville blottie sur la rive gauche du Blavet, témoignent d'une riche et longue histoire. Sa position de carrefour, sa vocation à la fois maritime et fluviale en ont fait une ville de passage et l'une des places fortes les plus convoitées de Bretagne. Durement marquée par les bombardements de la Seconde Guerre mondiale, Hennebont a dû ensuite tourner la page de son histoire industrielle avec l'abandon des forges pour se recentrer sur sa vocation touristique et commerciale.

La ville close

On entre dans la ville close par la **porte Broërec** qui, flanquée de deux tours ayant successivement servi de corps de garde, de prison et aujourd'hui de petit musée, date du XIIIe s. Tout de suite à gauche, un escalier donne accès aux remparts et au **chemin de ronde**, d'où l'on domine des jardins à la française et la vallée du Blavet. La plupart des maisons de la ville close ont été

détruites par des bombes incendiaires en 1944. On en voit cependant encore quelques-unes, datant du XVIe et du XVIIe s., rue des Lombards et dans la Grand-Rue. La mieux préservée se trouve au **1, rue de la Paix.**

Notre-Dame-du-Paradis

Il fallut dix ans pour construire la basilique Notre-Dame-du-Paradis, dressée depuis le XVIe s. sur la place du Maréchal-Foch, où l'on remarquera plusieurs maisons du XVIIe s. et un puits ferré datant de 1623. À l'intérieur, ne manquez pas les vitraux signés Max Ingrand qui retracent les principaux épisodes de l'histoire d'Hennebont.

Les haras

Rue Victor-Hugo
☎ 02 97 89 40 30.
Visites guidées 15 juil.-31 août, de 9 h à 19 h ; sept. et juin, 9 h-12 h 30, 14 h-18 h. F. les sam. et dim. mat.
Accès payant.
Les haras nationaux d'Hennebont sont installés depuis 1857 dans un parc de 24 ha ayant appartenu à l'ancien monastère de cisterciennes de Joie-Notre-Dame. Vous ferez

le tour, commenté, des écuries, de la sellerie, du manège et de la forge du maréchal ferrant et verrez également une **belle collection de calèches**. Le haras, qui organise des concours hippiques nationaux fin juillet, abrite, de juillet à février, 75 étalons.

❀ Les forges d'Hennebont

Z.I. des Forges, Inzinzac-Lochrist
☎ 02 97 36 98 21.
Ouv. tte l'ann. du lun. au ven., 10 h-12 h et 14 h-18 h ; dim., 14 h-18 h.
Accès payant.
Installé sur la rive droite du Blavet, sur le site même des anciennes forges, le **musée des Métallurgistes** vous transporte dans l'histoire industrielle de ce qui fut, de 1860 à 1966, le centre sidérurgique de la Bretagne. Collections d'outils, documents audiovisuels sur la vie sociale des ouvriers, le mouvement syndical, les grèves, etc., tout y est. La visite comprend la maison de l'Eau et de l'Hydraulique, située à 400 m, en hommage au canal du Blavet.

Le parc botanique

Au cœur de la ville, parc de Kerbihan
Ouv. tte l'ann. 9 h-19 h.
Visite gratuite.
Dessiné à la fin du XIXe s. pour s'articuler autour d'un étang et d'un ruisseau aux multiples cascades, le parc botanique de Kerbihan présente aujourd'hui de 350 à 400 espèces arboricoles et horticoles différentes provenant des cinq continents.
Le parc est conçu pour proposer sur 9 ha un parcours dévoilant les charmes d'une nature légèrement apprivoisée et très changeante selon les saisons.

Repères

C4

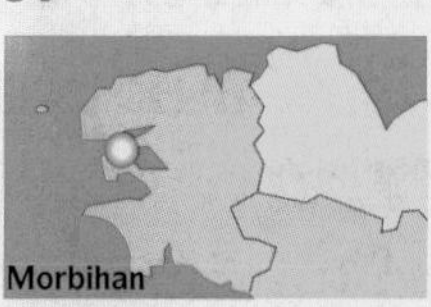

Activités et loisirs

Visite des haras
Initiation à l'aviron
Le musée des Métallurgistes
Le parc botanique

À proximité

Quimperlé (23 km N;-O.), p. 234,
Lorient (12 km S.-O.), p. 236,
Auray (30 km S.-E.), p. 252.

Office de tourisme

Hennebont :
☎ 02 97 36 24 52

L'Aviron hennebontais

Rue du port
☎ 02 97 36 43 71.
Ouv. tte l'ann., t. l. j. sf lun. et dim. a.-m., 9 h-12 h et 14 h-17 h ; mer., 20 h 30-22 h 30.
Glisser sur l'eau le long des rives sauvages du Blavet... un rêve ? Pas forcément. L'Aviron hennebontais, école française d'aviron agréée par le ministère de la Jeunesse et des Sports, ne se cantonne pas à la compétition : initiation et sorties découvertes, sous le contrôle d'un moniteur titulaire du brevet d'État, dans un bassin de 10 km de long sont aussi au programme. À vos rames !

Baud et sa région
aux portes de la forêt de Camors

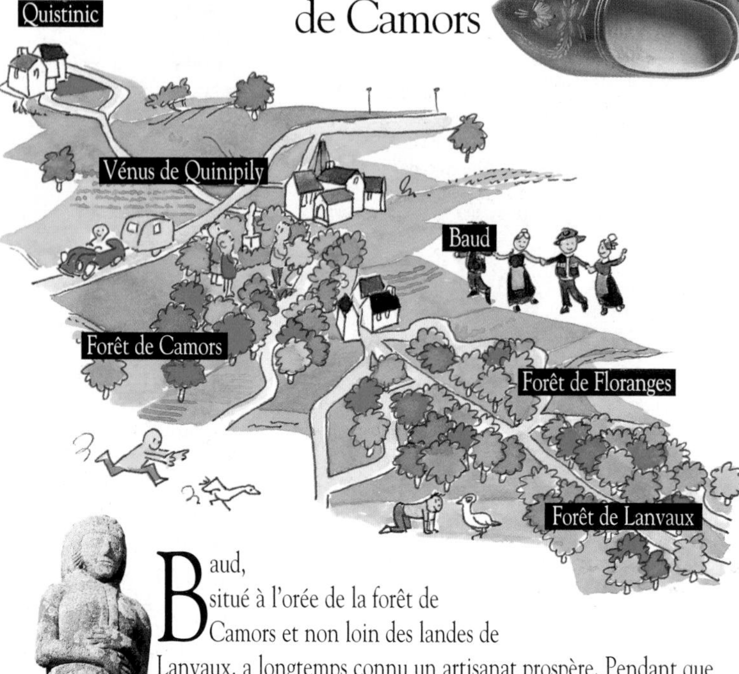

Baud, situé à l'orée de la forêt de Camors et non loin des landes de Lanvaux, a longtemps connu un artisanat prospère. Pendant que bûcherons et scieurs de long s'activaient dans les forêts, sabotiers, charpentiers et fabricants de meubles travaillaient le bois dans leurs ateliers. Aujourd'hui, ce gros bourg s'est reconverti dans l'industrie agroalimentaire, mais il a aussi développé une activité touristique dynamique qui profite des bois, des rivières, des étangs et des édifices religieux qui parsèment le pays.

La Vénus de Quinipily

Divinité romaine ou égyptienne, on ne connaît rien des origines de cette majestueuse et très énigmatique statue, sinon qu'elle a fait autrefois l'objet d'un culte populaire fervent provoquant les fureurs du clergé. Dans un pré à flanc de coteau, à 2 km de Baud, elle se tient toujours aujourd'hui, dressée du haut de ses 2,15 m au-dessus d'une fontaine monumentale.

Pêche dans l'Ével

Pêcheurs de carnassiers, brochets et perches vous attendent dans les eaux de l'Ével. Mais que les pêcheurs de saumons et de truites se rassurent : la région saura également les contenter. Le Pays d'accueil de la vallée du Blavet a réuni 28 circuits de pêche dans une brochure qu'il tient à votre disposition (☎ 02 97 51 09 37).

Camors

❀ Sabot camorien

3, 5 km au S. de Baud
Route d'Auray
☎ 02 97 39 28 64.
T. l. j. sf dim. et lun., 9 h-12 h 30 et 14 h-19 h.
Des sabots, encore des sabots, toujours des sabots, simples ou avec brides en cuir. Et ne croyez pas que ce produit

soit passé de mode. Il connaît au contraire de plus en plus d'adeptes, notamment chez les jeunes qui apprécient son côté pratique pour aller au jardin ou faire une course rapide. La boutique présente également une exposition sur les sabots de Camors, ville qui a compté jusqu'à 24 saboteries (plus d'une centaine de sabotiers). Une passerelle permet en outre de voir l'artisan au travail.

La forêt de Camors

Cette forêt domaniale s'étend sur près de 60 ha que prolongent vers l'est les forêts

de **Floranges** et de **Lanvaux**. Propice aux longues promenades le long de ses belles allées, la forêt est dominée en son centre, au rond-point dit de l'Étoile, par un énorme chêne. Au détour d'une allée, vous trouverez peut-être les deux menhirs, **Bras** et **Bihan**, qui l'habitent ou, près de l'**étang de la Motte**, les ruines du château qui aurait appartenu au sanguinaire Conomor, sorte de précurseur de Barbe-Bleue. Un autre étang, celui du Petit-Bois, est un lieu très apprécié des pêcheurs et autres promeneurs de la région.

Pont Augan

Club nautique Ével-Blavet

7 km à l'O. de Baud

☎ 02 97 51 10 83.

Ouv. juil.-août, 9 h 30 à 18 h 30.

Né dans les Côtes-d'Armor, le Blavet traverse de méandre en méandre le Morbihan du nord au sud. Sa découverte peut se faire en canoë ou en kayak avec ou sans encadrement : les initiés pourront en effet louer une embarcation au Club nautique Ével-Blavet, les néophytes y apprendront les manœuvres indispensables pour pouvoir ensuite profiter au mieux de la balade.

Commune de Quistinic

Le village de Poul Fétan

10 km au N.-O. de Baud

☎ 02 97 39 72 82.

Ouv. juil.-août, 10 h-19 h ; avril-juin et sept.-oct., visite guidée, 14 h-18 h, visite libre le w.-e. ; le reste de l'ann., visite guidée en période de vac. scol. et le w.-e.

Accès payant.

Ce hameau d'une douzaine de chaumières datant des XVe, XVIe et XVIIe s. a été scrupuleusement restauré par des bénévoles dans l'esprit de l'époque et est aujourd'hui habité par des artisans. Objets en cuir ou en bois peuvent être achetés sur place.

La visite guidée présente une exposition de costumes traditionnels, un intérieur breton, un film vidéo sur le travail des femmes au début du siècle et divers outils et machines agricoles.

Repères

D3

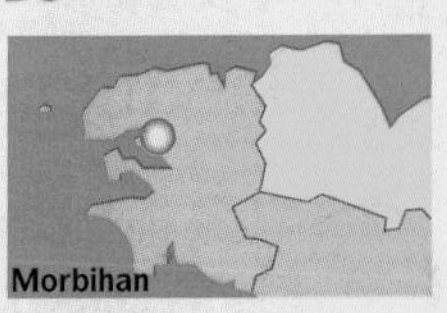

Activités et loisirs

Le Conservatoire de la carte postale
Pêche dans l'Ével
Découverte du Blavet en canoë

À proximité

Auray (30 km S.), p. 252, Sainte-Anne-d'Auray (24 km S.), p. 254.

Office de tourisme

Baud : ☎ 02 97 51 02 29

❀ Conservatoire de la carte postale

Rue d'Auray, Baud

☎ 02 97 51 15 14.

Ouv. t. l. j., 1er juin-30 sept., 9 h 30-12 h 30 et 14 h-19 h ; oct.-mai, ouv. mer.-ven. et dim. a.-m., 14 h-18 h.

Accès payant.

Unique en France, cette cartothèque réunit près de 20 000 cartes postales anciennes dont les plus vieilles remontent à l'origine de la carte illustrée, en 1889. Ces cartes ont pour thème des scènes de la vie d'autrefois en Bretagne exclusivement. L'endroit est tout à fait passionnant.

Pontivy
la ville aux deux visages

Capitale de la Bretagne intérieure et haut lieu de la culture régionale, Pontivy offre à la fois le visage d'une sous-préfecture tirée au cordeau, l'ex-Napoléonville, et celui d'une petite ville médiévale aux belles maisons à pans de bois. Centre agricole et agroalimentaire important, la bourgade profite de la belle vallée du Blavet, qui a gardé sur sa rive droite des paysages très verdoyants typiques du bocage breton. Celui-ci est en outre parsemé ici et là d'étonnantes chapelles, comme celle de Saint-Nicodème, plantée depuis le XVIe s. au beau milieu des champs.

Le château

☎ 02 97 25 12 93.
Ouv. t. l. j., 3 juil.-31 août. 10 h 30-19 h ; 10 h-12 h et 14 h-18 h en hiver sf lun. et mar. *Accès payant.*

Remarquable exemple de l'architecture militaire du XVe s., cette forteresse, entourée de fossés profonds et gardée par deux grosses tours, domine de son corps trapu le paisible Blavet. Avant d'entrer, remarquez le joli escalier en fer à cheval du côté de la cour. Dans l'une des salles, toute une série d'écussons et d'armoiries en pierre décorent une cheminée monumentale, provenant d'un manoir de Grandchamp. La chapelle du château a été l'un des premiers temples protestants en Bretagne. Chaque été, expositions et concerts animent le château.

Le quartier médiéval et Napoléonville

Pour découvrir Pontivy, promenez-vous **place du Martray**, très animée le lundi, jour de marché, **rue du Pont** ou **rue du Fil**, qui tire son nom de l'industrie de la toile qui fit la prospérité de la ville au XVIIIe s. Les ruelles tortueuses et les petites places pavées se succèdent pour former un quartier, désormais piétonnier, à l'ambiance médiévale très sympathique. Devant la **basilique Notre-Dame-de-**

Joie, construite en 1532, les rues biscornues font place aux voies rectilignes et aux angles droits du quartier impérial, dont les plans ont été commandés par Bonaparte.

Les biscuiteries Joubard

Route de Lorient
☎ 02 97 25 45 61.
Ouv. lun.-sam., 9 h-12 h et 14 h-19 h.

Tout près de l'usine de fabrication où l'on peut voir, à travers une simple vitre, les employés au travail, le magasin de détail dispose d'une grande variété de palets, galettes, cakes, quatre-quarts, gâteaux au chocolat et autres pâtisseries bretonnes pur beurre conditionnées en sachets ou en boîtes. On y trouve aussi des coffrets de toutes tailles – le coffret de 300 g de petites galettes à un peu plus de 27 F – et des gâteaux en vrac. Visite pour les groupes uniquement, sur rendez-vous.

Saint-Nicolas-des-Eaux

Un charme rustique

Env. 12 km au S. de Pontivy

Bâti sur la rive gauche du Blavet, à flanc de colline, ce village aux maisons de granit dont certaines sont couvertes de chaume, dégage un charme rustique qui ne manque pas d'originalité. Son quai d'où partent des bateaux panoramiques pour des visites commentées (☎ 02 97 51 92 93) est particulièrement apprécié des pêcheurs. Non loin de là, on peut apercevoir la flèche de la chapelle Saint-Nicodème, pointée au-dessus des blés. Le curieux **ermitage de Saint-Gildas**, encastré au pied d'un gros rocher dominant la vallée et construit en 570, mérite également le détour.

Bieuzy-les-Eaux

La poterie de Lezerhi

15 km au S. de Pontivy
☎ 02 97 27 74 59.

M. Boivin crée quantité d'objets en grès et porcelaine. Il ne tiendra qu'à vous d'en faire autant, en suivant ses conseils lors d'un stage d'initiation à la poterie.

Repères

D3

Activités et loisirs

La maison de la Pêche
Stage d'initiation à la poterie
Promenade en bateau panoramique

À proximité

Guerlédan (env. 20 km N.), p. 160,
Loudéac (22 km N.-E.), p. 162,
Josselin (32 km S.-E.), p. 270.

Office de tourisme

Pontivy : ☎ 02 97 25 04 10

LA MAISON DE LA PÊCHE

Île des Récollets
☎ 02 97 25 39 06.
Ouv. mar.-sam., 8 h 30-12 h 30 et 14 h-18 h. F. le sam. mat.

Le Blavet ou le canal de Nantes à Brest, qui traversent Pontivy, sont très poissonneux. La maison de la Pêche vous dira tout : où aller pêcher, quand, à quel prix, etc. Sachez toutefois qu'une carte munie du timbre indispensable vous coûtera 60 F à la journée et 125 F pour 15 jours. Si vous désirez consommer votre pêche, il est également préférable d'aller taquiner le gardon, le brochet ou la truite, en amont de Pontivy. Le magasin Ardent Pêche (zone de Tréhonin, ☎ 02 97 25 36 56), offre tout le matériel possible et imaginable nécessaire au parfait pêcheur.

Quiberon et sa presqu'île
l'authentique Côte sauvage

Ancienne île aux paysages très contrastés, reliée au continent par un simple cordon de dunes appelé *tombolo*, Quiberon est un monde à elle toute seule. Les visiteurs solitaires et amateurs de sensations fortes pourront se perdre le long de la Côte sauvage ; l'autre versant offre à tous les adeptes de sports nautiques les plaisirs et les animations d'une station balnéaire de pointe qui n'a cessé de se développer au cours de ces dernières années.

La Côte sauvage

Rochers déchiquetés, hachés menus par les furies de l'Océan, gouffres sans fond où résonne le fracas des vagues, toute cette partie ouest de la presqu'île est une succession de paysages grandioses livrés corps et âme aux éléments. Une route départementale longe la Côte sauvage que l'on peut aussi parcourir en foulant l'herbe rase qui tapisse la falaise. Ici ou là, quelques criques de sable, le point de vue panoramique de Beg er Goalennec ou l'insolite château Turpeau ponctuent l'excursion, plus décoiffante et romantique que n'importe quel roman de Chateaubriand.

Boulevard Chanard

Partant de Port-Maria, toujours animé en raison des navettes qui relient la presqu'île à Belle-Île, Houat et Hoëdic, le boulevard Chanard est un peu à Quiberon ce que la croisette est à Cannes : une promenade obligée le long de la Grande Plage, où l'on croise une foule dense et bigarrée.

Les bienfaits de la mer

Thalassa Quiberon, Pointe de Goulvars, BP 170, 56170 Quiberon Cedex
☎ 02 97 50 20 00.
La thalasso est probablement la plus saine des médecines naturelles. Kinésithérapie, bains d'eau de mer et massages ont fait leurs preuves. Elle est

surtout recommandée pour soigner les rhumatismes, mais le centre de Quiberon, projeté à 14 km en pleine mer, à la pointe sud de la presqu'île, fait partie de ceux qui proposent des programmes de rééducation plus pointus pour les sportifs.

Le musée de la Chouannerie

☎ 02 97 52 31 31.
Ouv. t. l. j., 1er avril-30 sept., 10 h-12 h et 14 h-18 h.
Accès payant. Gratuit jusqu'à 13 ans.
En quittant la presqu'île, avant de rejoindre Plouharnel, laissez-vous captiver par ce musée qui retrace l'histoire des chouans. Des armes, des habits, une guillotine et des panneaux explicatifs complètent l'évocation du mouvement. Non loin de là, jetez un coup d'œil au galion, réplique d'un navire du XVIIIe s. renfermant un petit musée.

Port-Haliguen

Entre pêche et plaisance

4 km à l'E. de Quiberon
Ancien port de pêche, Port-Haliguen est devenu un important port de plaisance où viennent s'abriter environ 900 bateaux. Animé l'été par de nombreuses régates, le port jouit également d'une petite plage réputée pour sa tranquillité et sa température : la plus élevée de la baie de Quiberon. Les quelques ruelles qui sillonnent la butte surmontant le port offrent l'occasion d'une agréable balade.

Les niniches, délices de Quiberon

La niniche est une petite sucette cylindrique, aussi délicieuse chaude que froide. Il existe plus d'une cinquantaine de parfums différents. C'est une marque déposée, à la qualité standardisée, et vous en trouverez absolument partout dans la ville et ses environs. Vous les aimez tellement que vous voulez savoir comment on les fait ? Un artisan confiseur vous ouvre ses portes (La maison d'Armorine, Z.A. Plein Ouest, 56 170 Quiberon, ☎ 02 97 50 36 96).

Saint-Pierre-Quiberon

La sportive

5 km au N. de Quiberon
Plus calme et familial que Quiberon, ce petit centre balnéaire dispose de jolies plages de sable fin entrecoupées de rochers couverts de goémons. À la pointe de Beg-Rohu se trouve depuis 1966 l'École nationale de voile, un des centres les plus perfectionnés d'Europe, où ont été formés et entraînés la plupart des champions nationaux. La commune accueille également un club de char à voile (U.C.P.A., club de char à voile, ☎ 02 97 52 39 90). Au sud, une vingtaine de menhirs placés en cercle forment le **cromlec'h de Kerbourgnec**, que complètent 5 rangées de pierres longues.

La plage de Saint-Pierre-Quiberon

Repères

D4

Activités et loisirs

Excursion sur la Côte sauvage
Le musée de la Chouannerie
Baignade et char à voile

À proximité

Golfe du Morbihan, p. 256.

Office de tourisme

Quiberon : ☎ 02 97 50 07 84

Portivy

Porte de la Côte sauvage

7, 5 km au N. de Quiberon
Petit port pittoresque et bien préservé, avec ses bistrots qui résistent aux invasions estivales, Portivy mérite le détour. Quelques pêcheurs côtiers viennent y amarrer leur navire et au sud du bourg, qui marque le début de la Côte sauvage, deux anses, **Port-Maria** et **Port-Blanc**, sont de formidables **terrains de jeux pour surfeurs avertis.** On remarquera également la petite **chapelle de Lotivy**.

Carnac
nécropole ou temple du soleil ?

Avec ses plages parfaitement abritées, son climat particulièrement doux, ses villas élégantes et ses pins maritimes, Carnac offre du point de vue de bien des estivants un avant-goût du paradis. Mais cette station balnéaire, l'une des plus chics de Bretagne, partagée entre Carnac-ville et Carnac-plage, est surtout mondialement connue pour ses alignements de menhirs. Malgré une industrie touristique florissante, l'agriculture est parvenue à rester bien présente dans les activités locales. Ce qui ne gâte rien, au contraire.

Sous le tumulus Saint-Michel, deux chambres funéraires contenaient des haches en pierre et des colliers

❀ À l'époque des mégalithes

Musée de la Préhistoire, 10, place de la Chapelle ☎ 02 97 52 22 04.
Ouv. t. l. j., juin-sept., 10 h-18 h 30 ; reste de l'ann., 10 h-12 h et 14 h-17 h, f. mar.

Installé sur deux niveaux, ce musée dispose d'une collection de 6 500 objets – céramiques, bijoux, outils, squelettes, etc. – couvrant toutes les périodes du paléolithique au Moyen Âge. La collection la plus complète concerne le néolithique avec de nombreuses haches polies. Les collections se succèdent en une chronologie très pédagogique. Un passage par l'**Archéoscope** permet de compléter la visite. Son grand spectacle multimédia vous emmènera au cœur du pays des mégalithes.
Ouv. mi-févr. à mi-nov. et vacances de Noël.
Rens. ☎ 02 97 52 07 49.

Les alignements

Jalonnant la lande et les broussailles sur quelque 4 km, aujourd'hui protégés par des grillages, les alignements comprennent trois grandes séries.

L'église de Carnac, consacrée à saint Cornély, réputé guérir les bêtes à cornes

Les plages

Les 5 plages de Carnac se succèdent sur 3 à 4 km de l'anse du Pô, en limite de Plouharnel, à l'anse de Beaumer, du côté de La Trinité-sur-Mer. Bordée d'un agréable sentier douanier, ce littoral bien équipé et surveillé alterne les caps et les anses de sable fin où aiment se retrouver les familles. Près des anciens marais salants se trouve un centre de thalassothérapie (☎ 02 97 52 53 54) et l'on pratique ici la planche à voile en toute saison, les grosses vagues et autres rouleaux étant quasi inconnus en baie de Quiberon.

Ceux de **Kerlescan**, les moins importants, comptent tout de même 240 menhirs debout. Ceux de **Kermario** disposent d'un poste d'observation d'où l'on admire 982 pierres levées. Enfin, les plus impressionnants, ceux du **Ménec**, s'étalent sur 1 km et rassemblent 1 170 menhirs disposés sur 11 lignes. La plupart de ces mégalithes demeurent de taille relativement modeste, les plus hauts ne dépassant pas 4 m. Tout indique que leur nombre était bien plus élevé et qu'ils atteignaient la rivière de Crach, s'étendant alors sur 8 km. Un cromlech semi-circulaire précède l'alignement du Ménec et celui de Kerlescan ; celui de Kermario est précédé d'un dolmen ; tous trois, comme le fameux cercle mégalithique de Stonehenge, en Angleterre, sont orientés précisément vers les levers du solstice d'été ou des équinoxes.

Le tumulus Saint-Michel

Sur la route de La Trinité-sur-Mer, ce tumulus mesure 12 m de haut pour 125 m de long et 60 m de large. Il est surmonté d'une chapelle, d'un petit calvaire et d'une table d'orientation d'où l'on découvre un large panorama couvrant la baie de Quiberon, Belle-Île, la presqu'île de Rhuys, la zone des alignements et les toits d'ardoise du bourg de Carnac. On pénètre dans le tumulus par un couloir très bas qui s'ouvre sur son flanc sud. Il comprend deux chambres funéraires et une vingtaine de coffres de pierre ayant contenu différents bijoux et ossements.

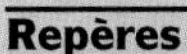

Repères

D4

Activités et loisirs

Le musée de la Préhistoire
Baignade et planche à voile
Vente d'objets de marine

À proximité

Hennebont (27 km N.-O.), p. 240,
Golfe du Morbihan, p. 256.

Office de tourisme

Carnac : ☎ 02 97 52 13 52

La Trinité-sur-Mer

Régates et vieux gréements

4, 5 km à l'E. de Carnac

Ancien port de Carnac, La Trinité est devenue mondialement célèbre en accueillant à peu près tout ce que le monde de la voile compte de stars. C'est ici qu'Éric Tabarly et après lui

bien d'autres connurent leurs premières heures de gloire avant d'aller collectionner les victoires sur tous les océans. Aujourd'hui, 1 000 voiliers sont amarrés au port de plaisance de La Trinité, haut lieu du tourisme nautique. Courses, trophées, régates ou fête des vieux gréements s'y succèdent durant l'année. Rien d'étonnant donc à ce que s'y déroule tous les ans en saison une grande vente d'objets de marine – objets scientifiques, maquettes, mobilier, instruments de navigation, etc. Rens. ☎ 02 97 47 26 32.

Locmariaquer, porte du golfe du Morbihan

Haut lieu historique où l'on trouve les plus impressionnants menhirs et dolmens de la région, Locmariaquer est aussi un charmant village qui, juste en face de Port-Navalo, commande l'entrée du golfe du Morbihan. Le nombre d'habitants de cette petite station balnéaire, essentiellement peuplée d'agriculteurs et d'ostréiculteurs hors saison, décuple en été ; à tel point que beaucoup se tournent vers le tourisme, délaissant les activités plus traditionnelles.

Le tumulus de Mané Lud

En arrivant à Locmariaquer, sur votre droite, vous aurez un aperçu des pierres que l'on trouve dans le secteur avec ce tumulus long de 80 m qui contient deux rangées de menhirs. Lorsqu'ils furent découverts, ils étaient curieusement surmontés de crânes de chevaux. Au bout d'un couloir conduisant à une sorte de crypte furent également retrouvés des ossements humains. Cet imposant tumulus terminé à son extrémité par un dolmen serait vieux de 4 000 ans.

La pointe de Kerpenhir

En suivant la grève, on rejoint la pointe de Kerpenhir qui ferme le golfe du Morbihan. Là, une statue en granit de Notre-Dame-de-Kerdro a été dressée pour protéger les marins. Le goulet ménage une belle vue sur les eaux du golfe qui se mélangent à celles de l'Océan. De la pointe à l'embouchure de la rivière de Crac'h se succèdent de belles plages de sable fin qui font le bonheur des amateurs de sports nautiques comme des simples baigneurs.

Notre-Dame-de-Kerdro

Près de la nouvelle mairie de granit de Locmariaquer, sur la place centrale du bourg, ce petit édifice du XIe s. s'est affaissé à plusieurs reprises. La nef et les bas-côtés ont été reconstruits au XVIIIe s. et sa jolie voûte se trouve désormais à 1,20 m au-dessous de son niveau d'origine. On n'en apprécie pas moins à leur juste valeur les chapiteaux sculptés de feuillages, têtes de béliers et autres volutes.

Le Grand Menhir et la Table des Marchand

À l'entrée du bourg, ces deux importants mégalithes forment, avec le tumulus d'Er Grah, un ensemble ouvert au public en été, t.l.j. 10 h-19 h (autres mois : se renseigner au ☎ 02 97 57 37 59). Accès payant. Le **Grand Menhir**, ou menhir brisé, est le plus gros connu au monde. Il mesure 20 m de long et pèse 350 t. Hélas ! personne ne peut dire avec certitude s'il fut un jour debout, ce gros bloc de granit étant partagé en quatre morceaux gisant à terre. Tout près du grand menhir, la **Table des Marchand** est un beau dolmen en couloir dont la construction remonte à 3 000 ans av. J.-C.

Le tumulus de Mané-er-Hroech

À 1 km du bourg se trouve une curieuse butte haute de 12 m. Il s'agit du tumulus de Mané-Er-Hroech, dont le nom signifie « butte de la femme ». Un escalier de 23 marches permet d'accéder à la chambre funéraire et aux pierres sèches qui le composent. Son sommet fut percé en 1863, ce qui permit de découvrir de nombreux objets : anneau en serpentine, perles, pendeloques et une bonne centaine de haches en pierre polie.

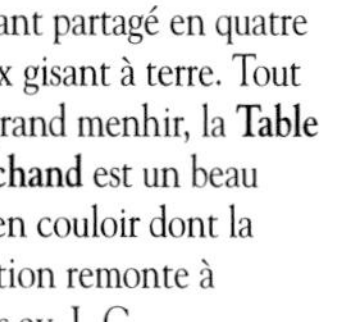

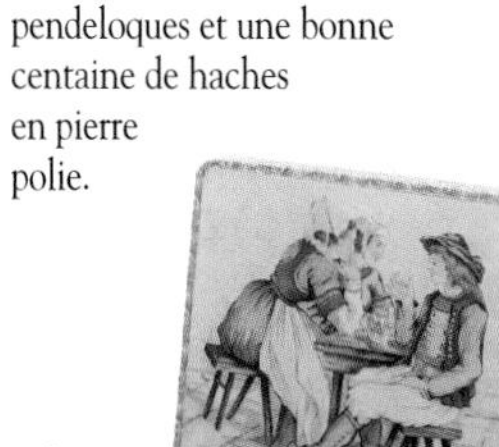

Le dolmen en couloir dit « La Table des Marchand », du nom de la famille qui possèdait ce terrain

Repères

D4

Activités et loisirs

Menhir, dolmen et tumulus
Baignade et sports nautiques

À proximité

Golfe du Morbihan, p. 256,
Vannes (28 km N.-E.), p. 258.

Office de tourisme

Locmariaquer :
☎ 02 97 57 33 05

La Trinitaine

☎ 02 97 55 02 04.
Ouv. 9 h-12 h 30 et 14 h-19 h ; juin-août., 9 h-20 h.
Entre Crac'h, patrie du rameur transocéanique Gérard d'Aboville, et Locmariaquer, cette entreprise équipée d'une boutique présente une gamme complète des produits régionaux les plus divers – miel, confitures, liqueurs, vins, pâtés, conserves – avec tout de même une nette prédominance pour la pâtisserie et la biscuiterie, galettes et autres délicieux palets étant proposés sous toutes sortes de conditionnements.

Auray
de la rivière à la mer

Ville ancienne bâtie tout au fond de l'estuaire escarpé du Loch, ou rivière d'Auray, cette petite cité, patrie du chef chouan Georges Cadoudal (1771-1804), a gardé ses vieux quartiers intacts et un très beau petit port miraculeusement préservé. Carrefour entre Vannes, Lorient et la presqu'île de Quiberon, Auray vit essentiellement du tourisme, de ses commerces florissants et du secteur tertiaire qui occupe plus de la moitié de ses actifs.

Balade en ville

Le quartier Saint-Goustan est la partie d'Auray qui a gardé le plus de caractère. On y accède par un pont de pierre datant du XVIIe s. Sur la rive gauche de cet ancien port, la place Saint-Sauveur, qui faisait office de débarcadère, est entourée de beaux logis de pierre datant du XVe s. La rue Saint-Sauveur, entrecoupée d'escaliers, grimpe la falaise vers l'église Saint-Goustan, édifiée en 1469. Autre belle balade : du côté de la place de la République. De là, la rue du Père-Éternel conduit à la **promenade du Loch,** organisée en terrasses au-dessus de la rivière et qui offre une belle vue sur le port et l'estuaire.

❀ Goélette-musée

Port de Saint-Goustan
☎ 02 97 56 63 38.
Ouv. 28 mars-30 sept., 10 h-19 h. *Accès payant.*
Dans un ancien thonier remanié en goélette, on part à la découverte de l'histoire de la vie des marins et du cabotage dans ce port qui fut très actif jusqu'au début du siècle dernier. L'Américain Benjamin Franklin, engagé dans la guerre d'indépendance, y accosta en 1776 pour demander de l'aide à

Louis XVI. Maquettes, objets de marine, la visite comprend aussi les commentaires du baladeur remis à l'entrée.

La rivière d'Auray

Pour partir à la découverte de l'estuaire du Loch, long de 5 km, embarquement immédiat

à Saint-Goustan à bord des vedettes **Navix** (☎ 02 97 46 60 00). Celles-ci proposent différentes formules (demi-journée, journée, visite du golfe du Morbihan), à des prix abordables, du 17 mai au 15 sept. Sur les rives du Loch, on apercevra manoirs et belles demeures enfouies dans les bois, à commencer par le château du Plessis-Kaer, construit au XVIe s. à l'emplacement d'une forteresse médiévale. Une échappée sur la rivière adjacente du Bono vous fera également découvrir son harmonieux petit port.

Les moulins à marée

Nés de l'union du vent, de l'eau douce et de la mer, ces édifices sont un élément essentiel de la société rurale bretonne depuis le Moyen Âge. Si on en trouve à l'embouchure de la Rance, ils sont très nombreux dans le golfe du Morbihan, et notamment tout autour d'Auray. L'eau s'accumulait derrière une digue pendant la marée montante. Elle était libérée ensuite, actionnant une ou plusieurs roues à aube. Ne manquez pas d'aller voir cet étonnant patrimoine à Pont-Sal (près de Pluméret) ou à Mériadec (près de Baden).

Étel et sa rivière

Gros bourg s'allongeant au bord d'une ria aussi sauvage que magnifique, Étel, réputé pour la barre qui porte son nom, long et

dangereux banc de sable se déplaçant à l'embouchure de la rivière, ne s'anime vraiment qu'avec l'arrivée des estivants. À une quinzaine de kilmètres d'Auray, la rivière d'Étel ne manque pas, il est vrai, de curiosités. Qu'il s'agisse de ses marais peuplés d'oiseaux rares ou du charmant village de Saint-Cado. La promenade en vedette (une heure et demi d'émerveillement, ☎ 02 97 55 45 77) est là aussi très recommandée.

La chartreuse d'Auray

À 2,5 km au N. d'Auray, le duc Jean IV, vainqueur de Charles de Blois, fit élever en 1482 une chapelle et une collégiale, transformée en chartreuse au cours du XVIIe s. Les bâtiments actuels ont été restaurés en 1968.

Repères

D4

Activités et loisirs

La goélette-musée
Excursion sur la rivière d'Auray
Promenade en vedette sur l'Étel

À proximité

Honnebont (30 km N.-O.), p. 240,
Golfe du Morbihan, p. 256,
Vannes (16 km E.), p. 258.

Office de tourisme

Auray : ☎ 02 97 24 09 75

La saumonerie du Loch

Z. A. de Toul-Garros
☎ 02 97 50 78 80.
Ouv. lun.-ven., 9 h-12 h et 15 h-19 h.
Petite entreprise de fumage artisanal au hêtre vert et au sel de Guérande. Le saumon d'Irlande et d'Écosse, le lieu noir et les filets de maquereau de Bretagne, fumés, se vendent à partir de 80 F le kg. On trouve aussi du saumon sauvage en été, des rillettes et autres beurres de saumon. Les poissons fumés sont emballés sous vide avec une durée de conservation d'un mois environ. Une à deux semaines sont nécessaires pour une saveur optimale.

Sainte-Anne-d'Auray
le plus grand pèlerinage de Bretagne

Sainte-Anne-d'Auray a encore démontré sa position clé au sein du monde chrétien lors de la venue du pape Jean-Paul II le 20 septembre 1996. Ce jour-là, la messe du Saint-Père fut suivie par des dizaines de milliers de fidèles venus de tout l'Ouest et même de bien plus loin. Entièrement voué au culte de la mère de Marie, qui apparut ici même en 1623 au paysan Yves Nicolazic, cet important centre de pèlerinage est visité chaque année par 800 000 croyants.

Le couvent des Carmes

La basilique

D'inspiration Renaissance, cet édifice fut construit de 1866 à 1872 à l'emplacement de l'ancienne chapelle. Le chevet de la basilique est relié à l'ancien couvent des Carmes dont les bâtiments entourent un remarquable cloître du XVIIe s. À l'intérieur, les vitraux retracent la vie de Sainte-Anne et l'histoire de Nicolazic. L'autel de la Vierge a conservé, enchâssés, cinq panneaux en albâtre du XVe s. tandis que l'actuelle statue de sainte Anne a gardé un fragment de la statue primitive, brûlée en 1796, inséré dans son socle. Au moins trois messes ont lieu chaque jour, à 9 h, 11 h et 18 h.

Le trésor

☎ **02 97 57 68 80.** Ouv. t. l. j., 7 mars-7 oct., 10 h-12 h et 14 h 30-18 h. Le reste de l'ann. à la demande, en s'adressant à la sacristie et le dim. a.-m.
Accès payant.
Attenant à la basilique, le trésor regorge d'incroyables objets votifs qui vont de tableaux des XVIIe, XVIIIe et XIXe s. aux bijoux et aux armes, en passant par l'écharpe en dentelle de l'impératrice Marie-Louise et le maillot jaune de Jean Robic, vainqueur du Tour de France en 1947. Un véritable musée de la dévotion.

L'enclos du pèlerinage

Face à la basilique, au centre d'une vaste esplanade, trône la fontaine miraculeuse composée d'une piscine et d'une colonne surmontée de la statue de sainte Anne. Plus près de la grande entrée, la Scala Sancta, ancienne porte d'entrée du parvis, datée de 1872,

La Scala Sancta (1872). Les pèlerins les plus pieux la gravissent à genoux.

Repères

D4

Activités et loisirs

La basilique et son trésor
Le musée du Costume breton

À proximité

Baud (24 km N.), p. 242,
Golfe du Morbihan, p. 256,
Vannes (16 km S.-E.), p. 258.

Office de tourisme

Sainte-Anne-d'Auray :
☎ 02 97 50 84 27

forme une chapelle ouverte dont les pèlerins les plus pieux gravissent le double escalier à genoux en chantant l'Ave Maria. À l'intérieur de l'enclos se trouve également le mémorial dédié aux 240 000 Bretons victimes de la Grande Guerre. Il fut élevé grâce à une souscription effectuée dans toute la région.

Ex-voto dans la basilique de Sainte-Anne-d'Auray

La maison d'Yves Nicolazic

Près de la basilique
☎ 02 97 57 64 05.

Ouv. mars-oct., 8 h-19 h; sur r.-v. le reste de l'ann. *Visite gratuite.*

C'est là que la mère de Marie apparut à ce modeste laboureur en lui demandant d'élever une chapelle en son honneur. Au lieu indiqué, le brave paysan découvrit une statue de la sainte. L'intérieur de la maison présente des panneaux retraçant cette histoire, un oratoire et des meubles anciens du pays d'Auray du XVIIe s.

Le musée du Costume breton

À droite du mémorial
☎ 02 97 57 68 80.

Ouv. t. l. j., mars-oct., 10 h-12 h et 14 h-18 h. *Accès payant.*

Ce musée présente une belle collection de poupées en porcelaine habillées de costumes bretons traditionnels et deux bateaux miniatures offerts en ex-voto, objets les plus divers remis aux gardiens du sanctuaire pour remercier les saints d'avoir exaucé un vœu. Quelques spécimens de mobilier ancien, des bannières de procession et des gravures évoquant les pèlerinages d'autrefois complètent cette collection réalisée par des paroissiens dès 1920.

CALENDRIER

Le premier pardon se déroule le 7 mars. Viennent ensuite les pèlerinages paroissiaux qui, de Pâques au 1er oct., jour du Rosaire, ont lieu les mer. et dim. Le pardon de Sainte-Anne se tient quant à lui le 26 juillet de chaque année et rassemble environ 20 000 personnes.

Maison d'Yves Nicolazic

Le golfe du Morbihan la « petite mer » de Bretagne

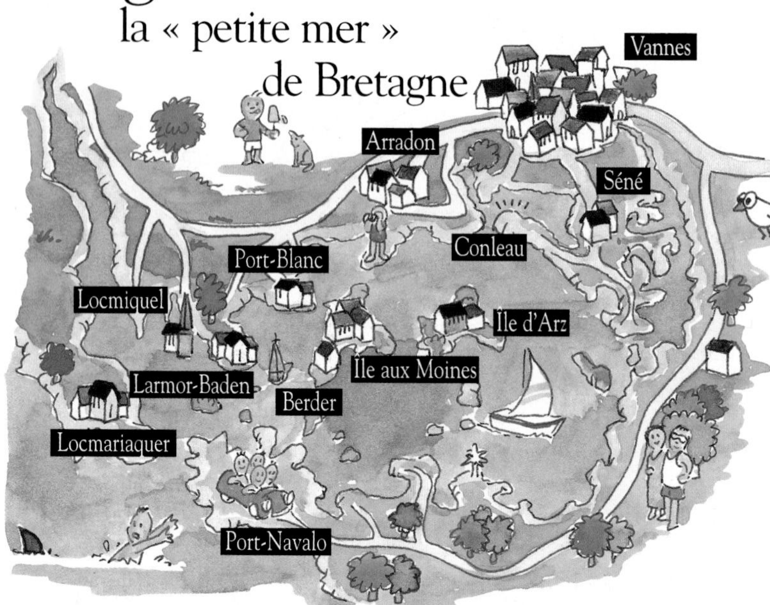

Impossible de visiter le Morbihan, « petite mer » en breton, sans s'arrêter dans le golfe. Fermé par un goulet d'à peine un kilomètre où s'engouffrent les courants, le golfe du Morbihan renferme une multitude d'îlots et d'îles de toutes dimensions dont l'aspect change perpétuellement selon le ciel et les saisons. La richesse écologique du golfe, truffé de vasières, de marais, et habité par des volées d'oiseaux qui viennent y nicher entre deux migrations, rend cet espace encore plus séduisant.

Visiter le golfe

De Larmor-Baden, Vedettes blanches-Armor ☎ 02 97 57 15 27. De la pointe d'Arradon, Le Blanc Marine, locations de bateaux ☎ 02 97 44 06 90.

Il existe plusieurs possibilités pour visiter le golfe. La plus simple est d'embarquer à Auray, Vannes, Locmariaquer ou Port-Navalo sur l'une des vedettes **Navix** (☎ 02 97 46 60 00) qui font le tour du golfe avec escales éventuelles sur l'**île d'Arz** et

l'**île aux Moines**. On peut aussi louer à plusieurs un petit bateau à moteur (attention aux parcs à huîtres et aux courants !), ou un voilier avec skipper (Woody Location, ☎ 02 97 47 10 30). Nec plus ultra : survolez le golfe à bord d'un petit avion (aéroclub de Vannes-Meucon, ☎ 02 97 60 73 08).

L'île aux Moines et l'île d'Arz

Les deux plus grandes îles du golfe sont très différentes l'une de l'autre. Autant la première abrite de jolies villas et regorge d'une végétation luxuriante – camélias, mimosas, orangers – autant la seconde apparaît au premier abord austère et

repliée sur elle-même. Elles ont cependant toutes deux des bourgs aux maisons de pêcheurs et aux ruelles pittoresques, plusieurs mégalithes et d'agréables plages où faire trempette. L'île aux Moines, la plus importante, est facilement accessible, tous les quarts d'heure en saison, depuis **Port-Blanc**. L'île d'Arz est reliée au continent par des navettes au départ de **Conleau**.

Le caïrn de Gavrinis

☎ 02 97 57 19 38.
Ouv. juin-sept., 10 h-12 h et 14 h-18 h : reste de l'ann., téléphoner pour horaires.
Accès payant, billets à prendre au port de Larmor-Baden.
Sur cette île, accessible au départ de Larmor-Baden, se trouve l'un des plus impressionnants monuments mégalithiques de Bretagne. Le cairn, de 50 m de diamètre, abrite un couloir de 14 m de long conduisant à un dolmen souterrain. Il possède des dalles couvertes d'étranges dessins dont certains, figuratifs, datent de 4 000 ans av. J.-C.

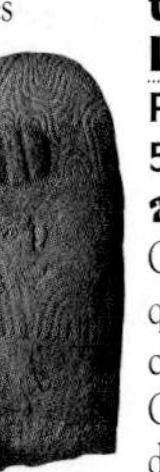

Réserve biologique de Falguerec

☎ 02 97 54 96 05 ou ☎ 02 97 66 92 76.
Ouv. t. l. j. juil.-août, 10 h-13 h, 14 h-19 h ; avril-juin, w.-e. et j. fér.
La SEPNB (Société d'étude et de protection de la nature en Bretagne) a restauré il y a quelques années les anciennes salines de Séné sur 40 ha qui abritent aujourd'hui une très grande variété d'oiseaux et une flore typique des marais salants. Bernache cravant, coulis cendré, vanneau huppé ou canard siffleur, un observatoire expose au public le fonctionnement de la réserve et le mode de vie de ces espèces.

La plage des Sept-Îles

En partant de la très jolie petite île Berder, où l'on peut se rendre à pied à partir de Larmor-Baden, profitez d'une mer à marée basse pour longer la plage et rejoindre la pointe de Locmiquel, puis la plage des Sept-Îles, face à Locmariaquer. Loin des foules, vous profiterez alors, dans un cadre enchanteur, d'une merveilleuse langue de sable blond.

Institut de thalassothérapie Louison Bobet

Port du Crouesty, B.P. 53, 56640 Arzon
☎ 02 97 53 90 90.
C'est juste à l'entrée du golfe que l'Institut Louison Bobet a choisi son port d'attache. Construit au bord d'un lac d'eau de mer, le long de la plage du Fogeo, l'établissement a des allures de paquebot. Rééducation, aide à l'amaigrissement, anti-stress, etc., il soignera tous vos maux. Vous y croiserez peut-être l'une des nombreuses célébrités qui s'y rendent régulièrement le temps d'une remise en forme loin du rythme de la vie parisienne.

Repères

D4

Activités et loisirs

Visite du golfe en bateau
Réserve biologique de Falguerec
La plage des Sept-Îles
Randonnée dans le golfe

À proximité

Quiberon, p. 246, Carnac, p. 248, Locmariaquer, p. 250, Auray, p. 252.

Office de tourisme

Vannes : ☎ 02 97 54 06 56

Randonnée dans le golfe

Au départ du parking de Kerat, à Arradon, il suffit de suivre les balises blanches et rouges pour le sentier du littoral, puis les balises jaunes pour revenir par l'intérieur sur Arradon. Cette balade d'une dizaine de kilomètres traverse landes et sous-bois, rejoint un moulin à marée, un moulin à vent et ménage, au détour d'une ancienne carrière ou d'espaces boisés, de magnifiques panoramas sur le golfe.

Vannes, à deux pas de la mer

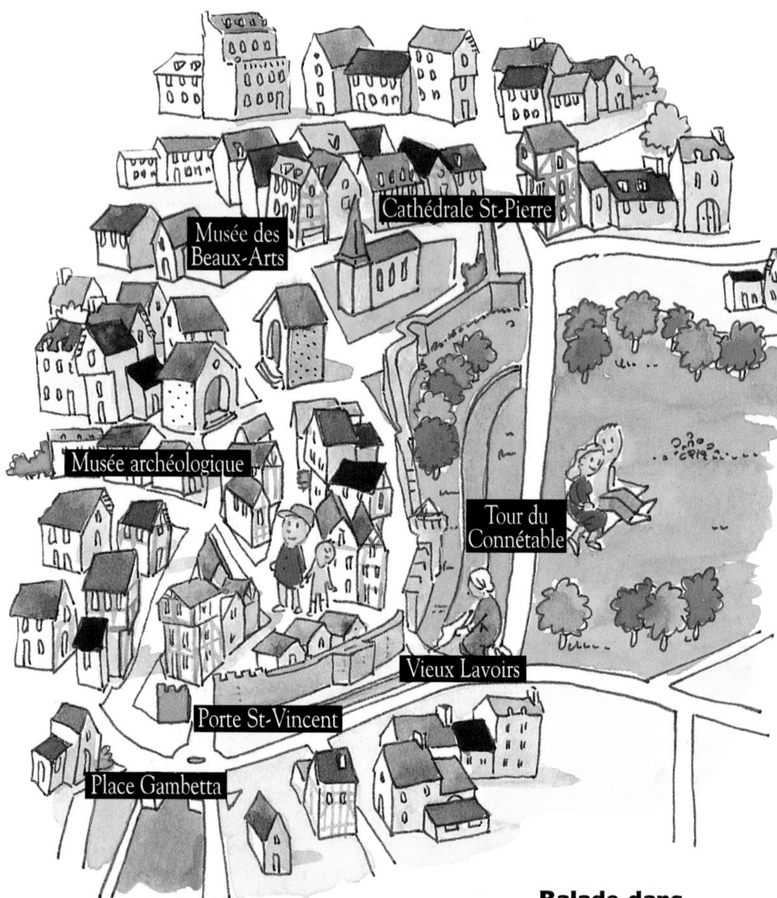

Essentiellement tournée vers le commerce et le tourisme, avec ses centaines de magasins et sa vieille ville qui ressemble à un musée à ciel ouvert, Vannes connaît depuis quelques années un nouveau dynamisme grâce au tissu de PME qui sont venues s'y installer. Ses atouts maîtres demeurent néanmoins ses vieilles pierres, particulièrement bien préservées, sa proximité avec la mer et le golfe du Morbihan, et sa position stratégique sur un littoral regorgeant de trésors historiques et naturels.

Balade dans la vieille ville

Vannes intramuros soutient aisément la comparaison avec d'autres villes bretonnes au passé médiéval encore très présent, comme Vitré ou Dinan. Il suffit ici de se laisser guider par son inspiration pour déambuler le long des rues pavées et découvrir au hasard d'un carrefour une maison à pans de bois du XVe s. ou un hôtel particulier du XVIIe s. De la **place des Lices**, où se tient tous les mercredis et samedis le marché public,

il faut se perdre sans crainte dans le dédale serré des rues de la vieille ville pour rejoindre ensuite la **place Valencia** ou la **place Saint-Pierre**, devant la cathédrale. Avec une mention spéciale pour ce quartier particulièrement séduisant.

Le musée des Beaux-Arts et la Cohue

La Cohue
☎ 02 97 47 35 86.
T. l. j. sf mar. et mat. dim. et j. fér., 10 h-12 h et 14 h-18 h ; juin-sept. 10 h-18 h.
Accès payant.

Installé au cœur du vieux Vannes, dans l'ancienne Cohue, c'est-à-dire les anciennes halles, le bâtiment vaut à lui seul le détour. Au rez-de-chaussée sont programmées des expositions temporaires. Il existe également un espace permanent consacré à l'art de l'estampe. À l'étage, le musée des Beaux-Arts abrite la célèbre *Crucifixion* d'Eugène Delacroix, des tableaux signés par des artistes bretons de renom : Flavien Peslin, Henri Moret, entre autres, des sculptures et des objets d'art.

La presqu'île de Conleau

Relié à la terre par une petite route et cerné de bateaux multicolores, Conleau dispose d'une vaste piscine d'eau de mer dont l'accès est gratuit. C'est ici également que vous pourrez embarquer pour **l'île**

Repères

D4

Activités et loisirs

Promenade de la Rabine
Excursion à bord d'un sinagot
L'aquarium
La papillonneraie

Avec les enfants

Le Palais des automates

À proximité

Auray (16 km O.), p. 252, Sainte-Anne-d'Auray (16 km N.-O.), p. 254, Rochefort-en-Terre (34 km E.), p. 276.

Office de tourisme

Vannes : ☎ 02 97 47 24 34

Papillons et automates

Parc du golfe
T. l. j., 10 h-12 h et 14 h-18 h ; juin-août, 10 h-19 h. Papillonneraie f. nov.-mars.
Accès payant.

Installés tout près de l'aquarium mais dans des bâtiments distincts, ces deux endroits méritent l'un et l'autre une visite. La Papillonneraie (☎ 02 97 46 01 02), vaste serre tropicale où évoluent librement des centaines de papillons de toutes les couleurs, propose un dépaysement immédiat. Le Palais des automates (☎ 02 97 40 40 39), personnages féeriques datant de la fin du XIXe s. comme d'époques plus récentes, est tout simplement magique.

d'Arz. Le clou de ce site privilégié, situé à l'embouchure du golfe et planté de pins, réside toutefois dans le **panorama superbe** offert sur **Port-Anna** et tous les îlots que survolent parfois d'étranges oiseaux.

Promenade de la Rabine

Une large allée bordée d'arbres longe le port de plaisance et vous conduit vers la presqu'île de Conleau, à 4 km. Au passage, on

remarque sur la droite le **couvent des Carmes**, transformé en conservatoire de musique. La promenade s'interrompt au **Pont-Vert**, port de commerce et embarcadère des vedettes d'excursion pour le golfe. Après les chantiers navals qui se succèdent le long du chenal, on peut continuer la balade en suivant le chemin côtier qui longe la **pointe des Émigrés** jusqu'à Conleau.

L'aquarium

Parc du golfe
☎ 02 97 40 67 40.
T. l. j., 9 h-12 h et 13 h 30-18 h ; juin-sept., 9 h-19 h.
Accès payant.
Cet aquarium océanographique propose un véritable voyage au fonds des mers à travers une cinquantaine de bassins où barbotent plusieurs centaines de poissons, plus curieux, colorés et exotiques les uns que les autres. Outre le poisson-scie, les anguilles électriques et le poisson – ventouse, les piranhas, les requins, les énormes tortues et les crocodiles sont aussi de la partie.

❀ Le musée d'Archéologie

Château-Gaillard, 2, rue Noé
☎ 02 97 42 59 80.
T. l. j. sf dim. et j. fér., 9 h 30-12 h et 14 h-18 h ; juil.-août, 9 h 30-18 h ; hors saison, 14 h-18 h.
Accès payant.

Dans un manoir du XVe s., ce musée privé montre différents objets provenant des fouilles effectuées dans les nombreux sites mégalithiques de la région. On remarquera en particulier de très belles haches funéraires en pierre polie et des colliers de callaïs, sorte de turquoise, qui pourraient fort bien orner le cou des femmes d'aujourd'hui. Les collections vont de l'âge du bronze à la Renaissance. Un sarcophage égyptien, accompagné d'un chat et d'une main momifiés, y est également présenté.

SORTIE EN SINAGOT

Le sinagot était une chaloupe qui servait autrefois aux pêcheurs pour aller ramasser crevettes et huîtres plates. Avec les Amis du Sinagot (☎ 02 97 42 61 60), embarquez sur l'une de ces embarcations facilement reconnaissables à leur voile écarlate pour naviguer d'île en île dans le golfe du Morbihan. Le départ se fait de Vannes.

Les remparts

Accès libre.
De la porte Saint-Patern, une petite promenade sur ces belles murailles, parmi les

Jardins à la française au pied des remparts

mieux conservées de France, permettra de dominer les jardins à la française qui s'étalent le long des fossés. On profitera également, devant la **tour Poterne**, des remarquables lavoirs du XVIIIe s. qui bordent la rivière Marle, de la **tour du Connétable**, véritable emblème de la ville, et du **château de l'Hermine**, datant du XVIIIe s. et planté à un jet de pierre, de l'autre côté des jardins.

Statue de saint Paul par Fossatti (1776) dans la cathédrale Saint-Pierre

La place Gambetta

Le quartier du port de plaisance, qui s'étend jusqu'au pied des remparts, est perpétuellement animé. On s'attarde volontiers à l'une des terrasses, orientées plein sud, qui couvrent la place Gambetta, principal point de rendez-vous touristique de Vannes. Dessinée au XIXe s. en demi-lune, la place est percée en son centre par la **porte**

Saint-Vincent, couronnée d'une statue de saint Vincent Ferrier et entourée de belles demeures. Elle donne aussi accès à la vieille ville.

La cathédrale Saint-Pierre

Remaniée entre le XIIIe et le XIXe s., la cathédrale Saint-Pierre ne brille pas par son homogénéité architecturale mais n'en recèle pas moins quelques richesses méritant une petite halte. On y entre, **rue des Chanoines**, par un beau portail de style gothique flamboyant doté de douze niches Renaissance dédiées aux apôtres. À l'intérieur, dans la chapelle du Saint-Sacrement et dans la nef, on découvre différents autels, retables et statues des XVIIe et XVIIIe s. Plusieurs œuvres évoquent la vie de saint Vincent Ferrier, un moine espagnol mort à Vannes en 1419 et canonisé en 1455.

La Biscuiterie de Kerlann

Z.A. de Kerlann, rue Théophraste-Renaudot
☎ 02 97 40 89 95.
T. l. j. sf dim. et lun. mat., 9 h-12 h et 14 h-19 h.

Sur 200 m de libre-service, vous trouverez pas moins de 30 sortes de gâteaux exclusivement bretons. Cakes, quatre-quarts, madeleines, palets, kouign aman, chocolats sont vendus sous différents conditionnements et au kilo. La fabrique se trouve juste derrière le magasin et peut être visitée par les groupes sur rendez-vous.

La presqu'île de Rhuys
verrou du golfe du Morbihan

La presqu'île de Rhuys, qui ferme au sud le golfe du Morbihan, présente deux visages très différents. D'un côté, on retrouve les marais et les anses habités par la flore et la faune typiques du golfe, de l'autre, se déploient les plages et les falaises fouettées par les vagues de l'Atlantique, décoiffées par le vent et réchauffées par une orientation idéale. Si l'hiver laisse la presqu'île dans un état de somnolence paisible rompu, seulement, auprès des parcs à huîtres, l'affluence estivale rapproche désormais de plus en plus la presqu'île de Rhuys de sa grande sœur quiberonnaise.

Randonnées sur la presqu'île

Quatre-vingts kilomètres de sentiers balisés ne laissent que l'embarras du choix aux amateurs de marche à pied. Côté golfe, les randonnées (partir de **Saint-Armel**, à l'entrée de la presqu'île) sont le meilleur moyen d'aller faire connaissance avec les milliers d'oiseaux migrateurs qui viennent en hiver se réfugier dans les marais. Un autre circuit vous conduira au **château de Kerlévenan**, curieux édifice d'inspiration italienne, planté en pleine nature à la fin du XVIIIe s. Cartes et rens. à l'office de tourisme, place des Trinitaires, Sarzeau, ☎ 02 97 41 82 37.

Le musée des Métiers et des Commerces

Manoir de Kerguet, entre Suscinio et Sarzeau
☎ 02 97 41 75 36.
T. l. j. sf dim. mat., juil.-août, 10 h-12 h et 14 h-19 h ; hors saison, t. l. j., 14 h-19 h.

Accès payant.
Plusieurs ateliers d'artisans et boutiques anciennes, du XVIIe s. aux années 1950, ont été reconstitués dans les salles de ce manoir. Les boutiques sont sans doute le spectacle le plus insolite de ce musée. Salon de barbier, boutique d'épicier aux mille boîtes et officine d'apothicaire avec sa machine à fabriquer les suppositoires ont été parfaitement mis en scène.

Arzon et Port-Navalo

Les plus beaux bateaux

Souffrant d'une urbanisation un peu trop audacieuse, Arzon a cependant gardé sa magnifique **plage de Fogeo** bordée de dunes, qui étale plein sud sa longue bande de sable face à l'Océan. Les amateurs de plaisance iront, quant à eux, faire un tour sur le port du Crouesty, qui peut accueillir jusqu'à 1 200 bateaux. À Port-Navalo, le port est resté plus modeste et pittoresque. De là, on ne se lasse pas de la vue sur le goulet du golfe et ses impressionnants courants. Ne pas manquer de faire le tour de la pointe de Port-Navalo, le site est superbe.

Kermoizan

Le château de Suscinio

☎ 02 97 41 91 91.
Ouv. t. l. j., avr.-mai, 10 h-12 h et 14 h-19 h ; juin.-sept., 10 h-19 h ; 1er oct.-31 mars, jeu., sam., dim. et j. fér., 10 h-12 h, 14 h-17 h les autres jours.
Accès payant.

Ancienne résidence de chasse des ducs de Bretagne, cette grande forteresse du XIIIe s., a gardé fière allure. Vaste cour intérieure, chapelle, courtines couronnées de mâchicoulis, la visite vous plonge d'emblée dans une autre époque et, pour un peu, on se prendrait pour Du Guesclin défiant les Anglais !

Saint-Gildas-de-Rhuys

Naturisme

Dans le prolongement de la plage de Fogeo, en allant vers Saint-Gildas, la **plage de Kervert**, épargnée par l'urbanisme et bordée de belles dunes plantées d'oyats, offre un espace idyllique aux adeptes du naturisme. Cela ne devra pas toutefois vous détourner du bourg de **Saint-Gildas** lui-même, haut lieu spirituel de la presqu'île, qui accueillit une abbaye de grand renom fondée en 530 par saint Gildas. Le théologien Abélard y séjourna dans les années 1130 et y écrivit même quelques lettres à la belle Héloïse.

Suscinio : la Bretagne au temps des Visiteurs

Repères

D4

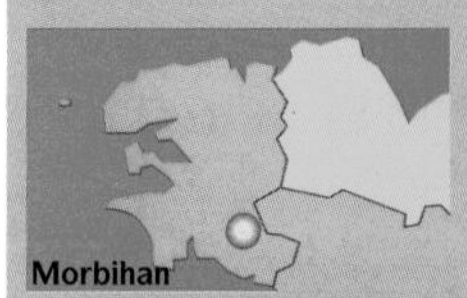

Activités et loisirs

Randonnées sur la presqu'île
La route de l'huître
Le musée des Métiers

À proximité

La Roche-Bernard (40 km E.), p. 280.

Office de tourisme

Sarzeau : ☎ 02 97 41 82 37

La route de l'huître

Association L'Ostréane, Place de la Poste, Surzur
☎ 02 97 42 05 16.

L'Ostréane, qui regroupe ostréiculteurs, restaurateurs et communes du pays côtier Rhuys-Muzillac, a pour but de mieux faire connaître l'ensemble des activités liées à la culture de l'huître. Vous pourrez ainsi visiter une installation ostréicole, accompagnés d'un guide professionnel et d'un ostréiculteur. Une dégustation avec citron, pain, beurre et muscadet est prévue pour ceux qui le désirent. Mais si vous avez une brusque envie d'huîtres n'oubliez pas les bars à huîtres, situés à proximité des lieux de production ! On y déguste le fameux coquillage à toute heure.

Belle-Île-en-Mer
la bien nommée

La plus grande des îles bretonnes, puisqu'elle mesure dix-sept kilomètres de long sur cinq à dix kilomètres de large, n'a pas usurpé son nom. Tout ici vous fera tomber sous le charme : les vallons verdoyants, la lande, les plages magnifiques entourées de récifs sombres ou encore les petits villages aux maisons miraculeusement préservées. Tous ces attraits ne sont pas sans conséquence sur l'affluence touristique qui est aujourd'hui la principale ressource de l'île. Mais celle-ci a su garder toute son authenticité.

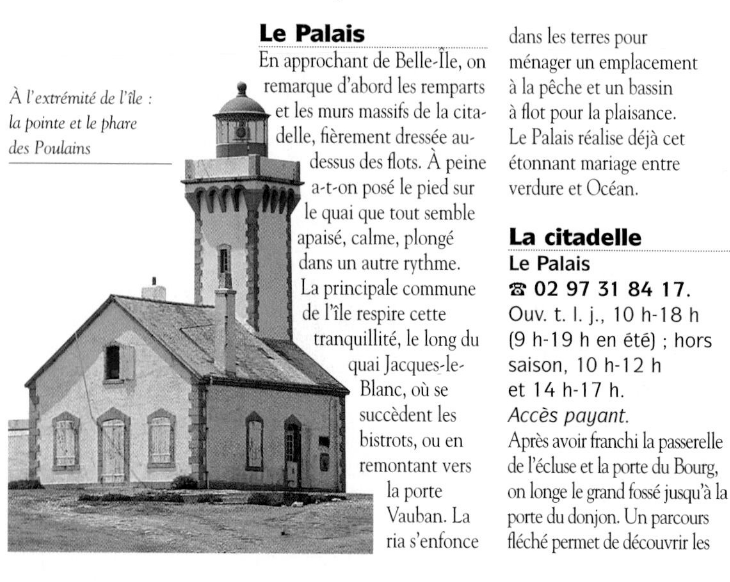

À l'extrémité de l'île : la pointe et le phare des Poulains

Le Palais

En approchant de Belle-Île, on remarque d'abord les remparts et les murs massifs de la citadelle, fièrement dressée au-dessus des flots. À peine a-t-on posé le pied sur le quai que tout semble apaisé, calme, plongé dans un autre rythme. La principale commune de l'île respire cette tranquillité, le long du quai Jacques-le-Blanc, où se succèdent les bistrots, ou en remontant vers la porte Vauban. La ria s'enfonce dans les terres pour ménager un emplacement à la pêche et un bassin à flot pour la plaisance. Le Palais réalise déjà cet étonnant mariage entre verdure et Océan.

La citadelle

Le Palais
☎ 02 97 31 84 17.
Ouv. t. l. j., 10 h-18 h (9 h-19 h en été) ; hors saison, 10 h-12 h et 14 h-17 h.
Accès payant.
Après avoir franchi la passerelle de l'écluse et la porte du Bourg, on longe le grand fossé jusqu'à la porte du donjon. Un parcours fléché permet de découvrir les

Repères

D5

Activités et loisirs

Balades à vélo ou à pied
La plage des Grands-Sables
Visite du Grand Phare

Office de tourisme

Belle-Île-en-Mer : ☎ 02 97 31 81 93

différents ouvrages de cette citadelle construite à partir de 1660, puis modifiée par Vauban. Abandonnée, puis vendue par l'armée, elle est devenue une propriété privée en 1960. La visite comprend le musée historique, la poudrière circulaire, le grand arsenal et les casemates. Depuis le bastion du Gouverneur, panorama exceptionnel sur Le Palais et sur la côte.

Le Musée

Voir horaires citadelle.
Accès payant.
Il est installé dans les casemates. On y découvre, sous des voûtes de style Louis XIII, l'histoire de l'île et l'évocation de ses hôtes les plus illustres à travers de très nombreux documents. La comédienne Sarah Bernhardt et le peintre Claude Monet, qui fit, dit-on, 38 fois le portrait des aiguilles de Port-Coton, étaient de fervents amoureux de Belle-Île. Tout comme la comédienne Arletty et le compositeur Albert Roussel.

Sauzon

À l'extrémité ouest de l'île, on entre dans Sauzon, qui s'étire le long d'une ria profonde de 1,2 km comme dans une carte postale qu'aucune faute de goût ne viendrait déparer. À l'entrée du petit port de pêche aux quais encombrés de casiers à crustacés attendant la prochaine marée, un petit phare pittoresque se détache. Jeux de teintes pastel, roses, bleues ou vertes, portes et fenêtres sont en parfaite harmonie avec les bateaux multicolores mouillés à leur pied.

La citadelle a été construite à partir de 1549, mais c'est à Vauban, plus d'un siècle plus tard, que l'on doit l'enceinte et les portes du monument

La pointe des Poulains

Au N.-O. de l'île, la pointe des Poulains est l'un de ces sites grandioses dont Belle-Île a le secret et qui vous laissent pantois. Récifs déchiquetés, îlots et isthmes submergés par des mers fracassées, pour un peu, la Côte sauvage en pâlirait de jalousie.
C'est en ces lieux hors du commun, près du fort qui porte son nom et dont on peut encore voir les ruines, que la

tragédienne Sarah Bernhardt (1844-1923) choisit de s'installer en 1893.

La grotte de l'Apothicairerie

En cet autre site mythique, on ne peut plus désormais descendre le petit sentier qui conduisait à la grotte, à flanc de falaise, dans le grondement des vagues s'engouffrant sous la roche : trop dangereux. Du haut de la falaise, on peut néanmoins toujours remarquer les excavations occupées par des nids de cormorans dont les alignements donnent effectivement un air de rayons d'apothicairerie à l'endroit.

Le pouce-pied

Belle-Île est connue pour cette variété très rare de crustacés qui n'aime rien tant que se faire fouetter par les flots. Conséquence : avec ses allures de gros pouce primitif, il abonde sur les rochers les plus difficiles d'accès et exige de véritables prouesses pour être décroché, au burin et au marteau, des falaises où les amateurs descendent en rappel. Très réglementé, son ramassage n'est autorisé qu'en décembre et en janvier. Ce crustacé, très peu consommé en France, est ensuite expédié en Espagne, où il peut atteindre des prix très élevés.

Comment y aller ?

En saison, la **Compagnie morbihanaise et nantaise de navigation** (☎ 02 97 50 06 90) assure 13 départs quotidiens de Quiberon. Hors saison, les départs sont moins nombreux (entre 8 et 10), mais la durée de la traversée est la même : 45 min. D'avril à septembre, les vedettes **Navix** (☎ 02 97 46 60 00)

assurent des départs de Vannes et de Port-Navalo, et la compagnie **Le Garcie-Ferrande** (☎ 02 40 23 34 10) vous permet de partir de la Turballe.

La plage de Port-Donnant

C'est l'une des plus belles sinon la plus belle plage de Belle-Île, en trapèze et

LE GRAND PHARE

Commune de Bangor
☎ 02 97 31 82 08.
Ouv. 1er juil.-15 sept., 10 h 30-12 h et 14 h-17 h.
Visite gratuite.
La grande tour, de 47 m de haut, a été édifiée de 1824 à 1835 et s'élève à 92 m au-dessus du niveau de la mer. Après avoir gravi ses 256 marches, on découvre, par temps clair, l'ensemble du littoral, de Lorient au Croisic. C'est l'un des phares français les plus puissants, avec une portée de 110 km.

encadrée de falaises en dentelle. Des rouleaux gigantesques s'y déversent, surtout par gros temps, y rendant la baignade dangereuse. Pour nager en sécurité, on lui préférera les plages qui se succèdent, entrecoupées de rochers, sur le territoire de la petite commune de Bangor, entre la pointe du Grand-Village et la pointe Saint-Marc, comme celle d'Herlin notamment.
Un peu moins accessibles, elles n'en sont que plus tranquilles en saison.

Locmaria

Au S.-E. de l'île, ce village discret ne manque pas de charme avec ses petites maisons blanches et son église paroissiale datant de 1714 et dédiée à Notre-Dame de Boistord. À l'intérieur, un superbe ex-voto présente une frégate à deux rangées de canons. En bas du bourg, dont on dit qu'il abrite quelques sorciers, un chemin mène jusqu'à Port-Maria, l'ancien port de la commune. Aujourd'hui déserté par les pêcheurs, il côtoie toujours une adorable petite plage de sable fin.

La plage des Grands-Sables

C'est la plus grande plage de l'île puisqu'elle approche les 2 km de long. C'est l'une des plus belles et des plus abritées aussi, étant située sur ce que l'on nomme à Belle-Île la côte « en dedans », c'est-à-dire, au nord, face à Quiberon et au continent.
Moins soumise aux tempêtes, cette partie de Belle-Île est également la plus vallonnée et la plus verdoyante. Les Grands-Sables sont en outre séparés de la route par un joli cordon dunaire et ont gardé d'importants vestiges de fortifications érigées au XVIIe s.

BALADES DANS L'ÎLE

Le meilleur moyen pour se promener dans l'île est le vélo. Vous trouverez à en louer sans problème sur les quais du Palais (face au débarcadère). De nombreux itinéraires fléchés, qui évitent au maximum les axes routiers, permettent d'aller facilement de l'un des quatre bourgs de l'île à un autre. L'office de tourisme vend également un guide avec tous les itinéraires de randonnées, en vélo ou à pied (☎ 02 97 31 81 93).

La petite église de Locmaria

Houat et Hoëdic
le canard et le caneton

L'îlot Er Yoc'h, à côté de Houat

Pas de doute, sur ces deux îles voisines de Belle-Île, les amateurs de calme et de nature sauvage seront comblés. Ici, pas de voitures, ou si peu… Seulement le vent, la lande, du sable, des falaises, quelques maisons basses serrées les unes contre les autres et c'est à peu près tout. La population de ces deux sœurs jumelles, qui font respectivement 5 et 2,5 kilomètres de long et totalisent, à elles deux, à peine 530 habitants, reste farouchement attachée à son mode de vie tourné vers la pêche et le tourisme.

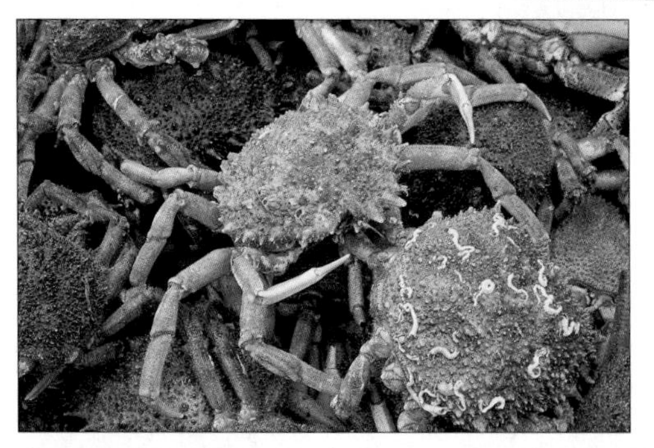

Comment y aller ?

De Quiberon, la **Compagnie morbihanaise et nantaise de navigation** (☎ 02 97 50 06 90) assure de 3 à 5 départs quotidiens hors saison, et de 6 à 7 départs l'été pour l'île de Houat (env. 1 bateau sur 2 dessert l'île de Hoëdic). Les horaires sont très variables selon les marées et les saisons. Il faut compter environ 45 min de traversée. Il existe également des départs de Vannes, avec les vedettes **Navix** (☎ 02 97 46 60 00), et de Port-Navalo, avec les vedettes **Thalassa** (☎ 02 97 53 70 25, en saison seulement). Autres ports de départ plus au sud : Le Croisic et La Turballe, sur le ***Garcie-Ferrande*** (☎ 02 40 23 34 10) ou le ***Sirius*** (☎ 02 40 62 94 43).

Houat

Port et bourg

Port-Saint-Gildas est le centre de l'île. Une quarantaine de bateaux multicolores s'y alignent en épi, les plaisanciers étant relégués au

centre du bassin. Sur le quai, on remarque d'emblée les montagnes de casiers qui servent à piéger homards et autres crustacés. Une petite rue pentue grimpe vers le bourg où, près de l'église Saint-Gildas, qui date de 1766, se serrent les maisons blanchies à la chaux le long de ruelles sinueuses et tout à fait charmantes.

La plage de Treac'h-er-Goured

Cette longue et belle plage de sable fin, orientée au sud-est, est l'une des mieux abritées de l'île, notamment grâce au cordon de dunes plantées d'oyats et de tamaris qui la protège des vents dominants. La plage s'étend près du petit port d'Er-Beg et se poursuit au-delà en petites criques jusqu'à la plage de Treac'h-Salus, la plus proche des ruines de l'ancien fort Vauban. À l'opposé, la plage de Treac'h-Er-Venigued s'adosse aux falaises déchiquetées et parcourues de sentiers qui permettent aisément de faire le tour de l'île.

La plage de Beg-Lagad à Hoëdic

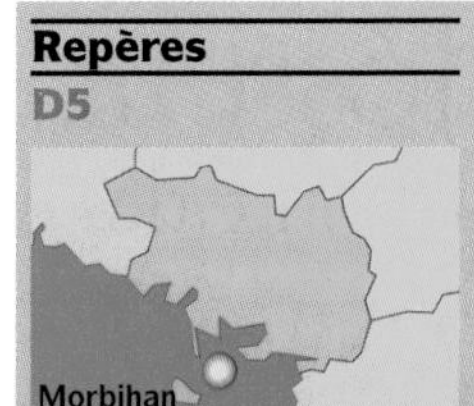

Repères
D5

Activités et loisirs
Plages et sentiers
L'écomusée de Houat

Office de tourisme
Quiberon : ☎ 02 97 50 07 84

❀ L'écomusée

☎ 02 97 30 68 19.
Ouv. avr., mai, juin et sept., 10 h-12 h et 14 h-17 h ; juil.-août, 10 h-18 h.

Accès payant.
Dans un espace moderne situé à 1 km du bourg, l'écomusée se compose de trois parties qui permettent de découvrir successivement l'histoire de Houat, l'infiniment petit, à travers un film vidéo et la culture du plancton. Après cela, vous saurez tout sur les micro-algues.

Paradis des botanistes

Principal paysage intérieur de Houat et de Hoëdic, une lande parfumée occupe les quatre cinquièmes des deux îles qui recèlent de véritables trésors botaniques. La côte orientale de Hoëdic est un petit paradis somptueux où abondent œillets sauvages, lys de mer et autres pancraces. Les dunes de Houat sont tapissées de petites immortelles jaunes, d'avoine, de jasmin et de nard de lis, une espèce rarissime puisqu'on ne la trouve qu'à Houat, dans l'Algarve portugais et en Galilée.

Beg-er-Vachif

Le rocher de Beg-er-Vachif, fait de granit gris micacé et couronné d'une ancienne batterie, vire au rouge lorsque les rayons du soleil l'éclairent sous un certain angle. De cette partie de l'île, on aperçoit la pointe de la presqu'île de Quiberon, les îlots qui se succèdent dans le prolongement de Houat :

Guric, Glazic, Valhuec et Seniz et, plus à l'écart, l'île aux Chevaux.

Hoëdic

La charte du caneton

De morphologie similaire à celle de Houat, Hoëdic est toutefois plus petite, ce qui lui vaut son nom qui signifie « caneton » en breton par opposition à Houat qui veut dire « canard ». Commune indépendante, elle a aussi donné son nom à une charte qui, en 1822, confiait au recteur, ou au curé, la responsabilité administrative et judiciaire des deux îles. Aujourd'hui, son bourg plein de charme et de tranquillité se résume à quelques rangées de maisons, la mairie, le presbytère, l'école, la poste et l'église Saint-Goustan, qui renferme un beau mobilier du XIXe s.

Josselin
la route des eaux de Nantes à Brest

Cité médiévale étonnamment préservée, Josselin s'organise autour de sa basilique et de son imposant château en plusieurs petites ruelles où se succèdent de superbes maisons des XVe, XVIe et XVIIe s. Puis elle dégringole à flanc de colline vers l'Oust, en contrebas. Située dans une région riche en monuments religieux et en beaux espaces naturels, la ville vit aujourd'hui autant du tourisme que de l'agriculture et de la petite industrie agroalimentaire qui s'y est développée.

Le château des Rohan

☎ 02 97 22 36 45.
Ouv. t. l. j. juil.-août, 10 h-18 h ; juin, sept., 14 h-18 h. Avril-mai et oct., merc., j. fér., w.-e. et vac. scol., 14 h-18 h. *Accès payant.*
Propriété des Rohan depuis le XVe s. après avoir appartenu à Olivier de Clisson, cette admirable forteresse qui dresse ses trois tours au-dessus de l'Oust est l'une des plus impressionnantes de Bretagne. Mais, alors que son aspect extérieur exprime une puissance sévère et dépouillée, sa façade intérieure est toute finesse et ornementation. Les anciennes écuries abritent un musée de poupées.

La basilique Notre-Dame-du-Roncier

Daté du XIe s., le bâtiment primitif a été plusieurs fois remanié et présente aujourd'hui une étonnante suite de pignons de style flamboyant. La basilique aurait été fondée après la découverte d'une statue miraculeuse dans un buisson de ronces. Le pardon du 8 septembre, qui perpétue le culte de Notre-Dame-du-Roncier, réputée guérir les épileptiques, est toujours très suivi.

Halte nautique

À Josselin, l'Oust est canalisé : vous êtes sur le canal de Nantes à Brest. Si vous voulez découvrir ses 211 km, ou encore rejoindre le Blavet à Pontivy, Le Ray Loisirs loue des bateaux (rue Caradec, ☎ 02 97 75 60 98).

Le village aux trésors

10 km au S. de Josselin
Dans ce village remarquablement restauré, on n'a que l'embarras du choix. Plusieurs sentiers fléchés offrent de superbes possibilités de randonnées dans une campagne florissante et très

vallonnée. Si l'on préfère les produits locaux, on ira visiter (en juil. et en août uniq.) la **Cidrerie du terroir**, sur la route de Ploërmel

(☎ 02 97 74 95 34), et la **Ferme des sangliers** (☎ 02 97 74 86 45). Les amateurs d'images du passé ne manqueront pas, quant à eux,

l'**écomusée de la Ferme et des Vieux Métiers** (☎ 02 97 74 93 01). Enfin, tous les 2e dim. d'août, une petite **foire très animée** présente les produits de l'artisanat local.

Rohan

L'abbaye de Timadeuc

12 km au N.-O. de Josselin

☎ **02 97 51 50 29.**

Ouv. lun.-sam., 9 h-19 h (sf pendant la messe).

Fondée au milieu du XIXe s., la communauté des moines trappistes de l'abbaye Notre-Dame-de-Timadeuc vit depuis plus d'un siècle des produits de la ferme. On y trouve des **fromages** estampillés « Trappe de Timadeuc », mais aussi des **biscuits** et des **pâtes de fruits** fabriqués par les moines.

Impossible de visiter l'abbaye, mais les moines accueillent des pensionnaires le temps de retraites spirituelles plus ou moins longues.

Lanouée

Balade en forêt

Env. 5 km au N. de Josselin

Le haut fourneau des Forges

Avec ses 3 600 ha de chênes, de résineux et de châtaigniers, la forêt de Lanouée est l'une des plus grandes et des plus belles de Bretagne. On peut toujours voir près du bourg des Forges un haut fourneau de schiste et la maison du maître des forges, principaux rescapés de la petite industrie sidérurgique qui, au XVIIIe s., fabriquait des canons pour la marine royale. Le ruisseau du Lié qui actionnait autrefois le soufflet des forges fait aujourd'hui fonctionner une petite centrale hydroélectrique. De nombreuses routes et sentiers sillonnent la forêt.

Repères

E3

Activités et loisirs

Le canal de l'Oust en bateau
Balade dans la forêt de Lanouée
Artisanat et traditions à Lizio

À proximité

Loudéac (34 km N.), p. 162,
Baud (32 km O.), p. 242,
Pontivy (32 km N.-O.), p. 244.

Office de tourisme

Josselin : ☎ 02 97 22 36 43

LA BOISSON D'OBÉLIX

Servant-sur-Oust,
5 km au S. de Josselin

Qu'est-ce qui est à base de houblon et qui n'est pas de la bière ? Qu'est-ce qui contient du miel et de l'eau et n'est pas de l'hydromel ? La cervoise bien sûr, au goût puissant et à la couleur ambrée. Si vous voulez connaître ses autres ingrédients, allez vous exercer à quelques kilomètres au sud de Josselin, à Servant-sur-Oust, où le manoir de Guermahia (☎ 02 97 74 74 74) abrite la plus grande cervoiserie de Bretagne (ouv. en semaine, 9 h-12 h et 14 h-18 h).

Ploërmel
cœur de Bretagne

Ville carrefour située au cœur du pays gallo, entre Rennes et Lorient, Saint-Malo et Vannes, Ploërmel a connu ces dernières années un fort développement dû à l'implantation de nouvelles entreprises agroalimentaires et de confection. Cette cité, située non loin de la forêt de Brocéliande, profite aussi de sa position centrale pour mettre aujourd'hui l'accent sur sa vocation touristique et commerciale.

Place Lamennais

Juste en face de la place, au numéro 1 du boulevard Foch, se trouve l'entrée de la maison mère des frères de Ploërmel (☎ 02 97 74 06 67, ouv. t. l. j., tte l'ann., sur r.-v.). Elle donne accès, gratuitement, à un exposé retraçant l'histoire de la congrégation, à un petit musée de sciences naturelles et à l'étonnante **horloge astronomique** construite, de 1850 à 1855, par le frère Bernardin. En montant, au 7, rue Beaumanoir se trouve la célèbre **maison des Marmousets**, dont la façade de bois, du XVe s., est décorée de sculptures fantastiques.

L'horloge astronomique

Excursions dans les environs

On peut rayonner de Ploërmel sur une vaste région qui ne manque pas de centres d'intérêt. Ainsi, en allant vers le nord, il faut jeter un coup d'œil au **château aux Cent Fenêtres** de Loyat, qu'une tradition persistante affirme habité par des sorciers. En poussant un peu plus loin votre promenade, les bourgs de **Néant-sur-Yvel** et de **Mauron**, à l'orée de Brocéliande, méritent également une petite halte. Au sud, la ville de **Malestroit**, qui a plus de 1 000 ans, est à ne pas manquer. Charmante avec ses multiples ponts qui enjambent l'Oust, elle a gardé de superbes demeures de style gothique et Renaissance.

À 8 km de Ploërmel, le château de Loyat, édifié au XVIIIe s.

Repères

E3

Activités et loisirs

Balades et sports nautiques
Le musée de la Résistance

À proximité

Vannes (45 km S.-O.), *p. 258.*

Office de tourisme

Ploërmel : ☎ 02 97 74 02 70

L'étang au duc

Ce beau lac qui s'étire dans la campagne, à 2 km de Ploërmel, est l'un des plus grands de Bretagne et offre un cadre idéal pour se promener ou pratiquer des loisirs nautiques comme le canoë-kayak, la planche à voile ou le ski nautique. (Rens. au **club les Belles-Rives**, ouvert du lun. au vend. et le sam. a-m du 1er fév. au 31 oct., ☎ 02 97 74 14 51.) Un sentier de 4 km fait également le tour du lac. Celui-ci est très apprécié des pêcheurs qui peuvent y trouver des perches, des brochets et des carpes.

Le musée de la Résistance

Près du bourg de Saint-Marcel
☎ 02 97 75 16 90.
T. l. j., juin-sept., 10 h-19 h ; hors saison, 10 h-12 h et 14 h-18 h, f. mar.
Accès payant.

Le maquis de Saint-Marcel est l'un des plus célèbres de France. À l'aide de scènes reconstituées mais aussi de nombreux documents, armes, véhicules d'époque, etc., le musée retrace toute cette

période. En juillet et en août, une amusante **promenade en half-track** d'époque dans les sous-bois où se cachaient les résistants complète la visite. Le maquis comme si vous y étiez…

Porcaro

Curés et Hell's Angels

10 km au S.-E. de Ploërmel

C'est certainement le plus insolite des pardons bretons. Durant le grand week-end du 15 août, des motards de toutes les régions de France rejoignent le village de Porcaro afin de participer à l'unique pardon des motards (rens. à la mairie, ☎ 02 97 22 06 38). Au total, ils sont plus de 6 000 chaque année. C'est l'abbé Prévoteau qui créa ce pardon à la fin des années 1970. C'est un spectacle hallucinant de voir des motards de tous pays, un à un ou par groupes, défiler devant le curé qui les bénit, sans oublier bien sûr leur machine ronflante. Porcaro est sans conteste le plus inédit des pardons et vaut un joli détour, d'autant plus que la fête des motards qui suit est à la hauteur de la ferveur qu'ils ont témoignée à « leur » curé. Un événement incontournable !

GALETTES À EMPORTER

La Laïta
5, rue des Douves, Ploërmel
☎ 02 97 74 22 34.
Vous trouverez à cette adresse de délicieuses galettes de blé noir, toutes fraîches et cuisinées dans la plus pure tradition bretonne. À déguster nature, encore tièdes, avec du beurre juste fondu ou de la charcuterie. Humm... Une autre bonne adresse pour les galettes à emporter se trouve à Mauron, place de l'église. Là aussi la pâte s'étale sur la galetière et fume sous vos yeux (☎ 02 97 22 61 04).

La forêt de Paimpont
pays de l'enchanteur Merlin

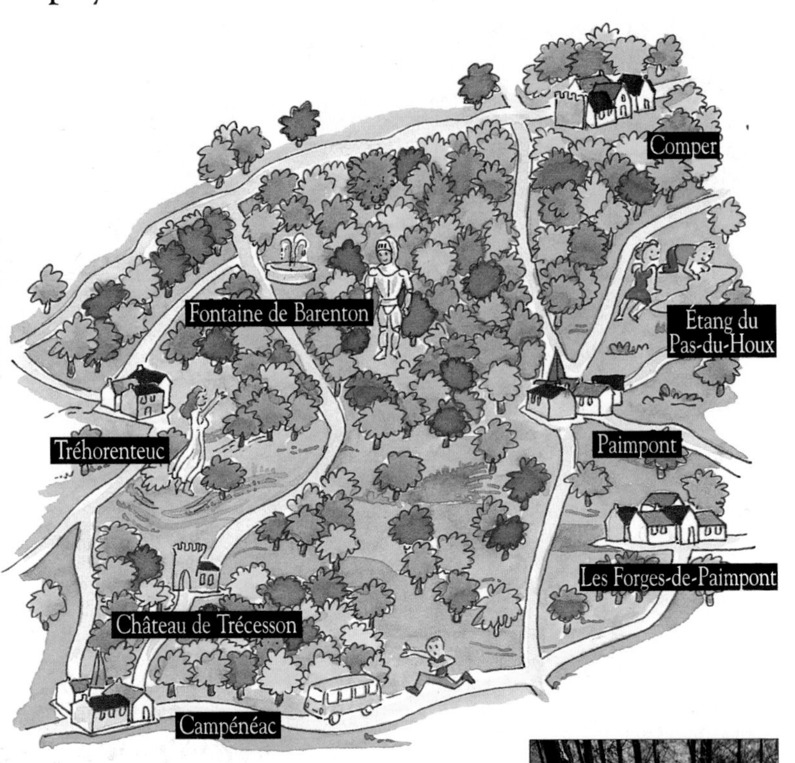

Attention, on entre ici au royaume de la légende et des magiciens, au cœur de Brocéliande, pays de la fée Viviane et de l'enchanteur Merlin. Ne vous attendez pas à des visions spectaculaires. Tout se passe au hasard des détours d'un sentier forestier, quand apparaît un magnifique étang où se reflètent les caprices du ciel, à moins que ce ne soit un mystérieux château entouré de chênes séculaires. Pays pauvre, parsemé de prairies, de petits villages et de landes, il faut se laisser aller au gré de l'humeur, par les petites routes de campagne et les sous-bois ensorcelants.

Autour de Paimpont

Au cœur de la forêt, le village de Paimpont mérite une étape. Tout autour de son bel étang, où se reflète le grand bâtiment d'une ancienne abbaye du XVIIe s., se pressent les arbres serrés de la forêt. Le village lui-même se résume à une longue rue que l'on aborde en passant sous un porche massif précédant deux rangées de maisons de granit. À quelques kilomètres, les **Forges-de-**

L'abbaye de Paimpont

Paimpont tirent leur nom des anciennes forges fondées en 1633 et dont il ne reste que des ruines coincées entre deux étangs. Le site est romantique à souhait. Tout comme, au nord-est de Paimpont, le **château** et l'**étang du Pas-du-Houx**.

Le château de Trécesson

Entre Paimpont et Campénéac, ce château, construit au XIVe s. avec le

schiste de la région, semble intact et comme sorti tout droit de la légende. Propriété privée, il ne se visite pas, mais mérite vraiment le coup d'œil. En poursuivant le chemin, on remonte le long du camp militaire de Coëtquidan (où sont formés les saint-cyriens) jusqu'à un bel ensemble formé par la chapelle Saint-Jean et des bâtiments de ferme abandonnés au milieu des rochers.

Tréhorenteuc

Non loin de Barenton, le village de Tréhorenteuc est principalement connu pour son église, peut-être l'une des plus insolites de Bretagne. Construite au XVIIe s., elle fut restaurée dans les années 1950 de bien curieuse manière : le chemin de croix mélange le calvaire de Jésus avec des personnages tout

droit tirés de la légende arthurienne sur fond de paysages locaux. Au village, vous trouverez aussi un guide conteur qui vous emmènera sur les lieux mythiques de la forêt (☎ 02 97 93 05 12).

❀ Le Centre de l'imaginaire arthurien

Comper
☎ 02 97 22 79 96.
Ouv. t. l. j. sf mar., 10 h-19 h ; animations en juil. et août le dim.
Accès payant.

Dans un cadre enchanteur où se prélasse un lac baigné de brumes que domine un château de schiste reconstruit après la Révolution, ce centre fait revivre tous les mythes et les légendes des **chevaliers de la Table ronde**, le roi Arthur, Lancelot et leurs compagnons. Il organise également des visites guidées dans la forêt de Brocéliande. Le point d'orgue de ses activités est la semaine arthurienne, au mois de juillet. Conférences, randonnées, expositions, marché et repas médiévaux, conteurs et musiciens : tout est prévu pour vous transporter au temps de Merlin.

La fontaine de Barenton et le perron de Merlin

Ce site mythique, perdu en pleine forêt, ne peut être découvert qu'après une bonne demi-heure de marche. Il faut laisser son véhicule au village de Folle-Pensée, puis suivre les indications. La fontaine elle-même se réduit à une simple source au pied d'un gros bloc de grès appelé perron de Merlin. La petite clairière où elle se trouve n'en dégage pas moins une étrange atmosphère de mystère.
Il paraît qu'une simple goutte d'eau sur ce « perron » déclencherait des tempêtes.

Repères

E3

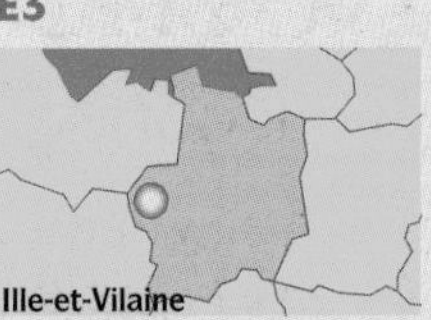

Activités et loisirs

Balades en forêt avec un guide conteur
Le Centre de l'imaginaire arthurien
Promenade dans le Val sans retour

À proximité

Rennes (35 km N.-E.), p. 196.

Office de tourisme

Paimpont : ☎ 02 99 07 84 23

Le Val sans retour

En empruntant les sentiers balisés jaunes, blancs et rouges, au départ de Tréhorenteuc, on peut faire facilement le tour du site, tout hérissé de pointes rocheuses rougeâtres penchées au-dessus d'un petit étang appelé le Miroir aux fées. C'est là que la fée Morgane retenait par ses maléfices les chevaliers infidèles. Près de l'étang se trouve l'Arbre d'or, un arbre mort recouvert de feuilles d'or, érigé ici en mémoire des incendies qui calcinèrent les landes durant l'été 1990.

Rochefort-en-Terre

un décor de conte de fées

Le petit village de Rochefort-en-Terre est un véritable enchantement. D'emblée, la vision de ses maisons serrées au sommet d'un éperon de schiste dominant une nature luxuriante semble sortie d'un livre de contes. La visite du village lui-même ne déçoit pas. Ici pas de publicités tapageuses ni d'antennes de télévision, pas même un fil électrique qui dépasse. D'une remarquable unité architecturale, Rochefort-en-Terre semble sortie d'un autre âge. Avec, pour égayer ses murs de granit, encore plus de fleurs qu'un jardin au printemps.

L'enceinte du château de Rochefort-en-Terre date des XIIIe et XIVe s.

❀ Le château

☎ 02 97 43 31 56.
Ouv. t. l. j., 1er juil.-31 août, 10 h-19 h ; juin et sept., 10 h-12 h et 14 h-19 h ; avril, mai, oct., ouv. l'a.-m., w.-e., j. fér. et vac. scol.
Accès payant.

Une grande partie du château primitif a disparu. Le château actuel est composé des anciens communs du XVIIe s. transformés en manoir après le rachat de l'édifice par un peintre américain, Alfred Klots, qui utilisa plusieurs parties du château de Keralio, près de Muzillac. On visite quatre pièces remplies d'objets d'art et de meubles rassemblés par le peintre. Un petit **musée régional** présente également la vie locale traditionnelle. L'arrière du château offre une vue splendide sur la vallée et le plateau schisteux des Grées.

Antiquités du pays de Rochefort

Au Bon Vieux Temps, route de Malansac
☎ 02 97 43 32 73.
T. l. j. sf dim., 10 h-12 h et 14 h-18 h 30.

Sur 1 000 m², dont 200 sont accessibles au public, le maître des lieux, collectionneur passionné, a rassemblé tout ce qu'on peut imaginer comme mobilier et objets d'art populaire de la région. Poteries de Malansac, outils et ustensiles en tout genre, du simple fléau aux appareils de mesure les plus sophistiqués, il y en a pour tous les goûts et toutes les bourses. Un exemple : le petit flacon d'élixir-dentifrice de Ploërmel, datant de 1906, est vendu 10 F. Qui dit mieux ?

La ville haute

Si l'on veut admirer de belles maisons anciennes – attention au torticolis – on n'a que l'embarras du choix. La Grand-Rue aligne des maisons des XVe, XVIe, XVIIe et XVIIIe s. dont on remarquera les ouvertures de

granit très ouvragées et les tourelles d'angle. **Place des Halles**, l'ancienne cohue abrite la mairie et des expositions. Sur la **place du Puits**, on ne peut manquer une autre de ces maisons fleuries, dont la porte d'entrée est surmontée d'une balance : c'est l'ancien tribunal. L'église **Notre-Dame-de-la-Tronchaye**, qui date pour l'essentiel des XVIe et XVIIe s. est, quant à elle, située un peu à l'écart, à flanc de coteau.

Repères

E4

Activités et loisirs

Au Bon Vieux Temps
La balade des Grées
Équitation, VTT et kayak

À proximité

Vannes (34 km O.), p. 258.

Office de tourisme

Rochefort-en-Terre :
☎ 02 97 43 33 57

Au gré des Grées

Partant du parking, un parcours balisé en jaune et bleu permet de faire le tour de Rochefort-en-Terre et, pour les plus courageux (10 km), de rejoindre à pied les anciennes ardoisières de Malansac, où se trouve aujourd'hui le **parc de la Préhistoire** (☎ 02 97 43 34 17). Courte ou plus longue, la balade vous fera longer un ruisseau à l'ombre de falaises de schiste, traverser des landes et d'agréables sous-bois de chênes et de châtaigniers, et découvrir des vues magnifiques sur les Grées, ces collines rocheuses qui entourent Rochefort, et sur le village lui-même.

L'Île aux Pies

Non loin de Rochefort, près de Saint-Vincent-sur-Oust, les amoureux de la nature ne manqueront pas ce site qui semble avoir été miraculeusement préservé. À pied, plusieurs itinéraires sont balisés, mais les abords se découvrent aussi à cheval (deux centres équestres à proximité), en VTT ou en kayak. Sur l'île, les grimpeurs s'attaquent aux parois granitiques qui ont résisté à l'érosion. Le site d'escalade est particulièrement renommé et l'on y vient de loin. Si vous ne grimpez pas, laissez-vous seulement impressionner par la dextérité de ces drôles d'hommes-araignées (rens. : office de tourisme de Redon, ☎ 02 99 71 06 04). L'île est aussi un endroit idéal pour pique-niquer.
(photo ci-contre, à droite)

Redon et le pays de la Vilaine

Petite ville, grand « renom », dit la devise de Redon. C'est ici qu'est née la Bretagne celtique, de l'alliance entre les deux princes Conwoïon et Nominoë. Leur association historique allait doter la Bretagne d'un pouvoir fort et faire de Nominoë le premier roi du pays, provoquant la fuite du Français Charles le Chauve en 845. L'abbaye Saint-Sauveur, aux magnifiques tours romanes, fut témoin de la déroute française. Née d'une alliance, Redon est aussi le cadre d'un mariage harmonieux, celui de la terre et de l'eau. L'ouverture du canal de Nantes à Brest en fit une place de batellerie dont un musée porte la trace.

Le musée de la Batellerie

Quai Jean-Bart
☎ 02 99 72 30 95.
Ouv. t. l. j., 10 h-12 h et 15 h-18 h, 15 juin-15 sept ; hors saison, ouv. lun., mer. et w.-e., 14 h-18 h.
Accès payant.
On y trouvera une petite collection de maquettes et de photos sur la grande époque de la batellerie. Pour les amateurs de tourisme technique.

L'Oust et la Vilaine

Ville d'eau, Redon se situe au confluent de deux jolies rivières : la Vilaine et l'Oust. De nombreuses balades en bateau sont possibles à partir de Redon et permettent de découvrir les rivages champêtres des alentours, l'écluse de l'Oust, avec escale à Glénac, village de pêcheurs, franchissement de la cluse de Corbinière… Les romantiques et les festifs pourront même choisir l'option croisière gastronomique.
Vedettes jaunes, Arzal, ☎ 02 97 45 02 81.

La capitale du marron

Nature, grillé, en farce ou en terrine, on vous le préparera de mille façons, mais toujours subsistera le goût inimitable du marron de Redon. Il existe d'ailleurs un concours national de la terrine de marron. Chaque année à la fin du mois d'octobre a lieu la fameuse **Foire aux marrons** qui réunit autour des stands producteurs et amateurs ravis. Une bonne idée : à la **Ferme-Auberge de La Morinais** (route de la Gacilly, ☎ 02 99 72 12 17), on vous accommodera le marron avec un cochon grillé du terroir pour moins de 100 F.

Tours et détours de rues

Autour de l'abbaye, un joli quartier de vieilles maisons à pans de bois, ouvertes sur d'étroits passages, débouche sur le cours Clemenceau où, à l'heure du pastis, les boulistes redonnais font la pige à leurs

Produit du terroir

À Saint-Jacut-les-Pins, Vincent Thébault continue à produire du gros-lait de pie noire. Réputé pour être particulièrement riche et crémeux, il est délicieux sur des galettes chaudes ou au petit déjeuner avec des céréales (☎ 02 99 91 27 12).

Repères

E4

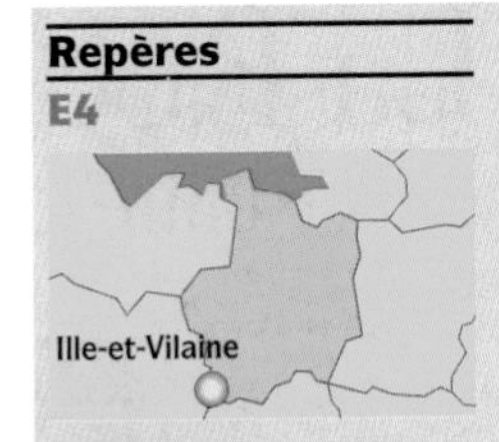

Activités et loisirs

Balades en bateau ou en kayak
Visite du domaine d'Yves Rocher

À proximité

Blain (33 km S.-E.), p. 302.

Office de tourisme

Redon : ☎ 02 99 71 06 04

lointains cousins marseillais. La descente vers la Vilaine emprunte l'ancien tracé des remparts du XIVe s., et voilà le vieux port, avec ses maisons d'armateurs dont le rez-de-

chaussée servait d'entrepôt, à la manière bordelaise. Le canal permet aux bateaux de plaisance de remonter la Vilaine, ce qui explique que le port soit si actif à la belle saison.

La Gacilly

La patrie d'Yves Rocher

15 km au N. de Redon
☎ 02 99 08 35 84.
Accès payant.

À l'entrée du bourg de La Gacilly, un enfant du pays a installé l'une des toutes premières usines de cosmétiques de France. Yves Rocher vous ouvre les portes de son domaine en proposant une exposition sur les métiers et l'histoire de son entreprise ainsi qu'un parcours à l'intérieur du site de production. Vous saurez tout sur la fabrication de ses crèmes de beauté. Ne manquez pas le végétarium, un espace de

Le Végétarium

1 000 m² réservé au monde végétal dans lequel une forêt tropicale et un désert ont été reconstitués. Bien entendu, un magasin vous permettra d'acheter tous les produits ! La Gacilly est, par ailleurs, un très joli petit village où se pressent nombre d'artisans traditionnels – souffleurs de verre, potiers, céramistes… C'est aussi le point de départ de balades en canoë-kayak ou en bateau vers la vallée de l'Aff (rens. à l'O.T.).

La Roche-Bernard
et l'estuaire de la Vilaine

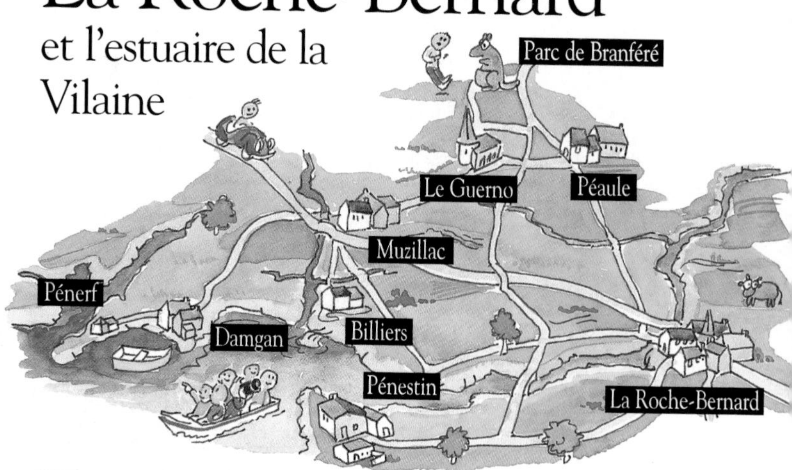

La place du Bouffay

Étagée sur la rive rocheuse et escarpée de l'estuaire de la Vilaine, la petite cité de la Roche-Bernard est pleine de charme. Une visite dans ses ruelles bordées de maisons anciennes, suivie d'une halte sur la place Bouffay, là où se trouve la mairie surnommée « maison du Canon », vous en persuadera très rapidement. Disposant d'un port de plaisance de 300 places, la Roche-Bernard est aussi un parfait point d'ancrage pour rayonner vers les nombreux centres d'intérêt de la région.

Ruelles du quartier médiéval

Le musée de la Vilaine maritime

Château des Basses-Fosses
☎ 02 99 90 83 47.
Ouv. 15 juin-15 sept., 10 h 30-18 h 30 ; ouv. le w.-e., le reste de l'ann. *Accès payant.*

À travers des maquettes, des reconstitutions variées et un diorama très instructif, ce musée évoque l'intense activité qui régnait au début du siècle dans l'estuaire de la Vilaine. Pêche, cabotage, conchyliculture, construction navale, la Roche-Bernard fut elle-même par le passé un important centre de commerce maritime et de construction navale.

La Mine d'or

Située sur la rive gauche de l'embouchure de la Vilaine, tout comme la Roche-Bernard, la commune de **Pénestin** est particulièrement connue pour sa grande plage, appelée la **Mine d'or** à cause sans doute de sa falaise tournée vers l'ouest, qui

Falaise de la plage de la Mine

s'embrase à chaque coucher de soleil. Important centre d'élevage de moules, Pénestin dispose également d'un centre nautique (☎ 02 99 90 32 50), ouvert de mars à novembre, pour s'initier ou se perfectionner à la pratique de la voile.

Arzal

Le barrage

5 km au S.-O. de la Roche-Bernard

À quelques kilomètres au S.-O. de la Roche-Bernard, à Arzal, un barrage ferme l'embouchure de la Vilaine. Une passe à poissons y a été aménagée, et elle est ouverte aux visiteurs (rens. : ☎ 02 99 90 88 44).

Muzillac

Le moulin à papier

12 km à l'O. de la Roche-Bernard

Domaine de Pen-Mur

☎ 02 97 41 43 79.

Ouv. t. l. j. 1er avr.-30 sept., 10 h-12 h 30 et 14 h-18 h 30 ; le reste de l'ann., w.-e. seulement et t. l. j. pendant vac. scol.

Accès payant.

La visite de ce moulin, entouré d'un parc boisé, où l'on fabrique du papier artisanal selon des techniques ancestrales, vous montrera toutes les étapes du processus, de la pâte d'origine au séchage final. La boutique propose des souvenirs et bien sûr les produits du moulin, de la simple feuille au papier incrusté des motifs les plus délicats.

Damgan

En bord de ria

Env. 20 km à l'O. de la Roche-Bernard

Centre balnéaire très fréquenté, Damgan et sa plage, qui s'étend sur 4 km de la **pointe de Kervoyal** au Govet, attirent des dizaines de milliers d'estivants tout au long de l'été. Tout près, le petit port de Pénerf, orné d'une adorable petite chapelle, offre, par contraste, les paysages d'une ria très tranquille. En revenant sur Muzillac, le **port de Billiers** et la **pointe de Penlan** méritent également un arrêt prolongé.

Péaule

Le foie gras

8 km au N.-O. de la Roche-Bernard

Doyennée de Lanvaux, Moulin neuf

☎ 02 97 42 91 00.

Ouv. t. l. j. sf w.-e. et j. fér., 8 h-12 h et 13 h 30-17 h.

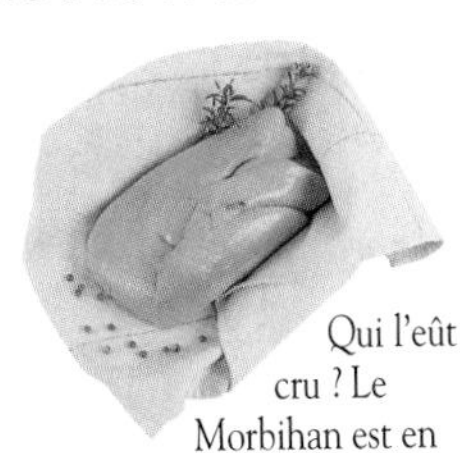

Qui l'eût cru ? Le Morbihan est en passe de devenir un important centre de production de foie gras. Dans cette boutique installée près de la fabrique, on trouvera tous les délicieux produits dérivés du canard : magrets fumés, terrines, pâtés, mousses de foie et foie gras frais, mais aussi foie gras d'oie. Tout cela est d'une grande qualité et à des prix très raisonnables.

Repères

E4

Activités et loisirs

Visite d'une passe à poissons
Baignade et voile
Visite d'un moulin à papier

Avec les enfants

Le parc de Branféré

À proximité

Guérande (25 km S.), p. 284,
La Baule (30 km S.), p. 286,
La Brière (env. 15 km S.), p. 288.

Office de tourisme

La Roche-Bernard :
☎ 02 99 90 67 98

❀ Parc de Branféré

Le Guerno

☎ 02 97 42 94 66.

Ouv. t. l. j. 1er mars-30 sept., 9 h-18 h 30 ; 1er oct.-fin fév., 13 h 30-18 h 30.

Accès payant.

Ce parc zoologique de 35 ha ne manque pas d'originalité. Ses quelque 1 500 animaux, (120 espèces d'oiseaux et de mammifères) y évoluent en totale liberté. Outre le plaisir de faire connaissance avec de facétieux gibbons ou d'élégantes cigognes sans être gêné par un grillage, le domaine, vaste parc botanique, offre une promenade délicieuse.

Le Croisic et sa presqu'île

Disposant encore d'une importante flottille de pêche artisanale au casier, notamment à la crevette, le port du Croisic a préservé toute son authenticité. La ressource en crustacés se faisant plus rare, cette petite ville, également connue pour ses coquillages, se tourne aujourd'hui de plus en plus vers le tourisme. Il est vrai que ses belles plages, Batz-sur-Mer, mais aussi les marais salants tout proches et la côte sauvage, composent des paysages tout simplement magnifiques.

Balade en ville

Le Croisic est la cité de la presqu'île où l'habitat ancien des XVIe, XVIIe et XVIIIe s., avec demeures à encorbellements et pans de bois, a été le mieux conservé. C'est un plaisir de se promener dans les ruelles qui s'entrecroisent autour de l'église, au cœur du bourg, ou du côté du port.

La Côte sauvage

Alternance de petites falaises déchiquetées, de criques, de crevasses taillées à la serpe et de petites baies, la route qui longe ce littoral offre une grande variété de paysages. Après le menhir de Pierre-Longue et la baie des Sables-Menus, on remarquera un étonnant parc de 9 ha, planté de chênes verts, le parc de Pen-Avel.
La plage de Port-Lin, dominée par des villas anciennes qui forment le quartier balnéaire du Croisic, est à ne pas manquer, comme les plages Saint-Valentin et Saint-Michel, une oasis de calme près du bourg de Batz. Entre Batz-sur-Mer et Le Pouliguen, la Côte sauvage se poursuit, creusée de multiples grottes, jusqu'à la pointe de Penchâteau. La plus connue et la plus grande est celle du Korrigan.

Artisans d'art à la criée

Depuis près de dix ans se tient au mois d'août, à l'ancienne criée du Croisic, un salon réunissant des artisans d'art : marionnettes, bijoux, fer forgé, verre soufflé, il y en a pour tous les goûts. Pour connaître la date du prochain rendez-vous, appelez le ☎ 02 41 88 06 27.

Océarium

Avenue de Saint-Goustan, Le Croisic ☎ 02 40 23 02 44.

Ouv. t. l. j., sept.-mai, 10 h-12 h et 14 h-18 h ; juin, 10 h-19 h ; juil.-août, 10 h -20 h. F. janv.
Accès payant.
Du plus petit poisson aux plus grands migrateurs de l'Atlantique, plus de 1 000 spécimens de la faune aquatique évoluent dans cet espace marin fascinant également consacré à la flore sous-marine. Un tunnel transparent permet de traverser les aquariums sur une dizaine de mètres et la distribution du repas, servi à la main par un scaphandrier, est à ne pas manquer.

Batz-sur-Mer

La ville du sel

Env. 10 km au S. du Croisic
Édifiée entre l'Océan et les marais salants, Batz-sur-Mer a construit sa prospérité sur le sel. Certains villages de sauniers, comme Kervalet ou Roffiat, sont d'ailleurs restés tout à fait typiques de la région. Batz est, quant à elle, dominée par la tour un peu

austère de l'église Saint-Guénolé, construite aux XVe et XVIe s. Du haut de ses 60 m, on découvre le **superbe panorama** qui s'ouvre sur la presqu'île guérandaise et l'Atlantique, de Belle-Île à Noirmoutier.

Le musée des Marais salants

29 bis, rue Pasteur, Batz-sur-Mer
☎ 02 40 23 82 79.
Ouv. t. l. j., 1er juin-30 sept. et vac. scol., 10 h-12 h et 15 h-19 h. Le reste de l'ann., ouv. sam.-dim., 15 h-19 h.
Accès payant.
Fondé en 1887, c'est l'un des plus anciens musées d'arts et traditions populaires. On pourra tout savoir

de la vie des paludiers à travers leurs vêtements de travail, leurs outils, entièrement faits en bois, le mobilier et

les objets typiques de la région. Des maquettes présentent également le fonctionnement des salines, le tout complété par des films vidéo sur les techniques de récolte et la faune des marais.

Repères

E5

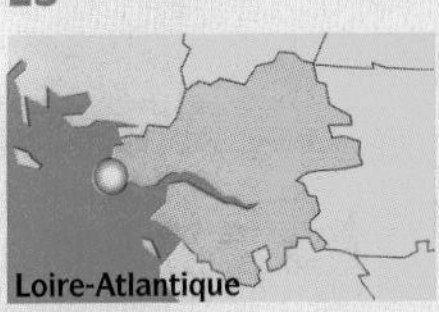

Activités et loisirs

Le Musée des Marais salants
La maison du Sabot
Le Salon des artisans d'art
L'Océarium

À proximité

Saint-Nazaire (25 km E.), p. 290.

Office de tourisme

Le Croisic : ☎ 02 40 23 00 70

La maison du Sabot

5, rue des Étaux
☎ 02 40 23 90 62.
Ouv. t. l. j. tte l'ann. sf en janv., 8 h 30-12 h 30 et 14 h-19 h 30. F. les dim. et mar. hors saison.
Spécialiste du sabot traditionnel depuis plusieurs décennies, ce magasin vous en fera voir de toutes formes et de tous styles, tout en bois ou décorés de cuir. Le premier prix est de 200 F. La maison propose également des mules bretonnes pour l'intérieur à partir de 169 F. Une jolie idée de cadeau.

Guérande et sa presqu'île

le sel de la terre

Magnifique cité médiévale dominant de ses remparts les damiers étincelants des marais salants, Guérande a longtemps été la capitale économique et administrative de cette région encerclée entre sa façade atlantique et le parc régional de Brière. Après avoir prospéré grâce à l'agriculture, aux vignobles et au sel, elle tire aujourd'hui une bonne partie de ses ressources du tourisme, bénéficiant, en dehors de ses propres atouts, de la proximité de paisibles stations balnéaires, comme la Turballe et Piriac-sur-Mer (Station Voile).

Les remparts

Ne présentant pas la moindre brèche, cette superbe muraille construite au XIVe s., puis refaite au XVe s., offre l'occasion d'une jolie promenade sur 1,5 km de vieilles pierres. La porte Saint-Michel abrite aujourd'hui l'office de tourisme et un **musée d'Art régional** avec, entre autres, de belles collections de mobilier et de costumes guérandais. (Ouv. 1er avr.-31 oct. ☎ 02 40 42 96 52. Accès payant.)

La ville close et ses boutiques

Autour de la collégiale Saint-Aubin, bel édifice de granit, on se perdra avec bonheur au fil des rues pavées et tortueuses qui composent la ville close. Depuis quarante ans, la collégiale accueille des concerts d'orgue réputés qui se déroulent en juillet et en août tous les vendredis soir. À l'intérieur de la ville close se tient tous les mercredis et samedis le **marché** de la ville. Idéal pour faire provision du célèbre sel ou de salicornes (algues servant de condiment).
On en profitera pour visiter les galeries présentant l'art et l'artisanat local, poteries, peintures, etc. Des boutiques de souvenirs, de vaisselle bretonne ou d'articles de décoration marine, occupent également le rez-de-chaussée des vieilles maisons.

Le château de Careil

Entre la Baule et Guérande
☎ 02 40 60 22 99.
Ouv. 10 h 30-12 h et 14 h 30-19 h, 1er juin-31 août. Visite aux chandelles mer. et lun. à 21 h 30, juil.-août. Hors saison sur r.-v.

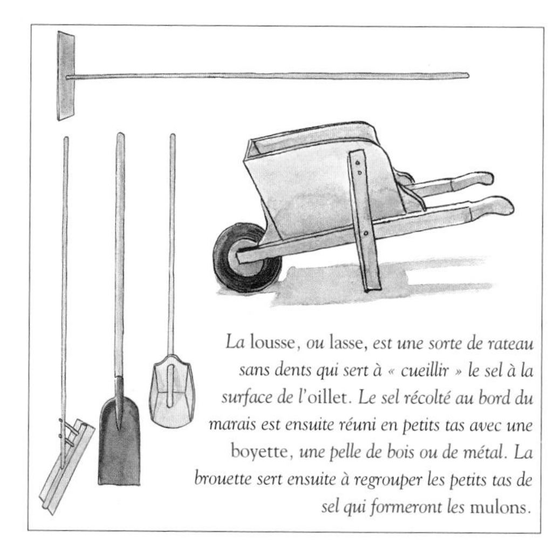

La lousse, *ou* lasse, *est une sorte de rateau sans dents qui sert à « cueillir » le sel à la surface de l'*oillet. *Le sel récolté au bord du marais est ensuite réuni en petits tas avec une* boyette, *une pelle de bois ou de métal. La* brouette *sert ensuite à regrouper les petits tas de sel qui formeront les* mulons.

Accès payant.
Ce magnifique monument dont les façades extérieures datent du XIVe s. a été remarquablement conservé. Une des façades, avec ses lucarnes joliment ornées, est représentative de la Renaissance bretonne du XVIe s. La salle de garde et le salon présentent d'intéressantes pièces de mobilier.

La Turballe

Port de pêche

7 km au N.-O. de Guérande

Premier port sardinier de la côte atlantique, la Turballe dispose d'une flottille moder-

ne. Si vous êtes matinal, allez vous promener sur le port. Des visites guidées sont possibles, et vous pouvez également assister à la vente à la criée (☎ 02 40 23 31 52). La **criée aux poissons** est par ailleurs dotée d'une salle d'exposition sur la pêche (☎ 02 40 15 69 14). Au sud de la ville, la **plage de la Grande-Falaise** déploie sur 5 km une immense grève de sable fin, entre marais salants et océan. Elle est très fréquentée par les véliplanchistes, mais aussi par les **naturistes** qui se retrouvent près de la **pointe de Pen-Bron**.

Piriac-sur-Mer

Balade en bord de mer

13 km au N.-O. de Guérande

Adorable petite station balnéaire, Piriac s'enorgueillit d'un bourg ancien aux ruelles étroites et tortueuses disposées à proximité d'une petite église de granit du XVIIIe s. Très ancien, le petit port, voué à la pêche artisanale, a gardé tout son cachet tandis que l'on trouvera falaises et criques sablonneuses en longeant la côte de la **pointe du Castelli** vers la Turballe.

Repères

E5

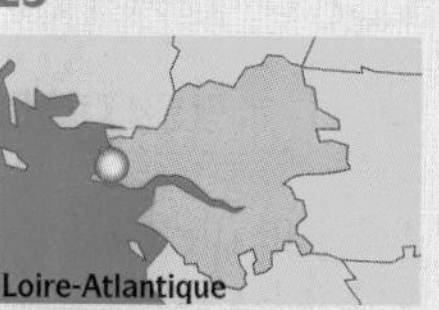

Activités et loisirs

Concerts et marchés
Visite d'un port sardinier
Visite des salines

À proximité

La Roche-Bernard (25 km N.), p. 280,
Saint-Nazaire (15 km S.-E.), p. 290.

Office de tourisme

Guérande :
☎ 02 40 42 96 52

Le pays du sel

Dans ce monde hors du temps, tout se fait manuellement, le principe de base des salines étant de faire circuler la plus faible épaisseur d'eau de mer sur la plus grande surface possible pour faciliter l'évaporation. La maison du Sel (village de Pradel, Guérande, ☎ 02 40 62 08 80) propose des rencontres avec des paludiers (t. l. j., avr.-nov., à 10 h et 15 h) ou des découvertes de la faune et de la flore. Pour la visite des salines, des chaussures de marche sont vivement conseillées. À la maison des Paludiers (18, rue des Prés-Garnier, ☎ 02 40 62 21 96, ouv. t. l. j., sf en cas de pluie, juil.-août, à 16 h 30 ; écomusée ouvert t. l. j., 1er mars-30 oct., 10 h-12 h 30 et 14 h-19 h), on vous expliquera également le fonctionnement d'une saline (visite possible).

La Baule et sa côte

sept kilomètres de sable fin

Difficile d'imaginer le site il y a à peine plus d'un siècle, lorsque La Baule n'était qu'une étendue de dunes désertes. Cette station balnéaire parmi les plus célèbres de la côte atlantique n'a pourtant été créée qu'en 1879 avant de connaître, avec les congés payés et la démocratisation du tourisme, un développement fulgurant. Aujourd'hui, la côte bauloise, qui regroupe La Baule, Pornichet et Le Pouliguen, forme sur quinze kilomètres de long et deux kilomètres de large une étendue quasi ininterrompue de grands immeubles et de palaces résidentiels bordant un vaste front de mer.

La gare de la Baule, construite dans les années 1930

La Baule

Palaces, casino, immeubles résidentiels de luxe s'alignent derrière le mur de béton qui domine sur 7 km la grande plage de sable fin de la station. On s'attardera plus spécialement le long de l'avenue du Général-de-Gaulle qui regroupe les principales échoppes et boutiques de la ville. Il reste peu de belles demeures bourgeoises si ce n'est en retrait, nichées dans les pins du quartier Benoît. Notez que la gare SNCF par laquelle les premiers estivants découvrirent la Baule est classée monument historique et mérite un coup d'œil.

La Baule-les-Pins

À l'est de La Baule, le quartier a conservé les dunes d'origine et un cadre très boisé qui possède son propre centre de **thalassothérapie**. Ses piscines d'eau de mer sont ouvertes au public toute l'année, de 10 h 30 à 12 h 30 et de 16 h à 20 h (☎ 02 40 11 33 11. Accès payant). Après un bon bain,

La plage de tous les loisirs

Domaine des clubs de voile et de loisirs pour les enfants, la plage principale de la riviera bauloise se découvre très loin vers le large à marée basse, dégageant une immense aire de jeux. De Pornichet au Pouliguen, on peut la parcourir sur le remblai très fréquenté qui la borde. Des cabines sont mises en location l'été et, au nouveau port de plaisance de Pornichet, La Baule nautique propose des locations de voiliers et de vedettes à moteur à partir de 900 F la journée (☎ 02 40 61 03 78, ouv. t. l. j., 8 h 30-12 h 30 et 14 h-19 h 30). Cette grande étendue de sable est aussi un terrain de rêve pour un galop grisant. Les clubs équestres ne manquent d'ailleurs pas dans la région (centre équestre de La Baule, ☎ 02 40 60 39 29 ; centre équestre Les Grands Parcs, ☎ 02 40 61 31 62). Celui de Treveday (centre équestre Les Rosières, ☎ 02 40 62 12 56) propose un forfait spécial pour une heure de plage.

on empruntera l'Allée cavalière pour profiter du **bois d'Escoublac**, tout proche et bien préservé. Près de la place des Palmiers, le **parc des Dryades** est, quant à lui, planté de nombreux arbres d'essences rares et parsemé de beaux parterres fleuris.

Le Pouliguen

Port de plaisance de La Baule mais aussi port de pêche ancien et toujours actif, Le Pouliguen a gardé en son centre plusieurs de ses ruelles étroites et sinueuses d'origine.

On appréciera cette station pour ses beaux hôtels aux façades très classiques, mais aussi pour son joli parc ombragé de 6 ha, le **bois d'Amour**, domaine des promeneurs, des jeux, des parties de boule et royaume des enfants. Les mardi, vendredi et dimanche se tient un **marché très animé** dans les halles, sur la place et dans les rues avoisinantes.

La pointe de Penchâteau

Après le quartier balnéaire de Penchâteau, une petite halte s'impose, avant de rejoindre la pointe, à la chapelle Sainte-Anne-et-Saint-Julien. Datant du XVIe s., elle est précédée d'un remarquable calvaire en granit. La pointe elle-même, qui porte des traces d'anciennes fortifications,

Repères

E5

Activités et loisirs

Baignade en piscine d'eau de mer
Location de voiliers
Promenade à cheval

Avec les enfants

Le parc du bois d'Amour

À proximité

La Roche-Bernard (30 km N.), p. 280,
Saint-Nazaire (15 km E.), p. 290.

Office de tourisme

La Baule : ☎ 02 40 24 34 44

ferme de ses hautes falaises la baie du Pouliguen et de La Baule.

Pornichet

Station balnéaire plus ancienne que La Baule, Pornichet a conservé un vieux quartier mais se caractérise surtout, comme sa voisine, par ses ensembles résidentiels et ses secteurs balnéaires.
Le nouveau Pornichet est la copie conforme de La Baule-les-Pins.
À **Bonne-Source**, à l'est de la station, on retrouve une longue et belle plage qui s'étend entre les pointes du Bec et de Congrigoux.

Le parc de Brière

des roseaux, des canaux et des oiseaux

Sur les 20 000 hectares du parc naturel régional de Brière, le plus important marécage de France après la Camargue, la Grande Brière occupe 6 700 hectares et regroupe 21 communes. Dans ce domaine des roseaux, des tourbières, des oies et des canards sauvages, toutes les activités traditionnelles pratiquées il y a encore quelques années – extraction de la tourbe, élevage, récolte des roseaux ou pêche – ont maintenant presque disparu. Cette région n'en reste pas moins unique par son habitat et ses paysages qui se transforment au fil des saisons.

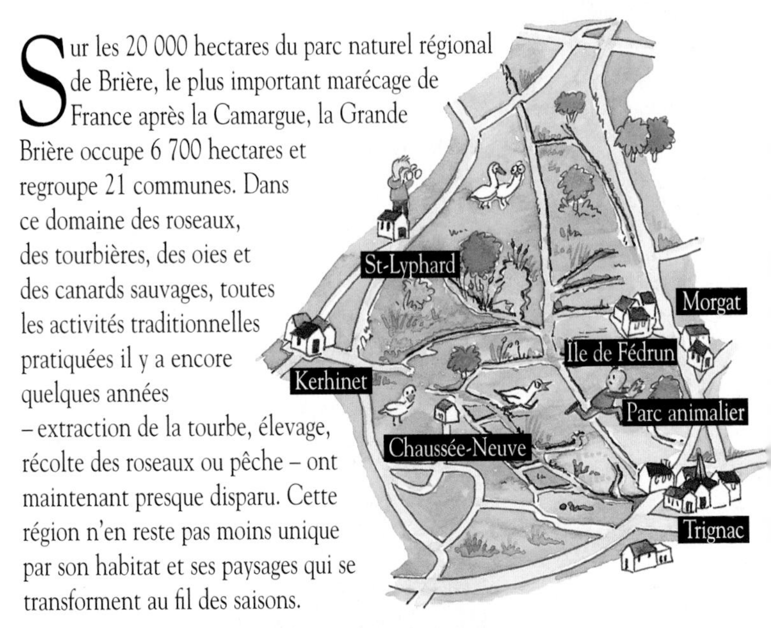

Les chaumières de la Brière

Le parc de la Grande Brière recèle la plus forte concentration de chaumières d'Europe, avec plus de 1 000 représentantes. On doit la préservation de cet habitat original à l'engouement des citadins qui ont relancé la profession de chaumier chez les couvreurs locaux. Faits de tourbe et de roseaux, les toits de chaume, repiqués régulièrement pour conserver leur étanchéité, peuvent atteindre une épaisseur de 70 à 80 cm. Les chaumières se caractérisent par leur grande simplicité. Deux pignons aveugles, une porte, une fenêtre, une lucarne au sud, un point c'est tout.

Le Parc animalier

800 m de Rosé, le long du canal

☎ **02 40 91 17 80.**

Ouv. t. l. j., 1er juin-30 sept., 10 h-12 h 30 et 14 h 30-18 h 30.

Accès payant. Location de jumelles.

Le Parc animalier est une très importante réserve d'oiseaux où évoluent canards, passereaux, mais aussi hérons et rapaces. Sur un parcours d'1,8 km, entre prairies, roseaux, vasières et plans d'eau, on pourra les admirer à partir de différents postes d'observation. Comptez 2 heures de visite. Venez de préférence le matin, vous verrez plus d'oiseaux. Tout près se trouve la **maison de l'Éclusier** qui présente, sur deux étages, l'histoire et les activités traditionnelles du marais.

Saint-Lyphard

Le clocher

☎ 02 40 91 41 34.
Ouv. t. l. j. avr.-sept., 10 h-12 h et 13 h 30-17 h ; reste de l'ann. mer., ven. et sam., 11 h-12 h et 14 h-17 h.
Accès payant.
Après avoir fait une halte à la Chapelle-des-Marais (maison du tourisme, ☎ 02 40 66 85 01), on traverse les terres immergées, mosaïque de canaux et de « piardes », ou plans d'eau, jusqu'à Saint-Lyphard. L'ascension du clocher offre une vue panoramique sur les marais, donnant toute la mesure de cette région hésitant entre la terre et l'eau.

Île de Fédrun

La maison de la Mariée

130, île de Fédrun
☎ 02 40 91 65 91.
Ouv. t. l. j. sf mar., 1er avr.-31 oct., 10 h-12 h 30 et 14 h-19 h.
Accès payant.
Fédrun, entourée de roseaux, est la plus intéressante des îles de Brière. Tout en ayant évolué, le site, aujourd'hui protégé, a gardé beaucoup de charme.

Promenades en barque

Rien de tel qu'une promenade en barque ou en chaland pour découvrir les trésors naturels du parc de Brière. Les circuits font parfois alterner calèche et embarcation. Entre terre et marais, chaumières et petits jardins, ils sont en tout cas toujours un enchantement. Comptez de 30 à 40 F par personne pour une visite guidée et de 80 à 100 F pour la location d'une barque... si vous savez manier la perche ou l'aviron. Réservation conseillée.
Sur l'île de Fédrun :
☎ 02 40 91 61 28 (Gisèle Aoustin).
☎ 02 40 88 50 73 (André Moyon).
À Saint-Lyphard :
☎ 02 40 91 32 02 (Yannick Thual).
☎ 02 40 91 46 48 (Nicolas Legal).
À la Chaussée-Neuve :
☎ 02 40 01 21 46 (Anthony Mahé).
☎ 02 40 01 24 64 (Michel Crusson).

Au numéro 130, la maison de la Mariée présente une belle **collection de parures de mariage**. Au numéro 308, vous découvrirez l'intérieur d'une chaumière briéronne, entièrement restaurée.

Repères

E5

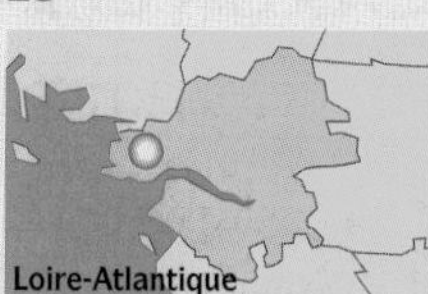

Activités et loisirs

La maison de la Mariée
Kerhinet et son musée
Le Parc animalier
Promenades en barque

À proximité

La Roche-Bernard (env. 15 km N.), p. 280, Saint-Nazaire (env. 10 km S.), p. 290.

Office de tourisme

Chapelle-des-Marais :
☎ 02 40 66 85 01

Kerhinet

Musée à ciel ouvert

Étape incontournable, ce village, avec ses maisons de chaume restaurées, est à lui seul un véritable musée à ciel ouvert. Ici pas de voitures... Au musée (1er juin-30 sept., 10 h-12 h 30 et 14 h-18 h 30), on découvre des costumes et des outils d'autrefois.
À découvrir également, les expositions-ventes de la **maison des Artisans** (office du tourisme de Brière, ☎ 02 40 66 85 01) qui propose les productions des potiers, des sculpteurs et des ébénistes du pays. Non loin du village se trouve le **dolmen de Kerbourg**.

Saint-Nazaire
lieu de naissance des palaces flottants

Près du port et au détour de ses avenues rectilignes, l'ambiance de Saint-Nazaire est celle d'une cité industrielle insolite, qui dispose, sur son front de mer, d'agréables plages. S'étirant à l'embouchure de la Loire, la ville fut rasée à 80 % par les bombardements alliés au cours de la Seconde Guerre mondiale. Célèbres pour la construction des grands paquebots transatlantiques comme le *France* ou le *Normandie*, ses chantiers navals poursuivent aujourd'hui cette activité mais les palaces flottants qui en sortent ne naviguent plus sous pavillon français...

Le Normandie, *paquebot mythique, a été lancé du bassin de Penhoët en 1935*

L'écomusée et l'Espadon

☎ 02 40 22 35 33.
Ouv. t. l. j. 1er juin-7 sept., 9 h 30-18 h 30. F. mar. et entre 12 h et 14 h en dehors de cette période.
Accès payant.
Au cœur du quartier du port, dans un bunker qu'on ne peut manquer, l'écomusée évoque l'histoire de la région et du port de Saint-Nazaire à travers plusieurs expositions et donne accès à l'*Espadon*, unique **sous-marin à flot** susceptible d'être visité en France. Après vous être fait une idée de la vie sous-marine à bord de cet impressionnant engin, vous jouirez, sur la terrasse du blockhaus, d'un **point de vue exceptionnel** sur l'estuaire, le port et les différentes cales des chantiers navals.

Le sous-marin Espadon

Les chantiers de l'Atlantique

☎ 02 40 22 40 65.
Visite individuelle juil.-août, mar. et ven. à 16 h 30 sur rés. uniq. ; hors saison, 1 visite par mois.
Accès payant.
Principaux constructeurs mondiaux des paquebots de croisière, les chantiers navals de Saint-Nazaire occupent aussi une place prépondérante dans la construction des navires de guerre et des plus

grands pétroliers du globe. Au cours de la visite, qui se déroule en autocar et dure environ deux heures, on traverse des ateliers répartis sur 130 ha, hérissés de gigantesques portiques et de grues géantes. Une expérience passionnante.

Les criques de Chémoulin

Les boulevards du front de mer donnent accès à une route côtière puis, au niveau du fort de Villes-Martin, à un sentier pédestre, ancien chemin des douaniers, qui longe la côte jusqu'à la pointe de Chémoulin. Il permet de découvrir la belle plage de sable fin de **Saint-Marc-sur-Mer**, paisible petite station balnéaire qui servit de décor au film *Les Vacances de M. Hulot*, de Jacques Tati, puis celle de **Sainte-Marguerite**, autre station fréquentée par les Nazairiens. Entre ces deux pôles, de nombreuses et paisibles criques sableuses viennent joliment creuser les falaises.

Le port

Après avoir jeté un œil sur la rade de Saint-Nazaire, la plage du Petit-Traict, le front de mer, on remarque, près du port où s'abritent vedettes et bateaux de pêche, plusieurs villas du XIXe s., rares rescapées des bombardements. Le **pont basculant de l'Écluse**, qui donne accès aux bassins, permet de rejoindre le quartier du Petit-Maroc, où se trouvait le village originel de Saint-Nazaire, lui aussi détruit par les bombes. De chaque côté du vieux môle, sur le quai des Marées, se dressent des pêcheries à treuils, caractéristiques de la région.

LA NUIT DES DOCKS

Depuis 1991, chaque soir, le port de Saint-Nazaire est illuminé de magnifiques lueurs vertes, bleues ou rouges. Les structures du port, ses grues, sa base sous-marine et ses silos se transforment alors en un paysage fantastique que l'on doit à l'artiste breton Yann Kersalé. Il suffit d'aller faire un tour sur le port en automobile dès la tombée de la nuit pour se sentir tout à coup plongé dans une autre dimension.

L'Escal' Atlantic

☎ 0 800 44 10 00 (rés.).
☎ 0 810 88 84 44 (rens.).

Dans l'ancienne base sous-marine, sur le port, une nouvelle exposition-spectacle vous entraînera dans l'univers des paquebots. Sirènes, clapotis de l'eau et vent marin, tout est prévu pour vous plonger dans l'atmosphère des croisières. À visiter en particulier : la salle des machines ou la timonerie.

Repères

E5

Loire-Atlantique

Activités et loisirs

L'écomusée et l'Espadon
La nuit des docks
Visite des chantiers de l'Atlantique
Promenade sur le littoral

À proximité

Guérande (15 km N.-O.), p. 284.
La Baule (15 km O.), p. 286.
La Brière (env. 10 km N.), p. 288.

Office de tourisme

Saint-Nazaire :
☎ 02 40 22 40 65

Le pont de Saint-Nazaire

Avec son profil en forme de S étiré et une longueur de 3 356 m, le pont de Saint-Nazaire, sous lequel se mêlent les eaux de la Loire et de l'Atlantique, est le plus long et peut-être le plus élégant de France. Inauguré en 1975, il culmine à 60 m au-dessus des plus hautes eaux pour laisser passer les navires rejoignant Donges ou Montoir.

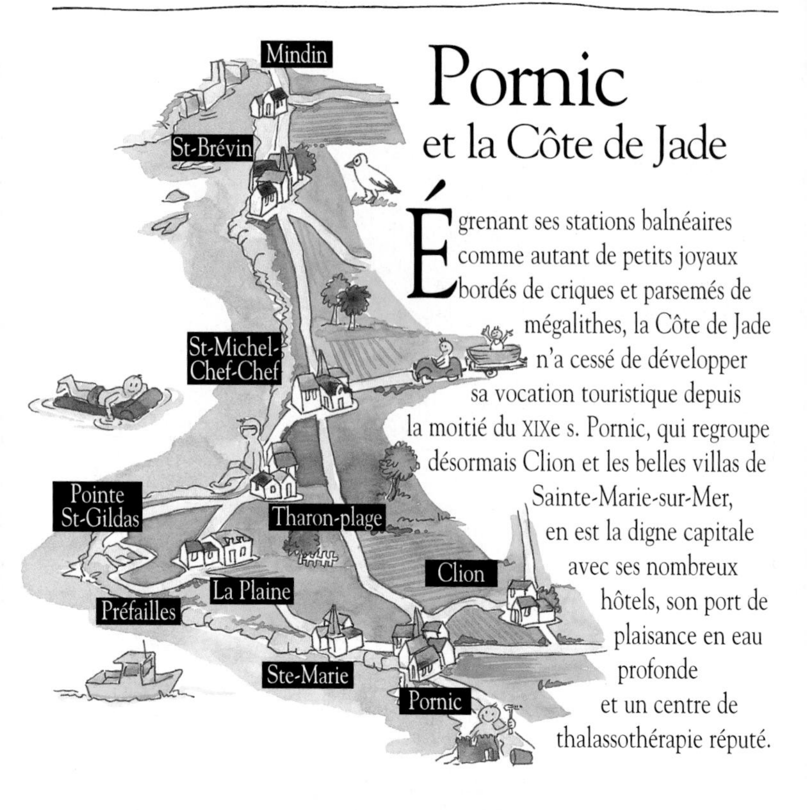

Pornic
et la Côte de Jade

Égrenant ses stations balnéaires comme autant de petits joyaux bordés de criques et parsemés de mégalithes, la Côte de Jade n'a cessé de développer sa vocation touristique depuis la moitié du XIXe s. Pornic, qui regroupe désormais Clion et les belles villas de Sainte-Marie-sur-Mer, en est la digne capitale avec ses nombreux hôtels, son port de plaisance en eau profonde et un centre de thalassothérapie réputé.

Pornic, sa vieille ville et sa plage

Au cœur de la ville, toute balade se doit de partir du vieux port, dominé par la silhouette du château, ancienne propriété de Gilles de Rais, dont l'origine remonte au XIe s. et qui fut plusieurs fois remanié. Des quais où s'amarrent encore les bateaux de pêche, on rejoindra l'**ancienne ville fortifiée** et son dédale de ruelles. La principale plage de Pornic, grand demi-cercle de sable fin cerné par les chênes verts du jardin des Plantes, se trouve au-delà du port de plaisance, que l'on atteint en longeant la côte par un chemin piétonnier.

La « Côte sauvage » et la pointe Saint-Gildas

De Sainte-Marie à la petite station familiale de Préfailles, appréciée pour ses rochers et sa plage, un chemin côtier permet de découvrir, percée de petite criques, la rudesse de la « Côte sauvage ». Dans la

grande rue de Préfailles, les amateurs ne manqueront pas la très belle **collection de cerfs-volants**, datant de 1900 à 1925, accrochés au plafond du Grand Bazar. À la pointe Saint-Gildas s'ouvre une large vue sur l'estuaire de la Loire, la presqu'île du Croisic, la baie de Bourgneuf et l'île de Noirmoutier.

❀ Le musée de la Marine

Fort de Mindin, place de la Marine
☎ 02 40 27 00 64.
Ouv. t. l. j., 13 juin-6 sept., 15 h-19 h.
Accès payant.
Situé juste en face de Saint-Nazaire, l'ancien fort de Mindin, haut lieu de l'histoire maritime de l'estuaire, a été transformé en 1983 en musée. On y découvre de nombreuses maquettes de navires, des peintures marines et divers instruments de navigation.

Saint-Michel-Chef-Chef

Les délices de Saint-Michel

Rue Chevecier
☎ 02 51 74 75 44.
Ouv. lun.-sam., 10 h-12 h 30 et 14 h-19 h. Juin-sept., ouv. égal. dim. mat.
En plein bourg de **Saint-Michel-Chef-Chef**, connu pour ses menhirs, sa longue plage, mais aussi pour ses fameuses galettes, se trouvent

les biscuiteries, qui ne se visitent pas, et un magasin offrant tout l'éventail des gâteaux locaux. Galettes sablées, roudors (palets plus épais), michelettes et cigarettes dentelles sont présentés en sachets ou en boîtes métalliques. La grosse boîte de 1,6 kg : 61 F.
À partir de 4 F le paquet de 20 biscuits. Dégustation.

Le curé nantais

Le Port-Chéri
☎ 02 40 82 28 08.
Visite et vente.
Quoique nantais, ce curé se trouve bien à Pornic. Mais ne vous y trompez pas : il s'agit de l'un des plus anciens fromages de Bretagne. À la fromagerie, on utilise 3 000 l de lait par jour pour fabriquer ce gros fromage rond à pâte molle très apprécié des connaisseurs. Envie d'essayer ?

Les pêcheries

Tout au long de la Côte de Jade se succèdent d'étranges et solitaires cabanes en bois, dressées sur pilotis. Appelées pêcheries, ces cabanes sont pourvues d'un grand filet carré

placé au bout d'un palan et n'attendant que le moment de plonger dans l'eau. Ces carrelets servent à cueillir divers petits poissons que l'on déguste en friture. Près de Saint-Michel-Chef-Chef, à **Tharon-plage**, immense étendue de sable fin, on trouvera plusieurs spécimens de ces pêcheries artisanales.

Repères

E5

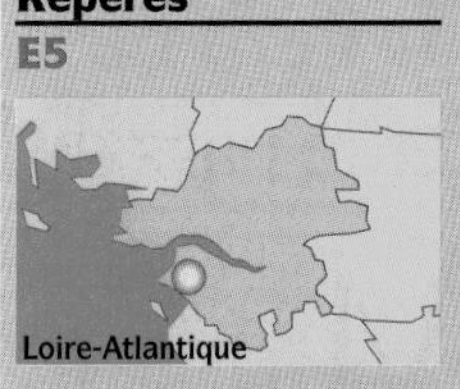

Activités et loisirs

Randonnée sur la « Côte sauvage »
Le musée de la Marine
Sports nautiques à Saint-Brévin

À proximité

La Baule (38 km N.-O.), p. 286,
La Brière (env. 35 km N.), p. 288.

Office de tourisme

Pornic : ☎ 02 40 82 04 40

Saint-Brévin

Loisirs en tous genres

16 km au N. de Pornic
Avec ses 7 km de dunes et de plages de sable fin, son arrière-pays planté de pins, de chênes et d'acacias, cette station balnéaire est idéale pour les ébats des petits et des grands. Saint-Brévin est en outre doté de nombreux équipements voués aux **loisirs nautiques,** tels que planches et chars à voile, catamaran et autres « tobogliss » et manèges aquatiques pour les enfants.

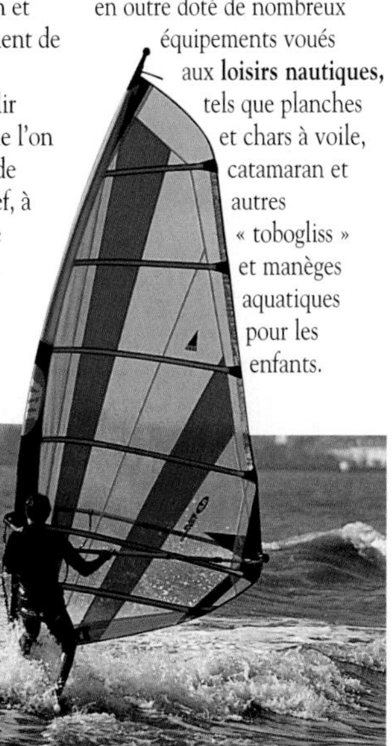

Le lac de Grand-Lieu

et le pays de Retz

Mélange de marais et de plans d'eau, le lac de Grand-Lieu est une formidable réserve naturelle dont la superficie varie, selon les saisons, de 3 500 à 7 000 hectares. On retrouve des paysages semblables, typiques du pays de Retz, autour de Machecoul et de Bourgneuf-en-Retz. Entre deux excursions dans cette région placée sous le signe de l'eau et plantée de quelques remarquables châteaux, on pourra également profiter des plages généralement bien abritées et toujours surveillées qui bordent la façade atlantique.

L'observatoire de Saint-Lumine-de-Coutais

Aménagé dans le clocher de l'église Saint-Léobin
☎ 02 40 02 90 25.

Clocher de l'église Saint-Léobin à Saint-Lumine. La vue sur le lac de Grand-lieu se mérite : 173 marches à grimper!

Ouv. t. l. j., 8 h-12 h et 14 h-18 h.
Accès payant.
Une fois grimpées, les 173 marches vous offriront une vue imprenable sur le lac de Grand-Lieu.

❀ L'observatoire et la maison du Pêcheur

☎ 02 40 31 36 46.
Ouv. t. l. j., 10 h-12 h et 15 h-18 h.
Accès payant.
La maison du pêcheur de Passay présente le matériel utilisé et des aquariums où nagent les poissons du lac, ainsi qu'une description du lac et des photographies illustrant la vie des pêcheurs à travers le temps. L'observatoire retransmet des images vidéo en direct, du cœur de la réserve.

Comment approcher du lac ?

Hélas ! le lac de Grand-Lieu ne se visite pas. On peut néanmoins le découvrir à travers des sentiers aménagés et deux observatoires, le must étant évidemment la promenade en barque, le 15 août exclusivement, jour de la **fête des pêcheurs** de Passay.

Sentiers pédestres

Des circuits aménagés de 10 à 15 km permettent d'approcher le lac de la plupart des communes périphériques. Pour les plus courageux, le circuit de grande randonnée en fait le

L'abbatiale de Saint-Philbert-de-Grand-Lieu date du IXe s.

tour sur 72 km, soit trois jours de marche. Rens. à l'Association culturelle du pays de Grand-Lieu, Saint-Lumine-de-Coutais, ☎ 02 40 02 93 92.

La maison du Lac

Le prieuré, Saint-Philbert-de-Grand-Lieu
☎ 02 40 78 73 88.
Ouv. t. l. j., 1er mai-30 sept., 10 h-12 h 30 et 14 h 30-18 h 30 ; le reste de l'ann., 10 h-12 h et 14 h-17 h 30, f. dim. mat.

❀ LE PAYS DE RETZ EN ULM

Rand Kar
☎ 02 40 64 21 66.
Formation, baptêmes de l'air, stages sont au programme chez Rand Kar. Une fois pilote émérite (ou alors accompagné !), prenez la voie des airs pour découvrir le pays de Retz et l'estuaire de la Loire.

Situé près de l'abbatiale de Saint-Philbert, merveille carolingienne du IXe s., ce musée présente la faune du lac et notamment ses oiseaux, près de 225 espèces de volatiles, dont les incontournables canards, aigrettes ou hérons. Un diaporama et des images filmées sur le lac complètent son approche.

Machecoul

On ira jeter un coup d'œil sur les ruines du **château de Machecoul**, capitale historique du pays de Retz, qui fut le théâtre de combats acharnés entre Républicains et Vendéens en 1793, et aussi des atrocités commises par Gilles de Rais (1404-1440). À voir également : la **distillerie Seguin**, spécialiste de la fine de Bretagne, une eau-de-vie des coteaux de Loire (dégustation au 10, bd Saint-Rémy, ☎ 02 40 31 40 50). Après cela, on pourra se reposer à l'ombre des platanes, du côté de la route de Nantes ou près des marais.

Bourgneuf-en-Retz

Le musée du pays de Retz

6, rue des Moines
☎ 02 40 21 40 83.
Ouv. t. l. j., 10 h 30-13 h et 14 h-18 h 30 en juil.-août ; hors saison, téléphoner.
Accès payant.
Aux reconstitutions des intérieurs et métiers d'autrefois s'ajoute une remarquable collection de costumes et de coiffes. Le musée propose également un intéressant montage audiovisuel sur le milieu naturel de la région, sillonnée de canaux reliés à l'Océan par un incroyable système hydraulique.

Repères

F5

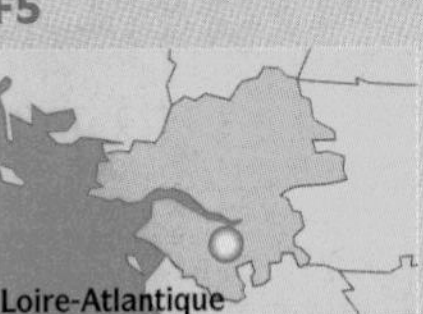

Activités et loisirs

Randonnée autour du lac
La maison du Lac
Le pays de Retz en canoë
Baptême de l'air en ULM

Office de tourisme

Saint-Philbert :
☎ 02 40 78 73 88

En canoë sur les rivières

Pour un parfait dépaysement, n'hésitez pas à parcourir les rivières du Tenu et de l'Acheneau en canoë. Ces balades sont accessibles à tous, les canoës étant parfaitement stables et les cours d'eau paisibles.

Nantes
un pays de Loire en Bretagne

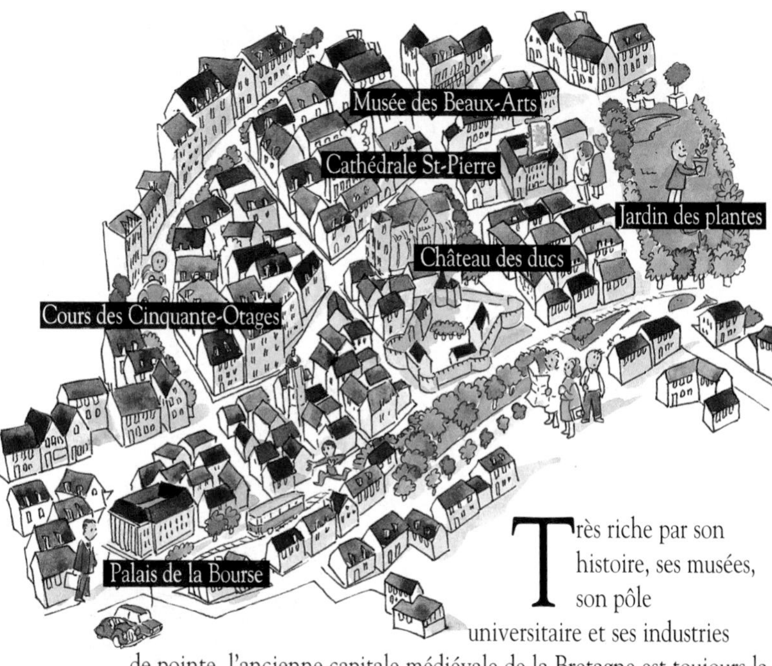

Très riche par son histoire, ses musées, son pôle universitaire et ses industries de pointe, l'ancienne capitale médiévale de la Bretagne est toujours la ville la plus importante de l'Ouest avec une agglomération comptant quelque 500 000 habitants. Située au confluent de la Loire, de la Sèvre et de l'Erdre, Nantes est marqué par un passé maritime chargé, notamment avec la traite des esclaves au XVIIIe s., mais son activité portuaire s'est aujourd'hui déplacée vers Saint-Nazaire pour constituer tout au long de l'estuaire le quatrième port de commerce français. Ville moderne et plaisante où le tramway est réapparu en 1985, Nantes se tourne de plus en plus vers des domaines de haute technicité comme l'aéronautique, la construction mécanique ou l'électronique.

Le vieux Nantes

Entre le cours Saint-Pierre et le cours des Cinquante-Otages, l'une des artères principales de la cité des ducs, se déploie tout un écheveau de ruelles correspondant au cœur primitif de la ville, essentiellement concentré près de la place du Bouffay et autour de l'église Sainte-Croix. Les rues de l'ancien quartier médiéval, aujourd'hui piétonnier, sont bordées de plusieurs maisons à colombages des XVe et XVIe s. La **rue de la Juiverie** et la **rue Sainte-Croix** se prêtent bien à la balade, mais on s'attardera aussi **place de la Psalette**, sympathique petit jardin tout près de la cathédrale. Il fallut douze ans pour réaliser les 500 m² de vitraux modernes qui resplendissent dans le chœur de cet édifice gothique. La cathédrale abrite également un trésor : le tombeau du duc

François II de Bretagne, orné de 4 statues sculptées par Michel Colombe au XVIe s.

Le château des ducs

☎ 02 40 41 56 56.
Ouv. t. l. j., 10 h-18 h en juil.-août ; le reste de l'ann., 10 h-12 h et 14 h-18 h, f. le mar.
Visite libre ou accompagnée, accès payant.
Reconstruite à la fin du XVe s., cette forteresse a fière allure, surplombant des douves profondes et des fossés transformés en agréables jardins. Le château abrite également un musée de l'histoire de Nantes et du pays nantais. D'importantes expositions temporaires sont présentées dans le bâtiment du harnachement (XVIIIe s.), entièrement rénové en 1997.

Le musée des Beaux-Arts

10, rue Georges-Clemenceau
☎ **02 40 41 65 65.**
Ouv. t. l. j. sf mar. et j. fér., 10 h-18 h ; ven.,10 h-21 h et dim., 11 h-18 h.
Accès payant.
Ce musée, l'un des plus importants de France, présente chronologiquement des peintures allant du XIIe s. à nos jours. C'est là que se trouvent les *Nymphéas* de Monet parmi d'autres chefs-d'œuvre.

Repères

F5

Loire-Atlantique

Activités et loisirs

Le musée Jules-Vernes
Le planétarium
Fêtes et festivals de Nantes
Balades en bateau sur l'Erdre
Visite des biscuiteries nantaises

À proximité

Blain (32 km N.-O.), *p. 302.*

Office de tourisme

Nantes : ☎ 02 40 20 60 00

L'île des négociants

L'île Feydeau, qui fut le quartier des riches négociants et armateurs du XVIIIe s., à l'époque florissante du commerce maritime, n'est plus une île depuis longtemps. Elle regorge cependant toujours de remarquables **hôtels particuliers** aux étonnants macarons représentant des visages de pirates ou de faunes,

Agrafe de fenêtre sculptée, rue Kervégan

comme le long de la **rue Kervégan**, l'une des plus biscornues de Nantes. Dans le prolongement de l'île Feydeau, le **quai de la Fosse**, autrefois quartier chaud de la ville, aligne d'autres immeubles d'armateurs qui valent le coup d'œil.

Le poumon commerçant

Véritable centre névralgique de la ville, la **place Graslin** et les rues environnantes connaissent une animation incessante. Au numéro 4 de la place, il faut absolument aller prendre un verre à **La Cigale**, magnifique brasserie datant de 1895 et décorée d'un incroyable festival de mosaïques et de miroirs. Après avoir déambulé **rue Crébillon,** où s'alignent les boutiques de luxe, allez voir le célèbre et superbe **passage Pommeraye** accueillant sur trois niveaux de nombreux commerces. Il est lui aussi incontournable. Sur la **place du commerce**, également très animée avec ses nombreux cafés, s'élève le

palais de la Bourse, édifié au début du XIXe s., qui abrite aujourd'hui la Fnac.

Le musée Jules-Verne

3, rue de l'Hermitage
☎ 02 40 69 72 52.
Ouv. t. l. j. sf mar., j. fér. et dim. mat., 10 h-12 h et 14 h-17 h.
Accès payant sf dim.

Installé dans une belle maison bourgeoise du XIXe s., ce musée présente la vie et l'œuvre de l'écrivain né en 1828 dans l'île Feydeau et mort en 1905.

LE PLANÉTARIUM

8, rue des Acadiens, Nantes
☎ 02 40 73 99 23.
Séances à 10 h 30, 14 h 15 et 15 h 45 lun.-ven. ; à 15 h et 16 h 30 le dim.
Accès payant.
Idéal pour se plonger la tête dans les étoiles, le planétarium constitue également, le temps d'un voyage dans l'espace, une excellente initiation à l'astronomie, pour petits et grands. La séance dure environ une heure.

Maquettes de science-fiction, affiches, photographies, jeux et documents d'époque accompagnés de tout un bric-à-brac d'objets insolites occupent 12 salles et font revivre le souvenir de l'auteur nantais. En allant jusqu'au sommet de la butte

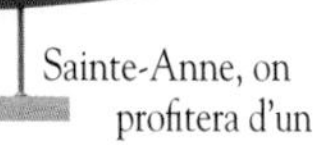

Sainte-Anne, on profitera d'un panorama magnifique sur la ville, son port et les rives de la Loire.

Le jardin des Plantes

Les amoureux des fleurs et des espaces verts ne manqueront pas ce joli jardin à l'anglaise ouvert au public depuis plus d'un siècle

et demi. On y recense pas moins de 300 espèces de camélias. Un parcours d'environ 2 km traverse ce havre de verdure et de fraîcheur situé près de la gare, pour vous faire découvrir les plus vieux *Magnolias grandiflora* d'Europe, un magnifique chêne-liège, des allées vallonnées et sinueuses bordant des plans d'eau et des massifs épais, une cascade, une ménagerie ou encore la serre de cactées. Au printemps, c'est carrément magique.

Balades sur l'Erdre

Les Bateaux nantais, quai de la Motte-Rouge
☎ 02 40 14 51 14.
Bureaux ouv. t. l. j., 9 h-19 h.

Cette compagnie organise d'avril à octobre des promenades remontant le cours de l'Erdre, dont les rives sont jalonnées de nombreux châteaux et manoirs. Des départs ont lieu à 15 h tous les jours en juin, juillet et août, et vont jusqu'au château de la Gascherie, édifié au XVIe s. En juillet et en août encore, des promenades nocturnes sont organisées le samedi à 21 h avec le spectacle féerique des châteaux illuminés. On peut aussi s'offrir une croisière-déjeuner ou une croisière-dîner toute l'année, sur réservation.

Vertou

Visite des Biscuiteries nantaises

2 km au S. de Nantes
Route du Mortier-Vannerie
☎ 02 51 79 46 00.

Nantes en fête

Le Festival d'été, qui a lieu début juillet, est consacré aux arts populaires de tous les pays. Il réunit pour quelques jours des artisans autour du château. En septembre, les Rendez-vous de l'Erdre sont l'occasion, pendant 3 jours, d'un important rassemblement pour célébrer les bateaux et la rivière. Enfin, en novembre, le Festival des trois continents vient couronner le 7e art.

Ouv. lun.-ven., 14 h-15 h 30 sur réservation.
Visite guidée, payante, et dégustation de biscuits.

Vous connaissez sûrement les célèbres Choco BN et les non moins fameux Petits-Beurres LU, autre institution nantaise. Ils sont aujourd'hui fabriqués dans une gigantesque usine. Vous verrez les silos, les machines à pétrir la pâte, les laminoirs ou encore l'énorme four, à quelques kilomètres de Nantes. Au fil des chaînes, presque entièrement automatisées, vous suivrez toutes les étapes de fabrication des biscuits jusqu'à leur conditionnement. Un paquet cadeau est remis à chaque visiteur à l'issue de la visite.

La Haie-Fouassière

La maison des Vins

20 km au S.-E. de Nantes
Bellevue
☎ 02 40 36 90 10.
Ouv. lun.-ven., 8 h 30-12 h 30 et 14 h-17 h 45.
Entrée gratuite.

À une vingtaine de kilomètres de Nantes, vous trouverez un assortiment d'environ 200 vins sélectionnés issus des différents terroirs nantais. Les bouteilles proviennent directement des propriétés environnantes. Fonctionnant en dépôt-vente, la maison des Vins propose également des informations sur le vignoble et les vins de Nantes, muscadet, gros-plant et coteaux d'Ancenis, tout en disposant d'un caveau de dégustation. À consommer avec modération…

L'île de Versailles

Au milieu de l'Erdre, à deux pas des quartiers les plus animés de la ville, on entre dans un superbe jardin japonais agrémenté de cascades, de bassins et de petites plages de galets. On y trouve aussi des aquariums, un jardin de mousse et des jeux pour enfants. Sur l'île, la **maison de L'Erdre** présente les différents écosystèmes de la rivière et les anciennes activités de la batellerie. ☎ 02 40 29 41 11. Ouv. t. l. j., 11 h 30-17 h 45, sf mar. Entrée gratuite.

Clisson
un petit air d'Italie

Ville d'art et d'histoire, de commerce et d'industrie, Clisson semble cumuler tous les atouts. Impossible de ne pas être conquis par le charme romantique d'une cité, pourtant incendiée par les troupes révolutionnaires en 1793. Il faut dire qu'elle a été presque entièrement reconstruite à la mode italienne par les frères Caccault et le sculpteur Frédéric Lemot. Après avoir connu la prospérité avec l'industrie de la toile et du papier au début du XIXe s., elle n'a rien perdu de son dynamisme économique, reconvertie aujourd'hui dans la confection, l'agroalimentaire et même… l'extraction d'uranium !

Le château

☎ 02 40 54 02 22.
Ouv. t. l. j. sf mar., 9 h 30-12 h et 14 h-18 h.
Accès payant.
Du haut de son piton rocheux dominant les vallées de la Sèvre et de la Moine, cette forteresse des XIIIe et XVIe s. présente un ensemble de ruines très imposant (*photo ci-dessous*). Entre une grosse tour et le donjon, on découvre la chapelle, les cuisines et les restes du logis seigneurial. Devant le château, un parc aménagé offre une **vue panoramique** sur la ville basse, le confluent des deux rivières et le domaine de la Garenne-Lemot.

Des halles au pont Saint-Antoine

On ne se lasse pas de flâner dans les ruelles escarpées du vieux Clisson, de franchir des ponts, de dégringoler des escaliers, pour finalement se rafraîchir à l'ombre d'un cyprès. Parmi de multiples centres

d'intérêt, on appréciera tout particulièrement l'étroite **rue Tire-Jarrets**, qui descend vers la Sèvre, et les très belles halles du XVe s., où se tient chaque vendredi, sous une magnifique charpente de chêne et de châtaignier, un important **marché**.

Le domaine de La Garenne-Lemot

☎ 02 40 54 75 85.
Parc ouv. t. l. j., avr.-sept., 9 h-20 h (9 h 30-18 h 30 le reste de l'ann.).

Maison du Jardinier, t. l. j. sf mar. mat., 1er avr.-30 sept., 10 h-12 h 30 et 14 h-19 h (17 h 30 le reste de l'ann. F. lun.).

Temple de Vesta dans le parc de la Garenne-Lemot

Accès gratuit.
Attention, site exceptionnel ! Dans un parc de 13 ha, bordé par la Sèvre et parsemé d'insolites édifices, comme le **temple de Vesta** ou les **rochers Rousseau** et **Delille**, se trouve le

Repères

F5

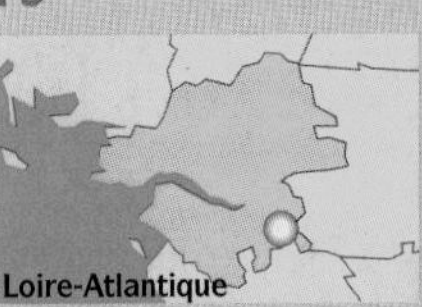

Activités et loisirs

Le domaine de la Garenne-Lemot
Balades en canoë-kayak
Le musée de la Chanson française

À proximité

Ancenis (36 km N.), p. 306.

Office de tourisme

Clisson : ☎ 02 40 54 02 95

Le Caveau des vignerons

Place du Minage, Clisson
☎ 02 40 54 39 56.
Ouv. t. l. j., 10 h-12 h 30 et 14 h 30-19 h.
Dans des locaux partagés avec l'office de tourisme, une trentaine de vignerons se sont regroupés pour vendre et faire déguster les vins du terroir, muscadet (25 F la bouteille) et gros-plant principalement. Plusieurs viticulteurs font visiter leurs caves, sur rendez-vous, sauf en période de vendanges, généralement de la mi-septembre à début octobre.

plus remarquable témoignage de l'architecture à l'italienne, caractéristique de Clisson au XIXe s. Dans la maison du Jardinier, bâtie sur le modèle des demeures de Toscane, une exposition permanente explique comment « Clisson la médiévale est devenue italienne ». Dans un décor somptueux, la **villa Lemot** est également ouverte au public pour des expositions temporaires. Un salon de thé vous accueille aux mêmes horaires.

Les vestiges industriels

Tout au long de la Sèvre, en amont de Clisson, une étonnante série de bâtiments de style néo-italien témoigne de l'intense activité industrielle que connut cette région entre la fin du XVIIIe s. et le début du XIXe s. Aux briques et aux tuiles des filatures s'ajoutent celles des anciens moulins, mégisseries (où l'on travaillait le cuir), papeteries, etc. À découvrir, dans un cadre très verdoyant, par les délicieux chemins qui serpentent le long de la rivière. Deux **bases de loisirs**, au moulin Plessard (☎ 02 40 54 04 82) et à Terbin, proposent des balades en canoë-kayak.

La Planche

Le musée de la Chanson française

17 km au S.-O. de Clisson
8, rue Paul Joyau
☎ 02 40 26 52 15.
Ouv. 1er mai au 30 sept., sam. et dim. de 14 h 30 à 18 h.
Vous y trouverez des documents inédits sur vos chanteurs français préférés (Brassens, Brel, Ferré…) et d'anciens appareils musicaux en état de marche. Une visite qui se fait en musique, bien sûr.

Blain
et le pays blinois

Carrefour commercial situé entre Redon, Nantes, et l'Anjou, Blain et le pays blinois, ou pays des Trois-Rivières (le Don, le Brivet et l'Isac) doivent d'abord leur charme à la nature et notamment à la forêt du Gâvre toute proche. Le petit port sur le canal de Nantes à Brest où s'amarrent barques de pêcheurs et bateaux de plaisance est un bon point de départ pour de jolies promenades.

À Blain, qui dispose d'une petite industrie, on verra également de belles maisons du XIXe s., typiques de la région, avec leurs ouvertures ornées de pierres de tuffeau blanc, taillées et décorées de sculptures.

Le château de la Groulais

En direction de Saint-Nazaire, première route à gauche après le pont du canal.

☎ 02 40 79 07 81.

T. l. j. sf lun., avril-oct., 10 h-12 h et 14 h 30-18 h 30.

Accès payant.

Les ruines imposantes de ce château médiéval se composent de deux enceintes. On y découvre la sévère tour du Connétable, le logis du roi, une belle façade de style Renaissance ornée de gargouilles et de hautes lucarnes, et la tour du pont-levis dont la remarquable charpente en coupole domine les douves. Le château accueille chaque été des expositions.

❀ Maison Benoist

Grand-Rue, Le Gâvre

☎ 02 40 51 25 14.

T. l. j. juil.-sept., 14 h 30-18 h 30.

Accès payant.

Au début du siècle dernier, presque tous les hommes du village travaillaient comme **sabotiers**. Dans une belle demeure bourgeoise du XVIIe s. située en haut du bourg, l'Office national des forêts présente plusieurs expositions temporaires ou permanentes faisant revivre cette mémoire collective. Sabotiers mais aussi bûcherons, rémouleurs et ramasseurs de glands, on retrouve les gestes quotidiens

des hommes ainsi que des présentations de la flore et de la faune (sangliers, cerfs, biches et petit gibier) de la forêt.

❀ Le musée des Arts et Traditions populaires

2, place Jean-Guihard
☎ 02 40 79 98 51.
T. l. j. sf lun, 14 h-18 h.
Accès payant.
Sur deux étages de l'ancien présidial des ducs de Rohan, ce musée présente une exposition originale d'une centaine de **crèches de Noël** venues de tous les pays ; dans la salle voi-

sine, près de **10 000 fèves** ont été réunies ! Le 2e étage est consacré à la vie quotidienne dans le pays blinois au début du siècle. Diverses boutiques – salon de coiffure, pharmacie, bureau de tabac, saboterie – sont reconstituées autour de la place du village.

La forêt du Gâvre

Prolongement de l'antique forêt de Brocéliande, domaine des fées, la forêt du Gâvre s'étend sur 4 500 ha et accueille toutes sortes d'activités. Envahis en automne par les amateurs de champignons, ses quelque 20 km de randonnées sont parcourus toute l'année, à pied, à cheval ou à vélo. Pour se repérer, il faut rejoindre le **grand rond-point de l'Étoile** d'où s'enfoncent dans les futaies dix allées rayonnantes. Les différents parcours possibles sont détaillés ici : petites ou grandes randonnées, sentiers pédagogiques, parcours santé, etc. Vous pourrez même profiter des bungalows installés ici et là pour pique-niquer.

La vallée du Don

Cette vallée verdoyante, que l'on peut suivre de **Guémené-Penfao** à **Marsac-sur-Don** en empruntant la D 125, offre le spectacle d'une nature sauvage qui serpente entre les crêtes schisteuses du pays. Celles-ci offrent de beaux panoramas, parsemés de petits villages de schiste, typiques de la région.

Repères

F4

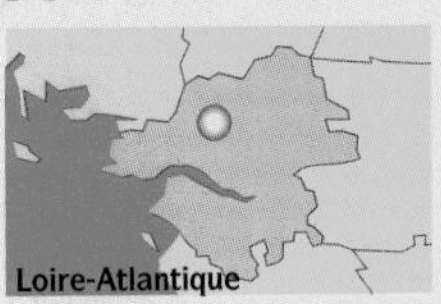

Activités et loisirs

Stages de peinture murale
La maison Benoist
Randonnée dans la forêt du Gâvre

À proximité

Redon (33 km N.-O.), p. 278,
Nantes (32 km S.-E.), p. 296.

Office de tourisme

Blain : ☎ 02 40 87 15 11

Le Centre de la fresque

Situé dans le château, ce centre a pour but de faire connaître la peinture *a fresco*, si répandue au Moyen Âge et à la Renaissance, par une approche originale : une équipe d'artistes présente les techniques de la peinture murale et organise des stages pour que vous puissiez mettre la main à la pâte. On vous apprendra à manier mortier frais et pigments et vous n'aurez plus qu'à donner libre cours à votre imagination. Rens. à l'O.T. de Blain, ☎ 02 40 87 15 11.

Vous trouverez peut-être aussi les vestiges d'une chaussée romaine qui sert de circuit aux randonneurs, avant de rejoindre l'étang de la Roche, près de Marsac, domaine des pêcheurs et des marcheurs.

Châteaubriant

et le pays de la Mée

L'ancienne « capitale européenne de la charrue », comme on l'appelait entre les deux guerres, n'a rien perdu de sa vocation agricole. Tous les mercredis, elle s'ouvre à un important marché aux bestiaux, et les chaînes de l'usine Huard exportent toujours des charrues dans le monde entier. Avec ses belles demeures anciennes et son imposant château, Châteaubriant se trouve au centre d'une région d'étangs, de rivières et de forêts, marquée par son passé sidérurgique et particulièrement propice aux grandes balades.

Le château et la vieille ville

☎ 02 40 28 20 90.
Ouv. t. l. j. sf mar. et dim. mat., 15 juin-15 sept., 10 h 30-12 h et 14 h-17 h.
Accès payant.
Dans une vaste enceinte comprenant le château médiéval et le château Renaissance, on peut voir le donjon, le châtelet d'entrée et la chapelle, ainsi que des salles richement décorées de boiseries et de cheminées pour la partie la plus récente. Dans la vieille ville, disposée autour de la **Grand-Rue**, au pied du château, on remarquera notamment l'hôtel particulier de la Houssaye (1769).

Le foirail

Les gourmets se souviendront peut-être que le mot châteaubriant désigne une

Le château de Châteaubriant (XVIe s.) rappelle les demeures du Val de Loire

pièce de bœuf découpée dans le filet. Rien d'étonnant donc si la ville est la 2e de France pour la viande bovine. Le marché aux bestiaux du mercredi matin est réputé. Il faudra se lever tôt pour assister aux transactions qui n'ont pas changé depuis des lustres ! Rens. à l'O.T.

La route du fer

Dans le pays de Châteaubriant, l'industrie sidérurgique a laissé de nombreuses traces, de Sion-les-Mines à Moisdon-la-Rivière et Martigné-Ferchaud. À Sion-les-Mines, on peut voir les ruines de l'établissement de la Hunaudière, fondé en 1630, et des maisons d'ouvriers. Près de Juigné-des-Moutiers, l'étang de la Blisière, comme beaucoup de lacs proches des anciennes forges, est privé et interdit à la baignade, mais ses berges très agréables restent ouvertes au public.

La Forge-Neuve

Un passé industriel

20 km au S. de Châteaubriant, près de Moisdon-La-Rivière

Construite en 1668, elle ne garde aujourd'hui de son haut-fourneau, de sa forge d'affinerie et de sa fonderie que des traces sur le sol. Mais on peut encore voir plusieurs bâtiments annexes, comme les halles à charbon, les maisons d'ouvriers et deux maisons de maître. La grande halle présente une exposition retraçant l'histoire des forges dans la région (ouv. merc. a.-m. et sam.-dim., 10 h-12 h et 14 h-18 h, 5 juil.-31 août, ☎ 02 40 07 22 44).

La Chapelle-Glain

Le château de la Motte-Glain

18 km au S.-E. de Châteaubriant

☎ 02 40 55 52 01.

Ouv. t. l. j. sf mar., 15 juin-15 sept., 14 h 30-18 h 30.

Accès payant.

Dans un domaine privé doté de plusieurs étangs au décor très romantique, on peut visiter ce beau château de la fin du XVe s., construit par Pierre de Rohan, maréchal de Gyé. À l'intérieur de la forteresse, un insolite **musée de la Chasse** présente divers trophées de chasse africains.

Saint-Aubin-des-Châteaux

Le parc du Plessis

9, 5 km à l'E. de Châteaubriant

☎ 02 40 28 40 05 (téléphoner avant la visite).

Ouv. sam. et dim. a.-m. à partir de 15 h.

Accès payant.

Dans un parc de 45 ha qui allie bocage, bois et jardins, Jean-Pierre Prime propose plusieurs formules de visites commentées. Dans des jardins aménagés, on peut s'initier en famille au **jeu de croquet** et visiter le domaine où se trouve également un ancien château. Le maître des lieux propose aussi des randonnées de 6 à 7 km dans la campagne environnante à partir du site de la Hunaudière.

Repères

F4

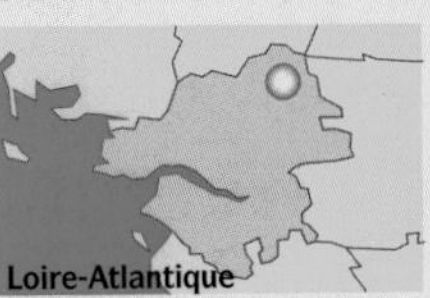

Activités et loisirs

Le marché aux bestiaux
La route du fer
Le parc du Plessis

À proximité

Rennes (55 km N.-O.), p. 196.

Office de tourisme

Châteaubriant :
☎ 02 40 28 20 90

L'OCCASION SOUDANAISE

Route de Laval, Soudan
6 km à l'E. de Châteaubriant
☎ 02 40 28 65 96.

Ouv. t. l. j. sf dim., 14 h-20 h.

Ce magasin d'antiquités s'est spécialisé dans le mobilier de la région et les bibelots, notamment les verres et les carafes. On y trouve ainsi des spécimens issus de l'ancienne verrerie de Javardan, située à Fercé et l'une des plus importantes de l'Ouest à la fin du XVIIIe s., mais aussi des coffres, tables et autres armoires typiques, dans leur simplicité, du pays de la Mée. Comptez entre 2 000 et 6 000 F pour le mobilier.

Ancenis
cabernet, brochets et châteaux de la Loire

Bâtie sur la rive de la Loire, sur une butte schisteuse qui fut autrefois une île, à mi-chemin entre Nantes et Angers, Ancenis est une ville-étape qui a gardé de nombreuses traces de son passé. Elle cultive une vieille tradition de pêche et de bon petits plats : ne manquez pas de goûter le délicieux brochet au beurre blanc accompagné d'un verre de malvoisie. La zone industrielle accueille des entreprises spécialisées dans la construction électrique ou dans les machines agricoles, qui assurent à la cité un solide développement.

La Toile à beurre, à Ancenis

Pêche et gastronomie

Les vignobles et la Loire, fleuve particulièrement poissonneux, ont déterminé tout l'art culinaire de la région. Les brochets, les sandres et les anguilles sont toujours à l'honneur sur les tables d'Ancenis où fut également inventée la sauce au beurre blanc, savoureux mélange de beurre fondu, de vinaigre et d'échalotes. **La Toile à beurre** (82, rue Saint-Pierre, ☎ 02 40 98 89 64, f. dim. soir) est un charmant restaurant (menus de 95 à 185 F) où vous pourrez goûter ces spécialités accompagnées de vins de la région.

La tour d'Oudon

☎ 02 40 83 80 04.
T. l. j. 15 juin-20 sept., 10 h-12 h et 14 h 30-18 h 30 ; 1er mai-15 juin, ouv. w.-e. et j. fér.
Accès payant.
Dominant la Loire, à quelques kilomètres au S.-O. d'Ancenis, ce donjon octogonal du XIVe s. est le dernier vestige d'une forteresse qui remplaçait elle-même un château fort très ancien. Un escalier creusé dans l'épaisseur des murs permet de grimper au sommet de la tour d'où l'on a une vue imprenable sur tout le pays d'Ancenis.

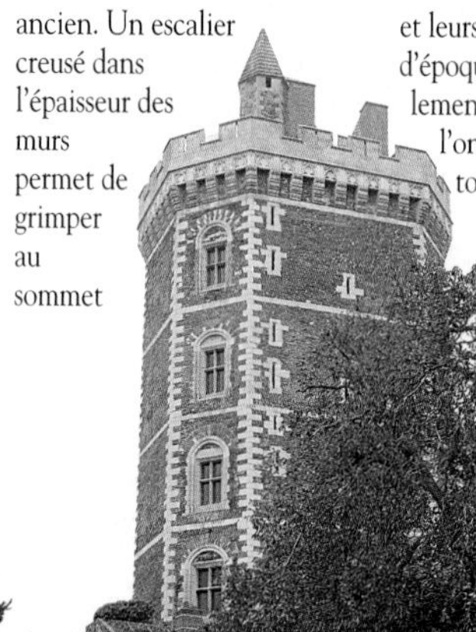

Balade en ville

Près du château, dont il ne reste plus que les tours jumelles, datant du XVe s., quelques remparts et un bâtiment Renaissance, se trouve la **rue des Tonneliers**. Plusieurs hôtels particuliers de négociants du XVIIIe s. s'y succèdent, avec leurs portails et leurs cours intérieures d'époque. On remarquera également les anciens celliers où l'on fabriquait autrefois les tonneaux destinés au transport du vin mais aussi du grain et du sel. Les **halles**, construites sous Napoléon III, offrent un agréable plateau piétonnier doté d'une fontaine. Sur la place de l'**église Saint-Pierre-et-Paul**, construite aux XVe et XVIe s., se tient tous les jeudis un marché très sympathique.

La place de l'église Saint-Pierre-et-Saint-Paul

Portail ouvragé, rue des Toneliers

Les châteaux de la Loire

Que l'on visite la région en voiture ou en empruntant les sentiers pédestres des bords de Loire, de nombreux châteaux ponctuent les excursions. La plupart sont privés et ne se visitent pas. On pourra quand même admirer la superbe façade du **château de Clermont** (XVIIe s.), en direction de Nantes, où Louis de Funès mourut en 1983, ou encore l'imposant **château de Vair**, en direction d'Angers. Non loin, à Varades, le **palais Briau**, belle demeure construite en 1864 près des ruines du château médiéval se visite les sam. et dim. de 10 h à 12 h et de 14 h à 18 h (☎ 02 40 83 45 00, accès

payant). Le parc est ouvert tous les jours aux mêmes horaires.

Le château de Clermont appartenait à la famille de Louis de Funès

Repères

G5

Activités et loisirs

Les châteaux de la Loire
Visite de caves viticoles

À proximité

Clisson (36 km S.), p. 300.

Office de tourisme

Ancenis : ☎ 02 40 83 07 44

❀ CAVES ET VINS D'ANCENIS

Établissements Guindon, bd des Airennes, Saint-Géréon ☎ 02 40 83 18 96.
T. l. j. sf dim. et j. fér., 9 h-12 h et 14 h-18 h.
Visite des caves et dégustation.
En viticulteur passionné, Jacques Guindon vous fera visiter ses caves et vous expliquera toutes les ficelles de son métier. Chez lui, vous trouverez du muscadet des coteaux de Loire, du gros-plant du Pays nantais, du cabernet ou encore de la malvoisie, ce vin moelleux issu d'un cépage de pinot gris, spécialité exclusive du pays d'Ancenis. Légers ou fruités, rouges ou blancs, les vins d'Ancenis accompagnent avec bonheur hors-d'œuvre, charcuteries et poissons de cette région de rivières. Comptez autour de 30 F pour une bouteille de cabernet rouge.

A

B

D

E

F

M

N

O

P

Q

R

S

T

V

Crédit Photographique

Intérieur

Toutes les photographies de cet ouvrage ont été réalisées par **Laurent PARRAULT**, à l'exception de :

Jacques Debru : p. 6 (ht.d., c.g.) ; p. 17 (ht.d.) ; p. 26 (ht.) ; p. 28 ; p. 29 (ht., b.d.) ; p. 38 (c.g.) ; p. 40 (ht.d., b.d.) ; p. 44 (ht.d.) ; p. 81 (c.c.) ; p. 83 (b.c.) ; p. 86 (b.c.) ; p. 88 (ht.g.) ; p. 91 (ht.d.) ; p. 94 (ht.d.) ; p. 96 (c.d.) ; p. 97 (c.c., b.g. 1er plan) ; p. 100 (b.g.) ; p. 138 (c.c.) ; p. 144 (ht.d.) ; p. 149 (ht.c., c.d.) ; p. 158 (ht.) ; p. 161 (c.c., b.d.) ; p. 164 (c.) ; p. 171 (c.c.) ; p. 175 (c.g.) ; p. 185 (c.c.) ; p. 188 (b.) ; p. 196 (ht.) ; p. 199 (ht.g.) ; p. 206 (ht.d.) ; p. 207 (c.d.) ; p. 210 (ht.g.) ; p. 231 (ht.) ; p. 235 (c.c.) ; p. 237 (b.g.) ; p. 243 (ht.) ; p. 252 (ht.d.) ; p. 263 (ht.c.) ; p. 270 (b.d.) ; p. 271 (c.g.) ; p. 272 (ht.d.) ; p. 278 (c.d.) ; p. 281 (c.c.) ; p. 292 (c.d.) ; p. 300 (ht.d.) ; p. 301 (b.g.) ; p. 303 (ht.c.).

Christine Legrand : p. 5 (ht.g.) ; p. 10 (c.) ; p. 16 (b.g.) ; p. 21 (c.c.) ; p. 39 (b.c.) ; p. 41 (ht., b.) ; p. 44 (b.g.) ; p. 45 (ht.d.) ; p. 57 (ht.d.) ; p. 97 (b. 2e plan) ; p. 99 (ht.g., c.d.) ; p. 107 (ht.g.) ; p. 114 (c.g.) ; p. 127 (b.d.) ; p. 133 (ht.g.) ; p. 138 (ht.g.) ; p. 155 (ht.c.) ; p. 163 (b.g.) ; p. 164 (b.) ; p. 189 (ht.) ; p. 190 (b.) ; p. 212 (ht.) ; p. 226 (b.d.) ; p. 229 (c.g.) ; p. 237 (ht.) ; p. 262 (ht., c.d.) ; p. 263 (c.c.) ; p. 271 (b.) ; p. 276 (ht.g.) ; p. 277 (c.c.) ; p. 295 (b.).

Jos Le Doaré : p. 11 (ht.) ; p. 34 (ht.g.) ; p. 35 (ht.g., b.g.) ; p. 82 (b.d.) ; p. 137 (ht.g.) ; p. 137 (b.g.) ; p. 154 (b.g.) ; p. 155 (ht.g., b.c., b.g., b.d.) ; p. 210 (ht.d., c.g.) ; p. 211 (ht.) ; p. 239 (ht.) ; p. 242 (c.g.) ; p. 243 (b.g.) ; p. 257 (b.g.) ; p. 262 (b.) ; p. 263 (b.) ; p. 268 (ht., c.d., b.) ; p. 269 (ht., c.c., b.d.) ; p. 276 (ht.d., c.g.) ; p. 277 (ht.) ; p. 302.

Philippe Barret/Éditions Philippe Lamboley : p. 17 (b.d.) ; p. 87 ; p. 89 ; p. 90 (c.d. 2e plan) ; p. 91 (b.d. 1er plan) ; p. 94 (ht. 2e plan) ; p. 100 (ht.d., ht.g.) ; p. 101 (ht.c.) ; p. 167 (c.c.).

Andrew-Paul Sandford : p. 38 (b.d.) ; p. 136 (ht.) ; p. 142 (b.c.) ; p. 143 (ht.g.) ; p. 160 (b.d.) ; p. 161 (c.d.) ; p. 163 (ht.) ; p. 211 (c.d., b.d.) ; p. 215 (ht.) ; p. 216 (c.g.) ; p. 217 (ht.).

Alex Chollet : p. 45 (2e en partant du ht.) ; p. 124 (ht.d.) ; p. 223 (c.g.) ; p. 272 (b.d.) ; p. 274 ; p. 282 (c.d.) ; p. 289 (b.d.).

Patrick Sordoillet : p. 27 (ht.) ; p. 96 (b.g.) ; p. 249 (ht.) ; p. 258 ; p. 267 (ht.d.).

Photothèque Hachette : p. 17 (b.g.) ; p. 22 (ht.d.) ; p. 23 (c.g., c.c., c.d.) ; p. 53 (ht.g., ht.d.) ; p. 74 ; p. 75 ; p. 185 (c.g.).

Jacana : Manfred Dannegges, p. 82 (ht.) ; **Martial Colas**, p. 83 (ht.d.) ; **P. Bourges**, p. 256 (c.g.).

Éric Guillot : p. 156 (b.d.) ; p. 271 (ht.g.).

Christian Sarramon : p. 294 (ht.d.) ; p. 307 (c.c.).

Jean-Marie Liot : p. 20 (ht.).

Bloc Marine : p. 33 (c.d.). **Musée départemental breton, Quimper** : p. 52 (b.d.). **C.R.T. de Bretagne, Rennes** : p. 61 (c.g.), p. 79 (b.). **Yvon Le Berre** : p. 61 (b.d.). **Étonnants Voyageurs :** p. 73 (ht.g.). **F. Holveck, Chasse-marée** : p. 73 (b.d.). **Algoplus** : p. 81 (ht.g.). **Sylvie Mané** : p. 91 (b.d. 2e plan). **J. Hénaff** : p. 94 (b.d.). **Le Moussaillon** : p. 105 (ht.d.). **Michel et René Alliot** : p. 108 (b.g.), p. 162 (b.), p. 163 (c.c.). **M. Le Coz** : p. 121 (c.g.). **Festival du film court de Brest** : p. 122 (b.). **Océanopolis, T. Joyeux** : p. 123 (ht., b.d.). **C.C.A.D., P. Nedellec** : p. 126 (ht.). **O.T. de Morlaix, Rick Martin** : p. 132 (c.d.). **Roulottes et calèches de Bretagne, Huelgoat** : p. 137 (c.d.). **Asinerie du Creil** : p. 140 (c.d.). **H. Bourdon** : p. 141 (b.g.). **Château de Trévarez** : p. 143 (b.g.). **Gilles Larbi :** p. 150 (b.d.). **Marie T. Le Duff** : p. 153 (b.d.). **Le Vieux Copain, Christian Delangue** : p. 154 (ht.d.). **O. T. du Morbihan** : p. 160 (ht.). **Les Forges-des-Salles** : p. 161 (ht.g.). **Gérard Rabiller** : p. 162 (c.g.). **Biscuiterie Ker Cadélac** : p. 163 (b.d.). **O.T. de Pléneuf-Val-André** : p. 166 (ht.). **Haras d'Hennebont, Yvon Le Berre** : p. 169 (c.c.), p. 240 (b.d.). **O.T. de Fréhel, Michel Le Moine** : p. 172 (ht.). **Festival du Film britannique** : p. 177 (c.d.). **Zooloisirs de Québriac** : p. 187 (ht.). **Smet, P. Lelièvre** : p. 191 (ht.).**Centre d'animation de la baie** : p. 191 (c., b.). **O.T. de Cancale** : p. 192 (ht.). **Transmusicales de Rennes** : p. 198 (ht.g.). **Biscuiterie de la Pointe du Raz** : p. 213 (c.d.). **Port-musée, Douarnenez** : p. 214 (ht.). **Le Minor, Christian Rérat** : p. 224 (c.c.). **O. T. de Lorient** : p. 229 (b.d.). **SEM Fouesnant, F. Quinio** : p. 230 (c.g.). **Musée de la Compagnie des Indes** : p. 236 (ht.). **Conservatoire de la Carte postale** : p. 243 (b.d.). **Thalassa, Quiberon** : p. 247 (ht.). **Biscuiterie La Trinitaine** : p. 251 (c.c.). **A. Duchêne** : p. 259 (c.c.). **Y. Boëlle, la Cohue** : p. 259 (b.). **Musée archéologique de Vannes** : p. 260 (c.c.). **Manoir de Kerguet** : p. 262 (c.c.). **Citadelle Vauban** : p. 265 (c.g., b.g.). **Musée de la Poupée, Josselin** : p. 270 (b.g.). **Maison des frères de Ploërmel** : p. 272 (b.g.). **Musée de la Résistance bretonne** : p. 273 (c.c.). **Y. Rocher, La Gacilly** : p. 279 (c.c.). **Parc de Branféré** : p. 281 (b.d.). **Écomusée de Saint-Marcel** : p. 290 (ht.d.). **Écomusée de Saint-Nazaire** : p. 290 (b.g.). **Mairie de Nantes, S. Menoret** : p. 299 (c.c.). **Maison Benoist** : p. 303 (ht.g.). **Noël France** : p. 303 (b.g.). **Musée du Tire-bouchon** : p. 307 (b.d.).

Ce *guide Vacances* a été établi par **Pierre-Henri Allain, Olivier Goujon et Claire Rouyer**, avec la collaboration de Jackie Baldwin, Marie Barbelet, Denis Hil, Muriel Lucas, Frédéric Olivier, Françoise Picon, Irène Tsuji.

Les auteurs adressent leurs remerciements à Marie-Louise Clavier.

Illustrations : **François Lachèze** (p. 134 : Armel Bonneron).

Cartographie illustrée : **Stéphane Humbert-Basset**.

Cartographie : **© Idé-Infographie** (Thomas Grollier).

Aussi soigneusement qu'il ait été établi, ce guide n'est pas à l'abri des changements de dernière heure, des erreurs ou omissions. Ne manquez pas de nous faire part de vos remarques. Informez-nous aussi de vos découvertes personnelles, nous accordons la plus grande importance au courrier de nos lecteurs.

Guides Vacances, Hachette Tourisme, 43, quai de Grenelle, 75905 Paris CEDEX 15.

Imprimé en Espagne
Dépôt légal 1628 – 03/00 – ISBN : 2.01.243292.1 - 24.3292.0/02

Sur présentation du Guide Vacances Bretagne,

Domaine de Trévarez

Proposent l'entrée à 20 F.

Offre valable à partir de 11 ans.

Domaine de Trévarez
Parc Trévarez
29520 SAINT-GOAZEC
☎ 02 98 26 82 79

Sur présentation du Guide Vacances Bretagne,

le château de Combourg

Propose l'entrée à 23 F.

Château de Combourg
23, rue du Prince
35270 COMBOURG
☎ 02 99 73 22 95

Sur présentation du Guide Vacances Bretagne,

le musée de la Préhistoire de Carnac

Propose l'entrée au tarif réduit.

Musée de la Préhistoire
10, place de la Chapelle
56340 CARNAC
☎ 02 97 52 22 04